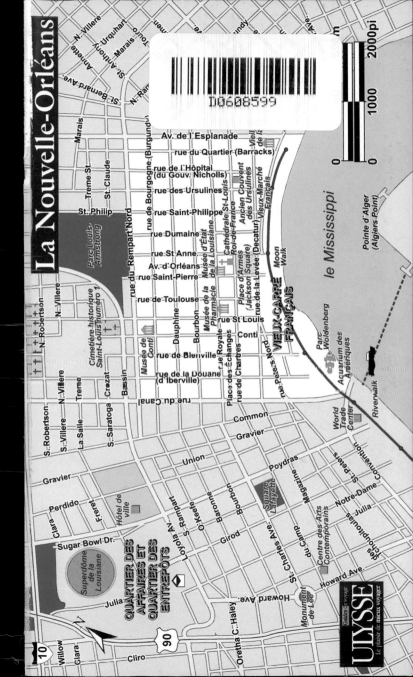

Façades typiques de coquettes maisons le long de la rue Dauphine, dans le Vieux-Carré Français. - *Roch Nadeau*

La Nouvelle-Orléans

2e édition

Richard Bizier
Roch Nadeau

Guides de voyage

ULYSSE

Le plaisir de mieux voyager

BUREAUX
CANADA : Guides de voyage Ulysse, 4176, rue St-Denis, Montréal
(Québec) H2W 2M5, ☎(514) 843-9447 ou 1-877-542-7247,
fax : (514) 843-9448, info@ulysse.ca, www.guidesulysse.com

EUROPE : Guides de voyage Ulysse SARL, BP 159, 75523 Paris
Cedex 11, France, ☎01 43 38 89 50, fax : 01 43 38 89 52,
voyage@ulysse.ca, www.guidesulysse.com

ÉTATS-UNIS : Ulysses Travel Guides, 305 Madison Avenue, Suite
1166, New York, NY 10165, ☎1-877-542-7247, info@ulysses.ca,
www.ulyssesguides.com

DISTRIBUTION
Canada : Guides de voyage Ulysse, 4176, rue St-Denis, Montréal
(Québec) H2W 2M5, ☎(514) 843-9882, poste 2232, ☎1-800-748-
9171, fax : (514) 843-9448, www.guidesulysse.com, info@ulysse.ca

États-Unis : Distribooks, 8120 N. Ridgeway, Skokie, IL 60076-2911,
☎(847) 676-1596, fax : (847) 676-1195

Belgique : Presses de Belgique, 117, boulevard de l'Europe,
1301 Wavre, ☎(010) 42 03 30, fax : (010) 42 03 52

France : Inter Forum, 3, allée de la Seine, 94854 Ivry-sur-Seine
Cedex, ☎01 49 59 10 10, fax : 01 49 59 10 72

Espagne : Altaïr, Balmes 69, E-08007 Barcelona, ☎(3) 323-3062,
fax : (3) 451-2559

Italie : Centro cartografico Del Riccio, Via di Soffiano 164/A, 50143
Firenze, ☎(055) 71 33 33, fax : (055) 71 63 50

Suisse : Havas Services Suisse, ☎(26) 460 80 60,
fax : (26) 460 80 68

Pour tout autre pays, contactez les Guides de voyage Ulysse
(Montréal).
Données de catalogage avant publication (Canada). (Voir p 5.)

© Guides de voyage Ulysse inc.
Tous droits réservés
Bibliothèque nationale du Québec
Dépôt légal – Quatrième trimestre 2000
ISBN 2-89464-195-8

La Nouvelle-Orléans a inspiré tous les artistes, les poètes et les écrivains qui y sont nés ou qui l'ont approchée. De William Faulkner à Tennessee Williams (de son vrai nom Thomas Lanier), du grand Louis Armstrong, racontant son enfance dans *Ma Nouvelle-Orléans* (éd. Julliard, Paris), à la prolifique Anne Rice, la «Cité du Croissant» a reçu tous les éloges et toutes les critiques. Depuis toujours, La Nouvelle-Orléans a enthousiasmé les élites avec autant de passion qu'elle a déconcerté, voire scandalisé, les esprits les plus conservateurs.

Parmi les «éloges» que La Nouvelle-Orléans a reçus de ses nombreux admirateurs, c'est sans doute la citation qui suit qui résume le mieux les états d'âme de cette ville au caractère unique au monde...

«L'atmosphère semble imprégnée à La Nouvelle-Orléans d'un effluve insidieux qui tend à dissoudre le puritanisme.»

Lyle Saxon
Fabulous New Orleans

Auteurs
Richard Bizier
Roch Nadeau

Éditrice
Caroline Béliveau

**Directrice de
production**
Pascale Couture

Correcteur
Pierre Daveluy

Adjoint à l'édition
Raphaël Corbeil
Assistantes
Marie-Josée Béliveau
Julie Brodeur
Dena Duijkers
Isabelle Lalonde
Elyse Leconte

Cartographes
André Duchesne
Bradley Fenton
Yanik Landreville
Patrick Thivierge

Infographiste
Stéphanie Routhier

Illustrateurs
Valérie Fontaine
Josée Perreault
Lorette Pierson
Richard Serrao

Photographes
Page couverture
Frank Whitney
(Image Bank)
Pages intérieures
Rock Nadeau

Directeur artistique
Patrick Farei (Atoll)

Écrivez-nous

Nous apprécions au plus haut point vos commentaires, précisions et suggestions, qui permettent l'amélioration constante de nos publications. Il nous fera plaisir d'offrir un de nos guides aux auteurs des meilleures contributions. Écrivez-nous à l'adresse qui suit, et indiquez le titre qu'il vous plairait de recevoir (voir la liste à la fin du présent ouvrage).

Guides de voyage Ulysse
4176, rue Saint-Denis
Montréal (Québec)
Canada H2W 2M5
www.guidesulysse.com
texte@ulysse.ca

Catalogage

Données de catalogage avant publication (Canada)

Vedette principale au titre :

La Nouvelle-Orléans

(Guide de voyage Ulysse)
ISSN 1486-2603
ISBN 2-89464-195-8
1.La Nouvelle-Orléans (Louis.) - Guides. I. Collection.
F379.N53L3   917.63'350464   C99-301885-8

Remerciements

Les auteurs remercient pour leur précieuse assistance et collaboration : Paquerette Villeneuve, Beverly Giana et Christine DcCuir (New Orleans Metropolitan Convention and Visitor Bureau), JoAnne Clevenger, Johan Kikpatrick, F. S. Rochefort, Jacques Letendre et Gilles De Lalonde.

«Les Guides de voyage Ulysse reconnaissent l'aide financière du gouvernement du Canada par l'entremise du Programme d'Aide au Développement de l'Industrie de l'Édition (PADIÉ) pour ses activités d'édition.»

Les Guides de voyage Ulysse tiennent également à remercier la SODEC pour son soutien financier.

Sommaire

Liste des cartes

Légende des cartes

✈	Aéroport	•🐟•	Aquarium
🚋	Tramway	✝	Église
🚗	Traversier	🏛	Musée
🐎	Hippodrome	✉	Bureau de poste

Tableau des symboles

≡	Air conditionné
⊛	Baignoire à remous
⊘	Centre de conditionnement physique
	Coup de cœur Ulysse pour les qualités particulières d'un établissement
ℂ	Cuisinette
pdj	Petit déjeuner inclus dans le prix de la chambre
≈	Piscine
ℝ	Réfrigérateur
✪	Relais santé
ℜ	Restaurant
bc	Salle de bain commune
bp	Salle de bain privée (installations sanitaires complètes dans la chambre)
S	Stationnement
⇒	Télécopieur
☎	Téléphone
tv	Téléviseur
tvc	Téléviseur (réseau câblé)
tlj	Tous les jours
⊗	Ventilateur

Classification des attraits

★	Intéressant
★★	Vaut le détour
★★★	À ne pas manquer

Classification de l'hébergement

Les tarifs mentionnés dans ce guide s'appliquent,
sauf indication contraire, à une chambre standard
pour deux personnes en haute saison.

Classification des restaurants

Les tarifs mentionnés dans ce guide s'appliquent,
sauf indication contraire, à un dîner pour une personne,
excluant le service et les boissons.

$	moins de 10$
$$	de 10$ à 20$
$$$	de 20$ à 30$
$$$$	30$ et plus

Tous les prix mentionnés dans ce guide sont en dollars américains.

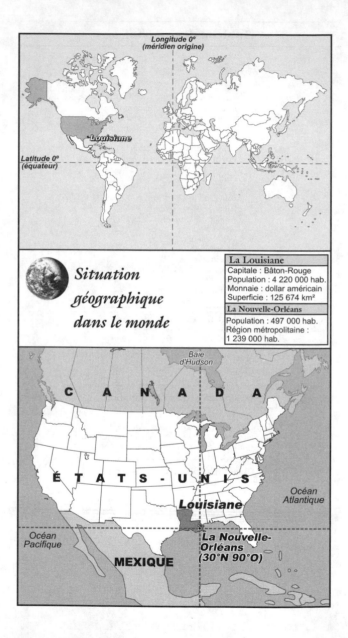

Situation géographique dans le monde

La Louisiane
Capitale : Bâton-Rouge
Population : 4 220 000 hab.
Monnaie : dollar américain
Superficie : 125 674 km²

La Nouvelle-Orléans
Population : 497 000 hab.
Région métropolitaine :
1 239 000 hab.

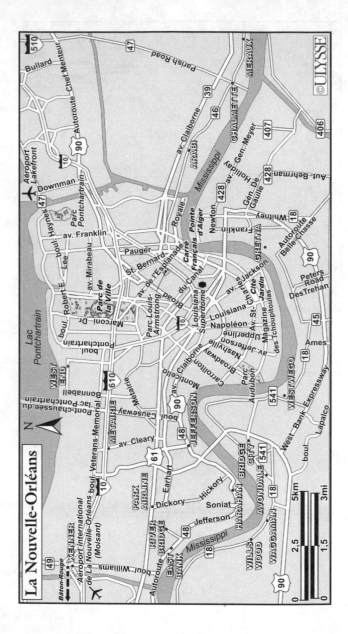

La Nouvelle-Orléans

© ULYSSE

Portrait

La Nouvelle-Orléans
semble surgir des méandres du Mississippi.

Le fleuve ainsi que la proximité du golfe du Mexique favorisèrent La Nouvelle-Orléans, qui, au début même de son existence, devint un important tremplin économique entre l'Europe et les jeunes colonies européennes d'Amérique. Son port demeure encore aujourd'hui le deuxième en importance aux États-Unis.

Réputée pour sa gastronomie, sa musique, ses festivals, son architecture et son histoire, La Nouvelle-Orléans est un endroit unique au monde. Les épithètes les plus variées peuvent servir à la dépeindre : magique, bruyante, débonnaire, flamboyante et même... décadente, voire sulfureuse. Un chroniqueur du XIXe siècle la décrivait comme «*la plus cosmopolite des villes de province ou la plus*

provinciale des villes cosmopolites».

Sa situation géographique particulière, presque insulaire, car elle est enserrée dans une courbe prononcée entre le Mississippi et le lac Pontchartrain, lui a également valu le nom de «Cité du Croissant».

Sa topographie compliquée décourage toute référence aux points de repère traditionnels, le quartier chic d'Uptown se trouvant à l'ouest et le secteur commercial de Downtown à l'est. Ces derniers arrondissements sont donc désignés selon le courant fluvial, soit le quartier en amont (Upriver) et celui en aval (Downriver). Les rives respectives du lac Pontchartrain et du Mississippi en constituent l'axe transversal.

La Nouvelle-Orléans a su préserver son riche patrimoine. Son Vieux-Carré Français impressionne autant par sa dimension que par la profusion de maisons d'époque qu'il recèle. Des influences plus françaises et créoles qu'espagnoles ont imprégné l'architecture de ce vaste quadrilatère. La Nouvelle-Orléans est vraiment envoûtante avec ses cours intérieures fleuries, ses balcons ouvragés, ses rues et ses places publiques.

Autour de l'ancienne place d'Armes (square Jackson), dominée par les flèches de la cathédrale Saint-Louis-Roi-de-France, tout comme à travers les dédales des rues du Rempart, de Bienville, de Toulouse, Bourbon, Dauphine, de Conti, des Ursulines, de la Levée, Dumaine, de Chartres et de l'Esplanade, le périmètre historique révèle constamment des charmes insoupçonnés. Bref, La Nouvelle-Orléans fut profondément marquée par la présence française; durant l'occupation espagnole, le français ne perdit nullement sa préséance chez les Créoles. Et si aujourd'hui le français résonne encore entre ses murs, nombreux étant les musiciens et chanteurs cadiens à se produire dans les cafés-restaurants de la ville, c'est seulement que l'Acadie louisianaise n'est pas très éloignée.

La fébrile Nouvelle-Orléans est sans contredit l'une des villes les plus captivantes des États-Unis d'Amérique. Même ceux qui découvrent pour la première fois la merveilleuse cité du Mississippi en deviennent follement amoureux. La richesse de son architecture, la fabuleuse diversité de ses composantes culturelles françaises, créoles, afro-américaines et espagnoles, sa gastronomie unique et la fierté de ses habitants, tout ici n'est qu'harmonie, délice et volupté. Les Américains adorent La Nouvelle-Orléans plus que toute autre ville.

Chaque jour amène dans l'historique Vieux-Carré Français ses déversements incessants de milliers de touristes. Ils viennent de tous les coins du pays, New York, Boston, Los Angeles et Chicago, arrivant à La Nouvelle-Orléans par autocar, par vol nolisé ou simplement avec leur propre voiture. Comme d'autres vont en pèlerinage à La Mecque, l'Américain vient à La Nouvelle-Orléans pour se ressourcer en ces lieux qui ont profondément marqué sa culture. Quant aux autres citoyens du monde, jamais personne ne se sent complètement perdu à La Nouvelle-Orléans; Québécois, Acadiens, Français,

Africains et Créoles, Antillais, Espagnols, Latino-Américains : chacun retrouve ici ses propres racines.

La cité, carrefour de cultures fort différentes pendant trois siècles, fut propice à l'éclosion d'une culture originale. La Nouvelle-Orléans, ville de musique, a vibré aux sons des grands maîtres du jazz; ici sont nés Louis Armstrong et Sidney Bechet. La Nouvelle-Orléans de Tennessee Williams, où l'on se surprend à chercher *Un tramway nommé Désir*, une traduction anglaise de Désirée Montreuil, une personnalité créole qui a laissé son nom à une rue de La Nouvelle-Orléans. L'écrivain Tennessee Williams s'inspira de ce nom pour son fameux tramway. La Nouvelle-Orléans, plus belle encore qu'on ne se l'imagine. La Nouvelle-Orléans ne laisse personne indifférent.

Un peu d'histoire

Certains anthropologues et archéologues avancent l'hypothèse qu'une présence humaine dans la vallée du Mississippi puisse remonter à plusieurs milliers d'années. Nul doute que ce sont les vestiges de la pointe Poverty, dans la paroisse de Carroll Ouest, qui confirment l'installation – entre 700 et 1 700 ap. J.-C. – de populations autochtones permanentes dans le Bas-Mississippi. Dans l'actuel territoire de la Louisiane vivaient trois grandes familles amérindiennes : les Tunicas, les Caddos et les Muskogees. Ce sont ces populations indigènes que rencontrèrent les premiers Européens, d'abord les Espagnols au XVIe siècle puis les Français au XVIIe siècle.

Les Espagnols Alonzo de Pineda (1519), Panfilo de Narváez (1528) et Hernando de Soto (1541), ce dernier découvrant l'embouchure du Mississippi en avril de la même année, n'envisagent aucune colonisation de ces étendues marécageuses qu'ils trouvent trop hostiles. Ce n'est qu'un siècle plus tard que les Français s'intéressent vraiment à cette contrée mystérieuse.

L'histoire de la Louisiane et de La

Nouvelle-Orléans, dont Jean-Baptiste Le Moyne, sieur de Bienville, jeta les bases en 1718, se fond avec celle de la Nouvelle-France. Le précédèrent Louis Joliet et le père Marquette en 1673, puis Cavelier de La Salle en 1682. Cette même année, La Salle prend possession du vaste territoire et le nomme «Louisiane» en l'honneur du roi Louis XIV, et, en 1699, sous l'impulsion de Pierre Le Moyne, sieur d'Iberville, s'installent les premiers colons.

Le site choisi en 1718 par Jean-Baptiste Le Moyne, sieur de Bienville, pour l'emplacement de La Nouvelle-Orléans, relève d'une stratégie économique. En effet, pour contrôler le trafic maritime du Bas-Mississippi, il fallait édifier une ville sur ses rives, le plus près possible du golfe du Mexique. Ce choix, que Bienville préfère à Bâton-Rouge malgré l'insistance des ingénieurs du roi, allait permettre la circulation des produits même lorsque l'embouchure du fleuve était embourbée par l'accumulation de sédiments alluviaux. Après le déchargement des marchandises à La Nouvelle-Orléans, le portage prenait ensuite la relève sur

Jean-Baptiste Le Moyne
de BIENVILLE

Statue de Jean-Baptiste Le Moyne

Les frères Le Moyne

Aucune famille de la Nouvelle-France ne s'est illustrée autant que les Le Moyne. Pierre Le Moyne d'Iberville fonde la colonie de la Louisiane en 1698. Quant à son frère, Jean-Baptiste Le Moyne de Bienville, il joua un rôle important dans le développement de la Louisiane, dont il fut trois fois gouverneur.

Bienville a passé presque toute sa vie dans la nature sauvage d'Amérique. Il devint gouverneur une première fois alors qu'il n'avait que 21 ans, et on lui doit la construction des forts de Maurepas et de Rosalie, de Saint-Louis, sur les rives de La Mobile ainsi que l'établissement de nombreux postes de traite tout le long du Mississippi. C'est à de Bienville que l'on doit la fondation de La Nouvelle-Orléans en 1718. Il fut un brillant linguiste qui maîtrisait plusieurs dialectes autochtones et un brillant stratège qui combattit vaillamment. Les historiens sont unanimes à reconnaître en lui un être d'une patience et d'une ténacité sans égales dans l'édification de la colonie française d'Amérique. Il a établi une communauté viable et forte en Louisiane, en dépit de nombreuses escarmouches avec les Anglais et les Amérindiens. C'est aussi sous la gouverne de de Bienville que furent construites les premières maisons d'enseignement à La Nouvelle-Orléans.

une courte distance pour ainsi atteindre le lac Pontchartrain. De là, les bateaux reprenaient la cargaison et franchissaient la Passe-du-Sauvage vers le golfe du Mexique, qui, une centaine de kilomètres plus loin, donnait accès au marché mondial. Car ce n'est vraiment qu'après la fondation de La Nouvelle-Orléans par de Bienville en 1718 que démarre l'activité de la jeune colonie française. Huit ans plus tard, soit en 1726, La Nouvelle-Orléans, avec près de 4 000 habitants (colons, esclaves, engagés et Amérindiens), prend des allures de petite capitale portuaire. Une fois les nouvelles terres défrichées, on y cultive le riz, le tabac, l'indigo, la canne à sucre, le maïs (blé d'Inde) et le coton, que l'on exporte en Europe ou dans les autres colonies françaises d'Amérique.

Les ursulines en Louisiane

Il est toujours intéressant de se replonger dans l'histoire des contrées en lisant les récits de ceux et celles qui ont pris la peine de noter leurs impressions de voyage dans un journal anecdotique. Les écrits de Jacques Cartier en Canada, de Samuel de Champlain en Huronie, des jésuites en Nouvelle-France et des ursulines en Louisiane sont autant de témoignages précieux pour les historiens contemporains.

Le projet d'implanter en Louisiane un établissement dirigé par les ursulines remonte à 1726, lorsque le roi Louis XV demande aux religieuses de Rouen d'ouvrir un monastère à La Nouvelle-Orléans, où elles pourvoiraient à l'éducation,

outre des jeunes filles créoles et françaises, *«aux Filles & Femmes Nègres & Sauvages»* ainsi qu'aux soins des malades, besoins que la jeune colonie réclame vivement. La Compagnie française des Indes, par laquelle passent le développement et les intérêts des colonies françaises d'Amérique, signe donc un traité avec les ursulines pour la concrétisation de la demande royale.

Le traité, fait à Paris le 13 septembre 1726, à l'Hôtel de la Compagnie française des Indes, contient 28 articles qui furent approuvés et signés par messieurs l'abbé Raguet, J. Morin, d'Artaguette-Diron, Castanier, Deshayer, P. Saintard, ainsi que par les révérendes sœur Catherine de Bruscoly (de Saint-Amand), première supérieure des ursulines de France, sœur Marie Tranchepain de Saint-Augustin, supérieure, sœur Marie-Anne Boullenger de Sainte-Angélique, dépositaire. Voici l'introduction de cette entente quelque peu adaptée au français moderne.

«La Compagnie ayant considéré que les fondements les plus solides de la Colonie de la Louisiane sont les Établissements qui tendent à l'avancement de la GLOIRE DE DIEU, et à l'édification des peuples, tels que sont ceux qu'elle y a faits les Révérends Pères Capu-

cins, Pères Jésuites, dont le zèle et la charité assurent les secours spirituels aux habitants et donnent une grande espérance pour la conversion des sauvages; et voulant encore par un nouvel Établissement aussi pieux soulager les pauvres malades et pourvoir en même temps à l'éducation des jeunes filles, elle a agréé et accepté les offres qui lui ont été faites par les Sœurs Marie Tranchepain de Saint-Augustin et Marie-Anne de Saint-Angélique, des Ursulines de France, de se charger du soin de l'hôpital de La Nouvelle-Orléans.»

La Nouvelle-Orléans au printemps de 1728

Dans son courrier, la révérende sœur Saint-Stanislas fait remarquer à son paternel *«que notre Ville nommée la Nouvelle Orleans (fur le bord du fleuve nommé Miffifipy du côté de l'Orient), Capitale de toute la Louifienne, eft fort belle, bien construite & régulièrement bâtie, autant que je m'y peux connoître, et que j'en ai vu le jour de notre arrivée en ce pays, car depuis ce jour-là, nous avons toujours refté dans notre Cloture, quoi qu'avant notre arrivée l'on nous en avoir donné une trés-mauvaise idée, il eft vrai que ceux qui nous parloient ainfi n'y étoient pas venus depuis quelques années, qu'on a travaillé & qu'on travaille*

encor actuellement à la perfectionner.»

Poursuivant sa description de la ville, l'ursuline ajoute que *«Les ruës y font trés-larges & tirées au cordeau, la grande ruë a près d'un lieuë de longueur, les Maifons fort bien bâties en Colombage & mortier, blanchies en chaud, lambriffées & percées toutes à jour, les deffus des Maifons font couvertes de bordeaux, qui font de petites planches taillées en forme d'ardoife, il faut le fçavoir pour le croire, car cette couverture a toute l'apparence & la beauté de l'ardoife; il fuffit de vous dire qu'il fe chante ici publiquement une chanfon, dans laquelle il y a que cette Ville a autant d'apparence que la Ville de Paris, ainfi c'eft tout vous dire.»*

Dans cette ville de La Nouvelle-Orléans grouillante d'activité, qui ne cesse de croître de jour en jour, les ursulines envisagent de prendre possession de leur maison de brique de deux étages. Sise à l'extrémité de la ville (dans ce qui est aujourd'hui le Vieux-Carré Français), au printemps de 1729 (pour le dimanche de Pâques), elle est suffisamment grande pour y loger la communauté, les élèves et, dans une partie réservée à cet effet, y recevoir les malades.

Vente de la Louisiane :
«*Achetez maintenant, payez plus tard!*»

Lorsque Napoléon vendit la Louisiane pour la somme de 15 millions de dollars le 30 avril 1803, le président américain Thomas Jefferson dut faire un emprunt pour réunir cette somme colossale. Imaginez, le Trésor américain ne disposait à l'époque que de 10 millions trébuchants. L'empereur avait un urgent besoin de ces fonds pour soutenir ses efforts de guerre en Europe. Ironie du sort, les Américains empruntèrent les cinq millions manquants aux banques anglaises et hollandaises. Ainsi, ces deux nations, qui étaient alors en guerre avec Napoléon, subventionnèrent en quelque sorte leur propre oppresseur.

Un ouvrage incontournable

Pour qui s'intéresse à l'histoire de la Nouvelle-France, l'ouvrage de Madeleine Marie Hachard, ursuline sous le vocable de sœur Saint-Stanislas, est un legs précieux et indispensable à nos générations. En effet, *De Rouen en Louisiane - Voyage d'une Ursuline en 1727* (Cahiers des Études Normandes – Publications de l'Université de Rouen, n° 139) se doit d'être bien eu *i un* dans toutes les bibliothèques *de la* Francophonie, voire de l'État *de la* Louisiane, et sur les tablettes de tous les férus d'histoire à travers le monde.

En 1762, la France cède la Louisiane à l'Espagne. Celle-ci la lui restitue en 1800. Le 30 avril 1803, Napoléon vend les 2 600 000 km^2 de la Louisiane aux Américains pour 80 millions de francs. La Nouvelle-Orléans devient alors américaine.

La «Bataille de La Nouvelle-Orléans»

La Bataille de La Nouvelle-Orléans, à Chalmette en

1812, est un haut fait sans précédent dans l'histoire américaine, et cela à plus d'un titre. Rappelons ici que la Bataille de La Nouvelle-Orléans mit fin à toutes velléités anglaises de possessions coloniales sur le sol des États-Unis d'Amérique. Et, pour une première fois également, toutes les forces vives de la jeune nation américaine combattirent côte à côte l'envahisseur. Fait mémorable, luttèrent pour une même cause à la fois les Acadiens venus des bayous, les Allemands francophiles venus de la Côte-des-Allemands, les esclaves et les Noirs affranchis, les Créoles, les Kentuckiens et les Tennessiens, de même que les flibustiers de la

Statue équestre d'Andrew Jackson

baie de Barataria répondant à l'appel de Jean Lafitte. Cette glorieuse bataille coûta la vie à 2 000 soldats anglais, alors que, de leur côté, les Américains ne perdirent que sept des leurs. Le grand héros de la Bataille de La Nouvelle-Orléans fut sans conteste Andrew Jackson, qui devint par la suite président des États-Unis d'Amérique.

La guerre de Sécession

Dans la jeune république américaine, chaque État jouit d'une certaine autonomie. Chacun a ainsi la responsabilité des décisions internes, dont celle de maintenir ou d'abolir l'esclavage sur son territoire. Toutefois, lorqu'un nouvel État ou un nouveau territoire entre dans l'Union, il revient au Congrès fédéral d'autoriser ou non le maintien de l'esclavage dans la région adhérente. Les États du Nord s'opposent à cette pratique, dont leur économie n'a pas besoin pour se développer et qui est considérée comme inhumaine. En revanche, dans les États situés au sud de l'Ohio, tout comme dans la partie à l'ouest du Mississippi, où les plantations de coton ne cessent de se multiplier, l'esclavage fournit aux propriétaires terriens une main-d'œuvre peu coûteuse. Bientôt, entre les États qui pratiquent l'esclavage au sud et les États antiesclavagistes du Nord, va se profiler la confrontation.

Les premières protestations sudistes arrivent lors de l'admission dans l'Union du Missouri en 1820, le nouvel

Jean Lafitte – pirate et patriote

Jean Lafitte fait partie de ces personnages dont la légende s'empare volontiers. À ce chapitre, il est aussi populaire dans la mémoire collective des Américains que le marquis de La Fayette. Né en France vers 1780 et mort autour de 1825, ce baroudeur des mers aura entretemps été fort occupé. Arrivé très jeune dans les Antilles françaises avec Pierre, son frère aîné, il obtint de la république sud-américaine de Carthagène des «lettres de marque» qui lui permettaient d'attaquer à son profit les navires ennemis, anglais ou espagnols. Au début des années 1800, il se serait installé à La Nouvelle-Orléans en tant que forgeron, bonne couverture pour ses activités d'importateur d'esclaves et de contrebandier.

À la recherche de réseaux pour écouler ses prises, il découvrit bientôt les avantages de la baie de Barataria, que ses eaux marécageuses donnant sur le golfe du Mexique rendaient imprenable. C'est là qu'il forma sa bande de «baratariens» (mot d'origine espagnole signifiant «tricheurs»), dont les Anglais sollicitèrent l'aide en 1814, allant jusqu'à lui offrir 3 000 dollars et le grade de capitaine, pour envahir La Nouvelle-Orléans toute proche, américaine, on le sait, depuis le traité de 1803 avec Napoléon. Mais Jean Laffite, qui n'avait pas les Anglais en haute estime, était plutôt pro-étasunien. Soucieux d'échapper aux poursuites que lui avaient values ses activités de contrebande, il proposa plutôt ses services au général Jackson, en échange d'un pardon que l'ardeur avec laquelle il se battit à la tête de ses hommes lui valut aisément. Grâce à la participation de Jean Lafitte, Jackson remporta une brillante et définitive victoire à la «Bataille de La Nouvelle-Orléans» en 1815. Lafitte est, pour cette raison, considéré par plusieurs comme un héros de la jeune république américaine.

Par la suite, il fonda au Texas ce qui allait devenir Galveston, avant de reprendre sa vie de pirate – il y aurait reconstitué (entre 1816 et 1820) une brigade d'environ 1 000 corsaires – jusqu'à ce qu'on perde sa trace après 1825. Certains historiens racontent que Jean Lafitte quitta brusquement le territoire américain en 1820 et qu'entre deux pillages il proposa ses services aux indépendantistes mexicains contre l'Espagne, avant de terminer sa vie au Yucatán en 1825. Un autre historien retrouve ses traces en 1832 à Saint Louis (Missouri), où il aurait fabriqué de la poudre à canon avant de s'intéresser à la doctrine socialiste au point de partir pour l'Europe, en 1847, rencontrer Marx et Engels. Revenu aux États-Unis, il serait mort en Illinois en 1854.

Jean Laffite, dont le nom ne figure pas encore au *Petit Larousse*, devait inspirer Hollywood, où, dès 1937, le célèbre réalisateur Cecil B. De Mille en fit le héros des *Flibustiers*. Anthony Quinn tourna une nouvelle version de ce film en 1958, avec Yul Brynner dans le rôle principal.

Patriote ou pirate, Jean Laffite reste présent en Louisiane, où l'on a donné son nom au Parc historique national ainsi qu'à une multitude de rues, avenues, boulevards et places publiques.

État ayant été autorisé à maintenir l'esclavage, alors qu'on veut imposer son abolition aux États à l'ouest du Mississippi et à ceux du Nord. C'est en 1844, après l'entrée d'autres États, que le mécontentement atteint son comble et que se dessine au sud un mouvement sécessionniste prêt à sacrifier l'Union pour maintenir l'esclavage.

Lors des élections de 1860, le candidat républicain Abraham Lincoln, antiesclavagiste avoué, devient président, écartant ainsi du pouvoir les démocrates esclavagistes. Cette élection leur apparaissant comme une véritable provocation, les États du Sud entreprennent de se séparer en 1861. Ils vont alors se constituer en États confédérés d'Amérique, se donner comme capitale Richmond (en Virginie) et proclamer Jefferson Davis comme président. Ce sera le début d'un long conflit entre les États du Nord et ceux du Sud. La guerre de Sécession, qui commence au printemps de 1861, durera quatre ans, jusqu'en 1865.

Mieux préparés, les Sudistes remportent de nombreuses victoires aux cours des deux premières années. Plus forts en nombre, les Nordistes, ou Fédéraux, occupent toute la partie à l'ouest du Mississippi et y mobilisent leurs troupes, qui entreprennent de là la plupart de leurs attaques contre les Sudistes, dits les Confédérés. Entre Washington, capitale des Nordistes, et Richmond au sud, les affrontements se font de plus en plus sanglants. C'est dans cette dernière ville, la capitale même du Sud, qu'aura lieu la rencontre décisive entre les troupes du général Robert E. Lee et du général des Fédéraux Ulysses Grant. La bataille durera 10 jours, au terme desquels Lee va capituler. Le terrible conflit Nord-Sud aura fait 600 000 morts. Cinq jours plus tard, le 14 avril, c'est la consternation chez les Nordistes : Abraham Lincoln, qui vient d'entamer son second mandat à la présidence, est assassiné par un Sudiste enragé, l'acteur John Wilkes Booth.

Grâce aux résultats de la guerre de Sécession, l'Union américaine est sauvée. Dès 1863 déjà, en pleine guerre, les Nordistes avaient aboli d'office l'esclavage dans tous les États où il persistait encore, et, en 1865, sitôt après le conflit, on met fin officiellement à l'esclavage dans l'ensemble des États-Unis d'Amérique.

Deux des huit généraux de la Confédération sudiste, Braxton Bragg et Pierre-

Dates marquantes de l'histoire de La Nouvelle-Orléans

1541 : l'Espagnol Hernando de Soto, après ses missions au Pérou, en Nouvelle-Espagne (Mexique) et aux Antilles, explore les côtes de la Floride et poursuit ensuite son périple dans le golfe du Mexique, où il découvre l'embouchure d'un immense fleuve qui prendra le nom de «Mississippi» plus d'un siècle plus tard.

1682 : parti de Québec, René Robert Cavelier de La Salle arrive à l'embouchure du «Grand Fleuve» le 9 avril. Prenant alors possession de ce vaste territoire au nom de la France, le sieur de La Salle nomme cette partie de la Nouvelle-France «Louisiane» en l'honneur de son souverain Louis XIV.

1699 : Pierre Le Moyne d'Iberville installe des colons au fort Maurepas. La même année, il explore les environs de Bâton-Rouge et donne le nom de «Pontchartrain» (son bienfaiteur) au lac – sis au nord de La Nouvelle-Orléans alors inexistante – que les Autochtones lui font découvrir sur la route du retour.

1708 : Louis Juchereau de Saint-Denis fonde le bourg de Bayou Saint-Jean. D'autres colons s'établissent dans les environs, depuis le bayou Sauvage (Gentilly) jusqu'à la levée de la Métairie.

1709 : au port de La Havane est embarqué, à bord du bateau *La Vierge du Grâce*, un premier groupe d'esclaves africains destinés à La Nouvelle-Orléans.

1716 : sous la gouverne de Jean-Baptiste Le Moyne de Bienville, frère de Pierre Le Moyne d'Iberville, le fort Rosalie reçoit ses premiers habitants.

1718 : Jean-Baptiste Le Moyne de Bienville fonde en bordure du Mississippi (nommé Missisipy ou fleuve Saint-Louis) La Nouvelle-Orléans, du nom de Philippe d'Orléans, le roi régnant.

1720 : la population de la Louisiane atteint 6 000 habitants, dont 10% d'esclaves. À la fin de 1721, la population de La Nouvelle-Orléans se chiffre ainsi : 147 hommes, 65 femmes, 38 enfants, 28 serviteurs, 73 esclaves et 21 Amérindiens pour un total de 372 personnes.

1722 : un ouragan ayant détruit la ville en 1721, le sieur de Bienville commande les nouveaux plans de la ville de La Nouvelle-Orléans à Pierre Le Blond de La Tour. Celui-ci dessine alors les plans définitifs de son fameux «Carré» en avril de la même année.

1727 : les ursulines arrivent à La Nouvelle-Orléans le 6 août. Elles ouvrent aussitôt une école pour l'éducation des jeunes Amérindiennes, Françaises et Noires de la jeune colonie.

1728 : la France envoie à La Nouvelle-Orléans un premier contingent de filles à marier. Les «Filles à la cassette», ainsi nommées parce qu'elles débarquaient avec leur trousseau reçu en prime, furent prises en charge par les ursulines.

1763 : le traité de Paris confirme la rétrocession de la Louisiane à l'Espagne, laquelle avait été signée dans le secret une année plus tôt lors du traité de Fontainebleau. La même année, les jésuites sont expulsés et tous leurs avoirs, soit 900 000 livres incluant les terrains que leur avait cédés de Bienville, sont confisqués.

1768 : les Créoles de La Nouvelle-Orléans contestent la nouvelle autorité espagnole et refusent de reconnaître l'autorité du gouverneur Don Antonio de Ulloa. Quelque 560 Créoles vont même jusqu'à signer une pétition afin de protester contre les politiques économiques de la nouvelle administration qui dévaluent la monnaie et les obligent à commercer seulement avec l'Espagne et ses colonies. En outre, les troupes françaises refusent leur intégration aux milices espagnoles telle qu'elle avait été stipulée par l'entente conclue entre Charles III d'Espagne et Louis XV.

1769 : décidée à mater la rébellion grandissante dans sa colonie nouvellement acquise et à y ramener l'ordre, l'Espagne répond aux insoumis créoles par la force. Pour ce faire, elle expédie une armée composée de 2 056 militaires, bien équipée de toute l'artillerie. Sous le commandement de don Alejandro O'Reilly, un Irlandais que les persécutions religieuses dans son pays ont poussé à servir l'Espagne, les fantassins font leur entrée à La Nouvelle-Orléans. Après s'être fait remettre symboliquement les clefs de la ville sur la place d'Armes, O'Reilly fait arrêter les principaux opposants au régime : cinq rebelles sont fusillés, d'autres sont emprisonnés. Dès lors, pour les Créoles, le nouvel occupant reçoit le sobriquet infamant de «O'Reilly le sanguinaire» ou *Bloody O'Reilly*.

1785 : selon un recensement inscrit aux registres des autorités espagnoles, la population de La Nouvelle-Orléans se chiffre à 4 980 habitants, alors que celle de la Louisiane, comprenant à l'époque la partie occidentale de la Floride, totalise 32 000 habitants.

1794 : le 8 décembre, un incendie rase plus de 200 bâtiments et résidences de La Nouvelle-Orléans. La même année, l'imprimeur

Louis Duclot fait paraître *Le Moniteur de la Louisiane*, premier journal à voir le jour à La Nouvelle-Orléans.

1795 : don Luis de Penalver y Cárdenas est nommé premier évêque catholique de la Louisiane. La cathédrale Saint-Louis-Roi-de-France devient alors le siège épiscopal; jusque-là, la ville de Québec détenait ce siège pour tout le territoire de la Nouvelle-France.

1800 : Napoléon et le roi d'Espagne, Charles VII, signent le traité de San Ildefonso. La Louisiane revient à la France en échange de quoi l'empereur des Français s'engage à assurer la protection du royaume d'Italie.

1803 : Napoléon vend la Louisiane aux Américains pour la somme de 15 millions de dollars.

1804 : La Nouvelle-Orléans compte une population de 8 056 habitants sur un total de 49 473 pour l'ensemble de la Louisiane.

1809 : fuyant l'île de Saint-Domingue, où Dessalines avait proclamé l'indépendance d'Haïti le 1er janvier

1804, 6 000 réfugiés débarquent à La Nouvelle-Orléans après avoir tenté de s'installer à Cuba, d'où les autorités espagnoles les ont expulsés pour protester contre l'invasion de l'Espagne par les armées de Napoléon la même année.

1812 : La Louisiane devient officiellement le 18e État des États-Unis d'Amérique. La première Constitution est rédigée simultanément en français et en anglais. Arrivant de Pittsburgh, le *New Orleans*, premier bateau à vapeur à naviguer sur le Mississippi, accoste au port de La Nouvelle-Orléans.

1815 : à Chalmette, les forces conjuguées du général Andrew Jackson et des flibustiers du pirate Jean Laffite remportent une victoire décisive sur les troupes britanniques. La célèbre Bataille de La Nouvelle-Orléans met un terme aux visées coloniales anglaises sur le territoire américain.

1825 : adoption du Code civil rédigé en français qui est presque entièrement calqué sur le Code Napoléon et qui concrétise l'état de bilinguisme.

1837 : le *Picayune* devient le premier journal à être publié en langue anglaise à La Nouvelle-Orléans. C'est aujourd'hui le plus vieux quotidien de la ville.

1840 : avec ses 102 193 habitants, La Nouvelle-Orléans devient la quatrième plus importante ville de l'Union et son port le second des États-Unis d'Amérique.

1859 : l'Opéra Français de La Nouvelle-Orléans est inauguré.

1864 : durant la guerre de Sécession, sous l'autorité des Nordistes, la nouvelle Constitution de la Louisiane fait de l'anglais la seule langue officielle pour les lois, documents et procès-verbaux. L'article 142 stipule, pour la première fois, que l'enseignement élémentaire doit se faire en anglais. Désormais, le français devra lutter pour survivre. Seule l'Acadie louisianaise échappe pour quelques décennies encore à l'anglicisation de sa population.

1865 : la guerre de Sécession prend fin après quatre années de rudes combats. Le président Abraham Lincoln est assassiné par un extré-miste sudiste. Conséquen-ces de la guerre de Séces-sion : de nombreuses riches familles de La Nouvelle-Orléans et de la Louisiane sont ruinées.

1878 : une épidémie de fièvre jaune fait plusieurs milliers de morts en Loui-siane dont 3 800 dans la seule ville de La Nouvelle-Orléans.

1900 : naissance de Louis Armstrong à La Nouvelle-Orléans, le grand trompet-tiste, chanteur et chef d'orchestre qui fut à l'origine du jazz classique.

1904 : les Jésuites fondent l'Académie Loyola de La Nouvelle-Orléans. Huit ans plus tard, l'institution devient l'Université Loyo-la.

1915 : le mot «jazz», pour désigner un mode d'expression musicale des Afro-Américains de La Nouvelle-Orléans, fait son apparition à Chicago, où il devient fort populaire.

1953 : la Louisiane fête son 150ᵉ anniversaire d'appartenance américaine. La Nouvelle-Orléans célèbre avec faste

et reçoit de façon gran-diose ses invités d'honneur, dont le prési-dent Eisenhower et l'ambassadeur de France aux États-Unis.

1968 : sous l'impulsion de James J. Domengeaux, la Louisiane devient officiel-lement un État bilingue. Le Conseil pour le déve-loppement du français en Louisiane (CODOFIL), organisme semi-étatique, est créé.

1971 : mort du grand jazzman Louis «Satchmo» Armstrong.

1977 : pour la première fois de son histoire, La Nouvelle-Orléans fait élire un maire afro-américain en la personne d'Ernest N. Morial.

1984 : La Nouvelle-Orléans inaugure son «Exposition internatio-nale». Malgré que l'expo-sition ne soit pas officiel-lement reconnue par le Bureau international des expositions, l'événement attire tout de même 7 300 000 de visiteurs.

1987 : le 12 septembre, le pape Jean-Paul II visite La Nouvelle-Orléans.

Gustave Toutant Beauregard, étaient Louisianais. C'est sous le commandement de ce dernier, un Créole, que furent tirées les premières salves de la guerre de Sécession à Fort Sumter, en Caroline du Sud, le 12 avril 1861. Tous deux s'étaient distingués durant la guerre entre les États-Unis et le Mexique.

Géographie

Tout au sud des États-Unis d'Amérique, la ville de La Nouvelle-Orléans se trouve à l'extrémité sud-est de l'État de la Louisiane. L'extrémité occidentale de l'État de la Louisiane voisine l'État du Texas, tandis que les États d'Arkansas et du Mississippi la longent au nord; ce dernier État, à une courte distance seulement de La Nouvelle-Orléans, borde également le flanc oriental de la Louisiane.

Sise par 30° de latitude Nord et 90° de longitude Ouest, sur la rive nord du Mississippi, La Nouvelle-Orléans se blottit dans l'un des nombreux méandres méridionaux du fleuve. C'est sur cette courbe accidentée, véritable «croissant» terrestre détournant le fleuve, que s'est développée la ville, ce qui lui valut son autre appellation de «Cité du Croissant». Le lac Pontchartrain, immense lagune de plus de 1 500 km^2, baigne la partie nord de la ville. À l'ouest du lac, après avoir traversé les zones marécageuses de la paroisse Saint-Jean-Baptiste au sud du lac Maurepas, le Mississippi remonte son cours vers Bâton-Rouge, la capitale de l'État de la Louisiane. Au sud-est, le lac Pontchartrain, qui se trouve à cet endroit à quelques kilomètres seulement de l'État du Mississippi, se déverse dans le lac Borgne, puis dans le détroit du Mississippi et le détroit de la Chandeleur, avant de se jeter dans le golfe du Mexique ; le golfe est à 110 km de La Nouvelle-Orléans par voie terrestre et à 145 km par voie fluviale.

La Nouvelle-Orléans est à la même latitude que Shanghai, en Chine, une autre importante cité portuaire située aux antipodes de la planète.

Les paroisses

Un autre trait typique de la Louisiane est sa répartition géographique, non en tant que comté, non comme dans les autres États américains, mais bien en paroisses, comme cela avait été modelé sous le régime catholique de la Nouvelle-France. La Nouvelle-Orléans compte aujourd'hui trois paroisses : Orléans, Jefferson et Saint-Bernard.

Géologie

La croûte terrestre du Sud louisianais, qui apparaît comme une immense couverture flottante, impose des prouesses d'ingénierie dans la construction d'édifices. Sur la quasi-totalité de la partie méridionale, les résidences ne possèdent aucun sous-sol; les maisons reposent sur des blocs de béton, des billots de bois ou d'autres matériaux.

Fleur de Magnolia

Quant aux grands immeubles de La Nouvelle-Orléans, ils s'appuient sur des fondations profondément enfouies sous la nappe d'eau souterraine afin d'atteindre la solidité du roc.

L'autoroute reliant La Nouvelle-Orléans et Lafayette demeure un chef-d'œuvre d'ingéniosité. Sur pilotis bétonnés, elle surplombe les zones marécageuses et les bayous qui se succèdent de La Nouvelle-Orléans à Bâton-Rouge et de Maringouin à Lafayette.

L'autoroute enjambe une infime partie de l'incommensurable bassin de l'Atchafalaya, la plus vaste étendue marécageuse d'Amérique. Avant la construction de cette autoroute, les voyageurs devaient faire un détour de plusieurs dizaines de kilomètres avant d'atteindre les circonscriptions de Pont-Breaux et de Lafayette.

De nombreux bayous serpentent campagnes, cités et bourgs louisianais. De l'eau, il y en a partout en Louisiane. Il ne faut donc pas s'étonner de voir, en régions marécageuses, les cryptes et les caveaux des cimetières s'édifier hors du sol. Le repos éternel certes, mais quand même pas dans la «flotte»!

Flore

Le climat subtropical de la Louisiane méridionale fait de La Nouvelle-Orléans une cité fleurie. Les grandes avenues et les boulevards sont bordés de grandioses chênes verts et de magnolias dont la fleur dégage un suave parfum de vanille; l'avenue de l'Esplanade est sans contredit la plus belle artère qui soit. Les cours intérieures du Vieux-Carré Français et des faubourgs environnants, souvent agrémentées de fontaines et de cascades, rivalisent de magnificences florales. Que dire des beaux balcons ouvragés tous aussi fleuris les uns que les autres. Les quartiers résidentiels, telle la Cité-Jardin (Garden District), s'entourent de jardins fabuleux et magnifiquement entretenus où se déploient toutes les essences, toutes les espèces subtropicales, du camélia à l'azalée, du bégonia au fuchsia. La Nouvelle-Orléans possède d'agréables places et squares ombragés. Son grandiose parc de la Ville (City Park) et son parc Audubon, sur le site de ce qui fut autrefois la riche plantation d'Étienne Boré, font la fierté des Néo-Orléanais.

Architecture

L'architecture de La Nouvelle-Orléans est un émerveillement pour le visiteur. La Ville et l'État de la Louisiane conservent de façon admirable cet héritage architectural unique en Amérique du Nord. L'attrait que suscite la fabuleuse cité portuaire du Mississippi chez les Américains est tel que ceux-ci l'affublent volontiers du titre d'*America's Most Interesting City*. L'ensemble architectural néo-orléanais allie les influences autant que le style de vie des communautés française, africaine, créole, espagnole, puis anglaise, américaine et paneuropéenne, qui façonnèrent La Nouvelle-Orléans durant ses trois siècles d'histoire.

Du début du XVIIIe siècle jusqu'à environ 1860, ce sont les influences françaises et créoles (une fusion créole, française et espagnole s'inspirant de l'habitat des Antilles) qui marquèrent l'ensemble architectural du Vieux-Carré Français, de l'avenue de l'Esplanade, des faubourgs et quartiers environnant la ville : Marigny, Sainte-Marie, Tremé, Bayou Saint-Jean, Métairie, Pontchartrain, etc. Il est également important de noter que tous les bâtiments de La Nouvelle-Orléans (cela s'applique aussi à toute la Louisiane méridionale) ne comportent aucun sous-sol puisque les sources d'eau souterraines se trouvent à moins d'un mètre.

Les changements d'autorités politiques et l'afflux de vagues successives d'immigrants modifient peu l'architecture. Lorsque les Néo-Orléanais d'origine aménagent en d'autres lieux, ce sont les esclaves affranchis et les nouveaux arrivants qui prennent place dans leurs vieilles maisons françaises et créoles du Vieux-Carré et de ses faubourgs. Et, durant l'occupation espagnole, lorsqu'on érige l'imposant Cabildo à la place d'Armes et que l'on y reconstruit la cathédrale Saint-Louis-Roi-de-France, de même qu'une quantité d'autres maisons et bâtiments détruits par l'incendie de 1788, l'architecture respecte toujours le style français et créole.

La grande contribution des Espagnols à l'art architectural néo-orléanais demeure la multitude d'ouvrages en fer forgé aux formes diverses et aux motifs dentelés qui ornent les grilles, balcons, galeries et clôtures des bâtiments résidentiels

ou commerciaux de La Nouvelle-Orléans que le visiteur ne se lasse d'admirer.

Les premières habitations en Louisiane

Si Robert Cavelier, sieur de La Salle, fonde la Louisiane en 1682, il faut attendre jusqu'en 1699 avant que ne débute vraiment la colonisation de ce nouveau territoire rattaché à la Nouvelle-France. C'est en effet au cours de cette même année

que Pierre Le Moyne d'Iberville, le «Père de la Louisiane», installe quelques centaines de colons au fort Maurepas (Biloxi) et d'autres, en 1702, au fort Louis-de-la-Mobile (Mobile). Les premières habitations sont des plus rudimentaires. En 1708, Louis Juchereau de Saint-Denis, à qui l'on doit

également la fondation de Nachitoches en 1714, installe ses protégés au village de Bayou Saint-Jean, près de la rivière (bayou) du même nom. Puis, d'autres arrivants prennent possession d'une bande de terre s'étendant entre ce dernier bourg et le bayou Sauvage (Gentilly). Là, et jusqu'à la levée de la Métairie, apparaissent les premières habitations – un style que l'on qualifie de «maison de plantation».

En 1716, Jean-Baptiste Le Moyne de Bienville, frère de Pierre Le Moyne d'Iberville, fait ériger le fort

Le fer forgé à La Nouvelle-Orléans

Ce qui fait l'émerveillement des visiteurs de la «Cité du Croissant», c'est sans contredit la profusion d'ouvrages en fer forgé qui ornent les résidences, monuments et bâtiments publics de la ville.

Le fer forgé, ou fonte moulée, était fréquemment utilisé pour l'ornementation des garde-fous, balcons, supports, clôtures, barrières, portails, grilles d'entrée, portes de jardins, etc. Lorsqu'on se mit à embellir ainsi les maisons construites aux premiers jours de La Nouvelle-Orléans, on n'utilisa que le fer forgé, qui se martelait artisanalement sur l'enclume d'une forge locale. La plupart des ouvrages fabriqués à l'époque étaient de factures néo-orléanaises; toutefois, de meilleurs exemplaires furent importés d'Espagne. La fonte utilisée pour ces pièces espagnoles contenait trop peu de carbone, ce qui malheureusement les rendait moins résistantes à la rouille.

Le fer moulé en fonte américain devint très populaire dans les années 1830; on coulait celui-ci dans des moules aux multiples motifs. Bien que de nombreuses fonderies locales pouvaient réaliser ces ouvrages, les Néo-Orléanais préférèrent la ferronnerie fabriquée à Philadelphie par la compagnie Wood & Perot. Cette usine a produit une grande quantité de fers ouvragés que l'on peut encore admirer dans tous les quartiers et cimetières de La Nouvelle-Orléans. Une particularité de ce métal ouvragé est – malgré sa dureté – d'être aussi fragile que friable. Aussi doit-il toujours être peint afin de prévenir la rouille.

Il ne faut donc pas confondre fer forgé et fer moulé : le premier étant travaillé à l'enclume, le second (en fonte) étant moulé en usine. Même si les deux sont pittoresques, le fer forgé demeure plus délicat et dévoile toute la gracieuseté de ses lignes. Les motifs de dentelles en fer moulé servent plus souvent à enjoliver l'avant et les montants des balcons, tandis que le fer forgé est toujours utilisé avec parcimonie.

Parmi les merveilleux motifs en fer ouvragé de La Nouvelle-Orléans, apparaissent tous les goûts et toutes les fantaisies : feuilles de chêne, vignes, belles-de-jour, épis de maïs, roses, gerbes de blé, ananas, palmiers, fleurs de lis, voire même le monogramme des devantures d'entreprises ou de riches résidences.

Dans les cimetières historiques, la ferronnerie d'art a joué un rôle important. Plusieurs mausolées et caveaux sont décorés de clôtures, de barrières et de grilles aux motifs particuliers rappelant les hauts faits de ceux qui y sont enterrés. Ici, un chérubin porte une torche; là, la barrière d'enclos en fer moulé d'un tombeau est surmonté d'une délicate croix en fer forgé... Partout dans ces vieux cimetières, la croix, symbole de la chrétienté, la lyre, celui de la musique, le saule-pleureur, celui du chagrin, et l'agneau, celui de l'innocence, reviennent dans l'ensemble des thèmes qu'immortalisent ces ouvrages en fer forgé ou moulé.

Rosalie (Natchez) et y installe une communauté. Dans les années qui suivent, d'autres foyers de colonisation émergent. Dès cette époque, le style des habitations emprunte à celui de la fameuse maison de plantation. C'est lorsque Jean-Baptiste Le Moyne de Bienville fonde en bordure du Mississippi (nommé Missisipy ou fleuve Saint-Louis) La Nouvelle-Orléans, en 1718, que s'implantent vraiment en Nouvelle-France méridionale un type particulier d'architecture ainsi qu'un style qui marquera l'habitation louisianaise durant plus d'un siècle et demi.

Trois ans après la fondation de La Nouvelle-Orléans, qui compte déjà en 1721 quelque 470 habitants, un ouragan rase l'ensemble des constructions. Conscient que le bourg prendra rapidement de l'expansion, de Bienville commande alors les nouveaux plans de la ville de La Nouvelle-Orléans à l'ingénieur du roi, Pierre Le Blond de La Tour. Celui-ci dessine les plans définitifs du Carré en avril 1722. Avec l'aide de John Law, un Écossais au service de la France présidant également à la Com-

pagnie des Indes occidentales, d'Adrien de Pauger et d'Ignace Broutin, ses assistants, Le Blond de La Tour conçoit un vaste quadrilatère (l'actuel Vieux-Carré Français) s'étendant de part et d'autre de la place d'Armes, qui fait face au fleuve Saint-Louis (Mississippi), jusqu'à la rue de Bourgogne, dans la partie nord du rempart qui encercle alors le «bourgneuf» de la colonie.

La maison de plantation (1700-1800)

Avec la colonisation de la Louisiane, au début du XVIIIe siècle, l'agriculture connaît un essor rapide. Les premiers colons français récoltent l'indigo et le coton, puis, vers 1730, d'autres planteurs venus de Saint-Domingue (Haïti) introduisent la culture de la canne à sucre. À quelques lieues de La Nouvelle-Orléans, sur de vastes propriétés agricoles longeant les rives du Mississippi, la maison de plantation, avec ses dépendances et ses incontournables «cases-nègres», impose son style.

Pièce en fer forgé

La maison de plantation, dont le toit en pente est bardé de lucarnes, diffère peu de celle que l'on retrouve alors dans les autres colonies françaises des Antilles. Son rez-de-chaussée sert d'entrepôt pour les besoins du commerce et bénéficie du préau que forme la galerie de l'étage supérieur; ce balcon ceinture parfois la maison entière ou la contourne en *U*. L'étage supérieur pour le logis aux maîtres de la plantation, qui aménagent leurs chambres dans la partie arrière du bâtiment. Les doubles persiennes (jalousies) des fenêtres procurent, une fois fermées, une ombre bienfaitrice ou protègent de la pluie. Les constructions laissent déjà transparaître une symbiose architecturale française et espagnole admirablement adaptée au Sud, laquelle ne tardera pas à donner le ton au style créole des villas rurales et maisons urbaines.

Le style créole (1788-1850)

À La Nouvelle-Orléans, les styles architecturaux français et créoles (une architecture créole autant française qu'espagnole) ont vite fait de se côtoyer dans le Vieux-Carré Français. La maison créole urbaine de l'époque diffère de la villa créole rurale, dont le style fut introduit à La Nouvelle-Orléans vers 1790, quand les réfugiés fuyant la révolutionnaire île de Saint-Domingue s'installèrent en Louisiane.

L'emplacement de la maison créole urbaine a la forme d'un long rectangle. Le bâtiment détaché, semi-détaché ou construit en rangée, est entièrement construit en brique et s'élève sur deux à quatre niveaux. On retrouve à l'arrière du rez-de-chaussée une cour intérieure à laquelle on accède par un étroit corridor; ce passage exigu s'agrandira avec les constructions futures afin de permettre l'entrée des calèches. La partie inférieure possède trois ouvertures arquées, comprenant la porte d'entrée et les fenêtres. La porte se trouve à l'une des extrémités du bâtiment et donne accès au couloir menant à la cour arrière; les fenêtres françaises s'ouvrent vers l'intérieur de la maison et créent ainsi une ouverture directe sur la rue. L'étage supérieur de la maison créole urbaine possède un balcon joliment décoré d'un ouvrage en fer forgé. Enfin, le toit en pente prononcée du dernier étage de la maison est ponctué de deux lucarnes.

La villa créole rurale diffère de la maison créole urbaine. D'abord conçue comme maison de ferme ou de village aux Antilles, elle fait son apparition dans le Vieux-Carré Français et dans le Faubourg Marigny en même temps qu'arrivent les réfugiés de Saint-Domingue. La villa créole, plus petite et plus carrée que la maison créole, a un style qui plaît aux Néo-Orléanais moins nantis; ce type de villa construite sur un seul niveau, et dont l'avant donne directement sur le trottoir, connaîtra un énorme succès jusqu'au milieu du XIXe siècle.

Autres styles d'habitation (1800-1860)

D'autres types de maisons s'inspirant de l'habitation créole apparaissent à La Nouvelle-Orléans au début du XIXe siècle. La façade de la «maison à porte cochère» comprend toujours deux fenêtres (parfois arquées) et, pour les commodités de l'époque, une porte cochère à l'une des extrémités frontales du bâtiment. Cette porte débouche sur un couloir menant à la cour arrière, où se trouve l'écurie. Les quatre fenêtres de l'étage du dessus s'ouvrent sur un balcon en fer forgé. Le rez-de-chaussée sert au commerce, tandis que les quatre pièces de l'étage supérieur logent le négo-

ciant et sa famille. Enfin, la pièce sise sous le toit en pente, percé de deux lucarnes, abrite le grenier.

Une autre particularité de la «maison à porte cochère», et d'autres maisons de la même époque, est l'annexe ou la dépendance s'y rattachant. Cette partie du bâtiment, reliée à l'habitat frontal, se situe sur un côté de la cour arrière. La dépendance, que les Américains ont vite fait de nommer *outbuilding*, apparaît au début du XIXe siècle; sa construction se poursuit jusque vers 1860. La maison de service (dépendance), aux dimensions plus modestes que la résidence principale, comprend un étage en moins; elle s'ouvre sur la cour intérieure. Son toit en demi-pente donne à la structure un air de maison créole qui aurait été amputée de moitié. Ce demi-toit en pente, sans lucarne, confère une apparence plus austère au bâtiment. Les extrémités du rez-de-chaussée et du premier étage avec balcon aux colonnades de bois, le fer ouvragé étant réservé aux façades, comportent chacune une porte entre lesquelles se trouve un double fenêtrage. La dépendance sert habituellement de logis aux domestiques, et l'on y trouve la cuisine desservant la résidence des maîtres.

Également influencée par le style créole, la «maison en entresol» dissimule, entre son rez-de-chaussée et l'étage supérieur, un discret plancher servant d'espace d'entreposage au commerce. La partie arquée des fenêtres du rez-de-chaussée permet la pénétration de la lumière du jour dans les pièces. Si cette maison possède aussi un toit en pente, celui-ci est démuni de lucarnes. Ici, la famille habite les pièces se trouvant au-dessus de l'entresol; les quatre fenêtres avant du logement s'ouvrent sur un étroit balcon en fer forgé aux motifs variés.

D'autres styles architecturaux se côtoient à La Nouvelle-Orléans. Entre 1830 et 1870, l'architecture du cottage américain et celle de la maison de ville américaine s'inspirent de la maison créole. La première, avec sa porte centrale flanquée de part et d'autre de deux fenêtres, repose sur un socle carré. Sous le toit en pente, sans lucarne, se trouve l'étage supérieur, dont les murs transversaux possèdent une fenêtre unique. Plus tard, l'ajout d'un étage supérieur au cottage donnera naissance à la maison géorgienne. Quant à la maison de ville, son style est quasi identique à la «maison à porte cochère» même si l'on remarque l'absence de lucarnes.

Des curiosités architecturales

La *shotgun house*, son nom étant difficilement traduisible en d'autres langues, est une maison construite en longueur et munie d'une galerie frontale. L'habitation est si étroite qu'on raconte qu'une balle de fusil tirée dans la porte d'entrée en traverse toutes les pièces avant de ressortir par la porte arrière! L'avantage d'une telle maison s'étalant en un étroit corridor est de permettre une ventilation maximale durant les longs mois d'humidité débutant en juin et se prologeant parfois jusqu'au mois d'octobre; on ouvre alors les portes avant et arrière ainsi que les fenêtres afin de créer un courant d'air. Ce type de construction existe aussi en version double, c'est-à-dire deux maisons *shotgun* s'appuyant côte à côte et permettant ainsi à leurs occupants d'obtenir un ensemble de pièces beaucoup plus vaste.

La maison dite «à dos de chameau» *(camelback)* tient à la fois de la maison créole et de la double *shotgun*. Elle fut très populaire à La Nouvelle-Orléans de 1860 au début du XXᵉ siècle. La partie avant de cette maison est construite en rez-de-chaussée, une galerie dominant la façade, alors que la partie arrière annexe s'élève sur deux niveaux. Cette façon de faire permet de contourner l'impopularité d'une taxe municipale fixant le coût à payer du contribuable en fonction de la grosseur du bâtiment donnant sur la rue.

Autre style courant à La Nouvelle-Orléans : le «magasin du coin». Un peu créole et géorgienne à la fois, cette construction, dont la porte d'entrée a été aménagée en biais et fait l'angle de deux artères, possède un vaste préau pour les besoins du commerce. Cet abri, protecteur de soleil et de pluie, est soutenu par une série de piliers en bois ou en fonte et contourne une partie du rez-de-chaussée. Le boutiquier peut ainsi exposer sa marchandise à la convoitise des passants venant de l'une ou de l'autre rue.

Enfin, comme dans l'architecture créole des Antilles françaises et hispaniques, de nombreuses maisons de La Nouvelle-Orléans possèdent de larges balcons surplombant le trottoir; tous ces balcons se parent de splendides ouvrages en fer forgé.

L'extravagance des styles architecturaux atteint un sommet avec le développement de la Cité-Jardin (Gar-

den District) (voir «Attraits touristiques», p 146).

Les cimetières de La Nouvelle-Orléans

Parmi la quarantaine de cimetières que compte La Nouvelle-Orléans, plusieurs, véritables mosaïques illustrant les diverses facettes de son histoire, méritent une visite. La nature même du sol marécageux de la Louisiane commandait l'érection à l'européenne (française et espagnole) de caveaux et de mausolées, ainsi que de tombes superposées ou voûtes, car, sous quelques centimètres de terre, on enfouirait les corps dans l'eau.

Les Louisianais ont vite fait preuve d'une imagination débordante pour honorer leurs morts. Du grandiose au pathétique, en passant par les traditions gréco-latines au baroque le plus excessif, du tumulus d'une sobriété millénaire aux évocations pharaoniques des plus audacieuses, on passe sans transition au puritanisme et au dépouillement le plus étudié.

En 1724, les archives indiquent un premier cimetière (Saint-Pierre) dans le Carré (Vieux-Carré Français). Jusque-là, les Néo-Orléanais enterraient leurs morts dans ce cimetière situé à l'intérieur des murs, hormis quelques rares riches privilégiés qui étaient inhumés dans les églises. En 1784, sous l'occupation espagnole, les autorités du Cabildo interdisent l'enfouissement des corps pour des raisons de salubrité publique et restreignent l'accès des corps aux cryptes des églises aux seuls héros de la colonie. On fait donc construire en 1789, le long de la rue du Bassin, juxtaposant le Vieux-Carré, le cimetière Saint-Louis numéro 1. Dans ce premier cimetière Saint-Louis reposent les pionniers de La Nouvelle-Orléans dont le premier maire, Étienne Boré (1741-1820), qui fut le premier planteur à commercialiser le sucre granulé.

La plaque funéraire la plus ancienne encore lisible dans ce cimetière porte cette mention ainsi gravée : *«Ci-gît un malheureux qui fut victime de son imprudence. Verse une larme sur sa tombe, et un De profundis s'il vous plaît, pour son âme; il n'avait que 27 ans. 1798.»* Peut-être s'agit-il ici d'une victime d'un duel, fort en vogue à l'époque?

Dès 1823, le cimetière Saint-Louis numéro 2 est inauguré, qui *«pour fuir les miasmes insalubres est situé à 400 toises des limites de la ville».* Quant au cimetière Saint-Louis numéro 3, il a été aménagé en 1854. Ce dernier cime-

tière est le lieu de sépulture des grandes familles de restaurateurs louisianais dont celle d'Antoine Alciatore (Chez Antoine) et les Prudhomme.

Dans l'ensemble des cimetières de La Nouvelle-Orléans, les familles éplorées érigent à la mémoire de leurs chers disparus des chapelles privées et des caveaux de famille généralement en brique, puisque l'on ne trouve pas de pierre dans les environs; certains nantis importent à grands frais les plus beaux marbres pour honorer la mémoire de leurs défunts. En outre, chaque communauté possède un tombeau de prestige. En 1848, la Société Française se fit ériger le plus imposant de tous. Il est intéressant de souligner la tradition créole qui permet à plusieurs générations successives d'utiliser le même caveau. Au besoin, les restes d'un ancien occupant sont refoulés à l'arrière de la voûte, et les débris du cercueil sont brûlés. Ce cérémonial un peu lugubre peut se faire après une année, puisqu'il faut en effet compter ce temps pour la décomposition complète de la dépouille. En 1852, au plus fort de l'épidémie de fièvre jaune qui décime le quart de la population de La Nouvelle-Orléans, les familles riches réussissent néanmoins à obtenir des emplacements supplémentaires pour enterrer leurs défunts. Quant aux dépouilles des classes moins favorisées, elles reposent dans des voûtes étagées qui sont souvent érigées sur trois niveaux en bordure de l'enceinte arrière du cimetière. Ces concessions surnommées «fours à pain», dont on trouve un bel exemple au cimetière Saint-Louis numéro 3, se louent pour une durée de 364 jours.

Le somptueux cimetière de Métairie, qui s'étend sur 60 ha, compte 7 000 monuments. Il a été érigé sur un ancien hippodrome. Deux légendes reliées à ce cimetière méritent que l'on s'y attarde un peu. L'un de ses fondateurs, Charles T. Howard, vexé d'avoir été refusé comme membre du sélect «Jockey Club» de Métairie, s'était juré de convertir la piste en cimetière, ce qu'il fit donc. Il s'était enrichi avec la loterie de l'État de la Louisiane, dont il était propriétaire. La haute bourgeoisie le considérait comme un malotru. Il se fit élever un mausolée où figure bizarrement un vieil homme se couvrant les lèvres d'un doigt accusateur. La deuxième légende relève d'un fait probant. En 1914, Josie Arlington, une tenancière de bordel de La Nouvelle-Orléans, confia la construction de son mau-

solée en granit rouge au réputé marbrier Weiblen. On raconte qu'avant même que ne fût dressé le monument à la gloire de la célèbre «Madame» le reflet de la lumière rouge de la barrière de péage menant au cimetière baignait déjà l'emplacement. À la suite de la mise en bière de l'héroïne, les bien-pensants se scandalisèrent de constater que sa dernière demeure, à l'instar de sa vie scandaleuse, allait être nimbée d'érubescence. Du jour au lendemain, la nouvelle se répandit à une vitesse fulgurante, alimentant les conversations des diverses coteries libertines ou vertueuses de La Nouvelle-Orléans. Voulant éviter un scandale à perpétuité, les responsables du cimetière eurent vite fait de planter une allée d'arbres afin de voiler ces reflets rougeâtres qui gênaient tant la pudibonderie des intégristes.

La Toussaint amène chaque année une activité fébrile dans tous les cimetières de La Nouvelle-Orléans. Durant les semaines précédant la fête du 1er novembre, les familles s'activent à rafraîchir, blanchir et rénover les caveaux. À la Toussaint, des milliers de chrysanthèmes jonchent les tombes.

Quant au cimetière Lafayette numéro 1, il renferme les restes de nombreuses victimes de l'épidémie de la fièvre jaune et de la guerre civile américaine. De grands magnolias bordent les allées et ombragent les tombeaux de cette nécropole recevant les dépouilles de diverses communautés dont plusieurs Irlandais et Allemands.

630 000 habitants, jusqu'au recensement de 1990, qui en dénombre moins de 500 000, on constate un déplacement marqué de la population du centre-ville vers la banlieue. On estime à environ 1 200 000 la population actuelle de La Nouvelle-Orléans métropolitaine.

Population

Depuis 1960, année où la seule ville de La Nouvelle-Orléans atteignait près de

Les Créoles

L'origine du mot «créole» vient de l'espagnol *criollo*. À

La baronne Micaela Almonester de Pontalba

Micaela naquit alors que son père don Andrés Almonester y Roxas était déjà âgé de 70 ans. Almonester devenu veuf s'était remarié avec la Créole Louise de La Ronde en 1787. Fille unique, Micaela est mariée à l'âge de 16 ans à son cousin, âgé de 20 ans, Joseph Xavier Célestin Delfau de Pontalba, fils d'un baron français. Ils étaient tous deux héritiers de fortunes colossales. Micaela, après un long séjour en France, fait

construire au milieu du XIXe siècle d'harmonieux bâtiments de chaque côté de la place d'Armes (square Jackson). Chacun de ces somptueux édifices compte au rez-de-chaussée d'élégantes boutiques et 16 confortables appartements aux étages supérieurs. Ce précieux patrimoine architectural est encore en place de nos jours. Il témoigne du goût de la baronne et demeure un legs précieux laissé à La Nouvelle-Orléans.

l'époque, l'expression visait à désigner les Blancs nés dans les colonies du sud du continent nord-américain, de même que ceux vivant aux Antilles. Comme dans les Antilles françaises, les fils et filles des planteurs français nés à La Nouvelle-Orléans, ou ailleurs en Louisiane, devenaient d'authentiques Créoles. C'est ainsi que l'impératrice Joséphine, de son vrai nom Marie-Josèphe Tascher de La Pagerie, née à Trois-Îlets en Martinique, fut une des plus célèbres Créoles. Plus tard, les métis se réclamèrent eux aussi de cette appartenance, puis les Afro-Américains habitant au Sud.

Au long de ses 38 ans de domination espagnole (1762 à 1800), La Nouvelle-Orléans n'a jamais succombé à l'assimilation hispanique. Durant cette période, la culture, l'éducation et les traditions créolo-françaises subsistent partout avec force. Dans ce contexte, les autorités maintiennent toutes les structures culturelles en place, et les soldats, qui n'ont d'autre choix que de se marier à des Créoles, s'intègrent rapidement à la culture française prédominante.

Les Allemands

Les Taensas, des Amérindiens, avaient cultivé un secteur que les Allemands recrutés par les Français occupèrent ensuite. Le père de Charlevoix disait de ces lieux que *«c'est le plus bel endroit et le meilleur terroir de la Compagnie des Indes occidentales»*. Le recensement du 24 novembre 1721 indique que les familles allemandes sont placées à 12 lieues au-dessus de La Nouvelle-Orléans, à gauche en montant le fleuve, sur un fort bon terrain où il y a eu anciennement des «Champs Sauvages» qui sont faciles à défricher. Le chef de la colonisation allemande, Karl Friedrich d'Arensbourg, fonda le village Des Allemands sur des terres concédées à de Meuse. D'autres villages allemands furent créés : Mariental, Augsburg et Hoffen. Sous le régime français, si la majorité des Allemands sont catholiques, on dénombre aussi des calvinistes, des luthériens et des protestants. Ils ont été recrutés tant en Alsace qu'en Lorraine ainsi qu'en divers lieux d'Allemagne, de même qu'en Suisse et même en Hongrie. Le gouverneur de Bienville disait, en 1734, en parlant d'un régiment suisse, qu'il vaut mieux les établir ici que de les retourner en France : *«Ces Suisses sont bien plus laborieux que les Français. D'ailleurs, ils trouveront des facilités de se marier aux familles allemandes»*. Cette population allemande, à laquelle se joignirent bientôt des colons venus de la France, du Québec, du Canada et de l'Acadie, fit en sorte que ceux-ci finirent par devenir bilingues et finalement s'assimilèrent aux francophones plus nombreux. Leur intégration fut aisée parce qu'il n'y avait ni prêtres ni éducateurs de langue allemande et que la majorité de ces Allemands étaient analphabètes; même leurs noms furent francisés. Les mariages interaciaux firent le reste. Les Allemands furent des colons industrieux et participèrent activement au développement économique de la Louisiane. Ils cultivèrent surtout le riz, le maïs et l'indigo, sans oublier une grande variété de produits maraîchers qu'ils vendaient au Marché Français de La Nouvelle-Orléans. Ils étaient également présents dans l'industrie sucrière et récoltaient le coton avec leur main-d'œuvre nègre. Ils firent également l'élevage d'un cheptel important pour l'époque.

Les Espagnols

Lors du traité de Fontainebleau en 1762, la France cède la Louisiane à l'Espagne. Cependant, les Louisianais n'en sont informés que deux ans plus tard. La nouvelle mécontente la population. Le 5 mars 1766, Antonio de Ulloa arrive pour prendre possession de la Louisiane au nom du roi d'Espagne. Le nouveau gouverneur est si impopulaire qu'il doit s'adjoindre le dernier gouverneur français Charles-Philippe Aubrey pour tenter de s'imposer. Sommé de montrer ses lettres de créance aux chefs créoles mais s'y refusant, Ulloa devra s'enfuir à Cuba. Durant 10 mois, à partir du 27 octobre 1768, la Louisiane manifestera sa révolte contre l'occupant, devenant ainsi la première colonie du Nouveau Monde à manifester contre une sujétion coloniale. Toutefois, le 18 août 1769, le comte don Alejandro O'Reilly, accompagné de 2 056 soldats, impose la domination espagnole et instaure le *Cabildo*. Les lois espagnoles remplacent alors les lois françaises, et l'espagnol succède au français comme langue officielle. Le *Cabildo* était formé de six conseillers *(regidors)* et de maires *(alcades)*, d'un procureur général et d'un commis. C'est sous le régime espagnol d'O'Reilly, considéré comme le père de la Louisiane espagnole, que l'esclavage est aboli.

En 1770 lui succède don Luis de Unzaga y Amezaga. Ce dernier maria une Créole. C'est sous son administration que commence la Révolution américaine, et

Le Cabildo

Le premier Cabildo fut construit par les Espagnols en 1770, mais, le Vendredi saint 1788, le siège du régime espagnol fut la proie des flammes. Sa reconstruction a été rendue possible grâce au mécennat de don Andrés Almonester y Roxas, inhumé dans la cathédrale Saint-Louis-Roi-de-France, dont il fut un généreux donateur. L'actuel Cabildo date de 1799 et est l'œuvre commune du généreux mécène et de don Gilberto Guillemard, à qui l'on doit également la reconstruction de la cathédrale, elle aussi détruite lors du même incendie.

Le Cabildo était à la fois le siège du corps administratif doublé d'une assemblée délibérante qui détenait également des pouvoirs juridiques. Ces attributs surpassaient de beaucoup ceux d'une simple administration municipale. Depuis le Cabildo, c'est toute la juridiction de la Louisiane devenue espagnole qui était administrée. Des cours de droits civil et criminel s'y déroulaient, de même que les réunions de l'administration municipale. C'est dans ce même édifice, dans la Sala Capitular, que se fit le transfert officiel de la Louisiane de l'Espagne à la France en 1803 et 20 jours plus tard de la France aux États-Unis. Diverses expositions y sont présentées de nos jours, et l'on peut y voir la pierre angulaire ou «pierre de fondation» symbolique de la colonie en 1699 ainsi qu'un masque mortuaire de Napoléon Bonaparte, don de l'un des nombreux admirateurs de l'empereur des Français.

celui-ci apporte son appui inconditionnel aux indépendantistes républicains.

En 1777, don Bernardo de Gálvez devient à son tour gouverneur et marie lui aussi une Créole, Félicie de Saint-Maxent d'Estrehan. Don Gálvez apporta une aide précieuse aux révolutionnaires américains. Une statue, aux limites de la rue du Canal, perpétue aujourd'hui la mémoire de ce héros romantique de la colonie espagnole.

En 1785 lui succède don Esteban Rodríguez Miró, un autre gouverneur qui maria également une Créole, Marie-Céleste Éléonore de McCarty. C'est sous ce gouvernat que la Louisiane accueille les exilés acadiens qui voulaient rejoindre ceux qui les avaient précédés. En 1788, le père Antonio de Sedella arrive en Louisiane comme représentant de l'Inquisition à La Nouvelle-Orléans. Le gouverneur Miró le fait arrêter en pleine nuit et le fait rembarquer illico pour un retour en Espagne. Dans une dépêche à l'intention du gouvernement espagnol, il écrit : «*Quand je prends connaissance du mandat de ce capucin, je frémis. La seule mention du mot Inquisition à La Nouvelle-Orléans suffirait à faire fuir ceux qui s'établissent chez nous.*» Le même père Antoine revint en Louisiane

en 1795, mais cette fois à titre de pasteur. Il passa le reste de ses jours à La Nouvelle-Orléans, y mourut en 1829 à l'âge de 81 ans, pleuré par tous. Le recensement de 1788 fait état d'une population de 19 500 Blancs, 1 700 personnes de couleur, 21 500 esclaves, soit 10 000 personnes de plus arrivés en trois ans seulement. Cette population recensée comprend toute la Louisiane et inclut l'ouest de la Floride.

En 1791 succède à Miró Francisco Luis Hector, baron de Carondelet. On lui doit un système d'éclairage pour la ville de La Nouvelle-Orléans ainsi que la création d'une force constabulaire bilingue. Carondelet fit construire un canal aujourd'hui appelé le Vieux-Bassin du Canal, qui permettait une communication directe depuis le Mississippi jusqu'au bayou Saint-Jean et au lac Pontchartrain, facilitant ainsi le commerce avec les villes de la côte. Il fit bâtir des forts, des redoutes et des batteries. Il signa des traités avec les Amérindiens des environs, facilita le libre-échange et fonda le premier journal de la colonie, *Le Moniteur de la Louisiane*. C'est sous son mandat qu'Étienne de Boré initia, en 1795, la commercialisation du sucre granulé.

En 1797, de Carondelet est remplacé par le brigadier général Manuel Luis Gayoso de Lemos, qui mourra de la fièvre jaune en 1799 et qui sera le seul gouverneur enterré à La Nouvelle-Orléans.

Le marquis de Casa Calvo sera gouverneur jusqu'en 1801, et don Manuel de Salcedo de cette date jusqu'en 1803, malgré le traité secret de San Ildefonso, signé en 1800, qui rendait la Lousiane à la France.

Sous la domination espagnole, les exportations connurent un développement considérable. Les cul-

Le choc des cultures

Pour les premiers Américains qui arrivent en Louisiane, après la vente de ce territoire en 1803 par Napoléon, la langue française qu'ils ne connaissent pas, le système des Noirs affranchis qui est un fait unique en terre d'Amérique, la fierté des Créoles autant que des Acadiens, tout concourt à dépayser le nouvel arrivant. C'est sans doute l'auteur Lyle Saxon qui a le mieux saisi cette confrontation culturelle à La Nouvelle-Orléans, comme il est raconté dans son livre intitulé *Fabulous New Orleans* : «*L'atmosphère semble imprégnée d'un effluve insidieux qui tend à dissoudre le puritanisme.*»

En effet, les libertés affichées en Louisiane, plus particulièrement à La Nouvelle-Orléans, contrastent fortement avec la sévérité des mœurs qui ont cours ailleurs aux États-Unis. Bien que La Nouvelle-Orléans soit une ville dévote et catholique, la permissibilité ambiante favorise la prolifération de bordels, cafés et tripots. Le «placage» y est pratiqué à grande échelle. Le placage est une liaison plus ou moins longue qui permet un concubinage entre Blancs et quarteronnes. Ces dernières sont logées confortablement dans le Vieux-Carré ou rue des Remparts.

tures furent si intensives qu'une véritable autarcie existait dans la colonie. La population allait sextupler atteignant vers 1800 plus de 50 000 personnes. C'est sous le régime espagnol que furent reconstruits la cathédrale de Saint-Louis-Roi-de-France, le Cabildo, le presbytère et l'hôpital pour les lépreux et que furent également érigés l'hôpital de la Charité et la chapelle des Ursulines. Les Espagnols gouvernèrent dans une stabilité remarquable. Ils refirent une partie du Vieux-Carré, la revêtant d'une admirable architecture, et élevèrent d'élégants bâtiments, leur enjoignant des patios qui font encore aujourd'hui la joie des admirateurs de beaux agencements.

Les esclaves

La soumission forcée et obligatoire des Amérindiens aux durs travaux n'est pas la seule cause qui provoque le génocide de populations entières. Les nouveaux arrivants transmettent aux habitants du Nouveau Monde nombre de maladies contre lesquelles ils n'étaient pas immunisés. Épuisées, affaiblies et minées par les exigences du conquérant européen, ces communautés sont ensuite abandonnées à leur triste sort. La mort fait des ravages, et les colonisateurs s'inquiètent davantage de la baisse massive de cet important «cheptel» humain que de la disparition de ces malheureuses personnes pour la plupart pacifiques. Dès lors, l'Européen se tourne vers l'Afrique... Une autre forme d'esclavagisme prend la relève en terre d'Amérique.

Aucune des colonies européennes d'Amérique n'échappe au trafic d'esclaves. Anglais, Espagnols, Français, Néerlandais et Portugais achètent leurs lots d'Africains, qu'ils installent aussitôt à proximité de leurs terres et plantations. Dans la seule agglomération de Mobile, alors en Louisiane française, on recense, en 1714, 111 Blancs, 134 Amérindiens et 10 Noirs. Ce n'est qu'un début...

Les Noirs arrivent à La Nouvelle-Orléans dès sa fondation en 1718. Les deux tiers des esclaves amenés par les Français en Louisiane venaient de la Sénégambie, dans la partie occidentale de l'Afrique. Ils étaient acheminés en Louisiane, et dans les autres colonies françaises des Antilles, par la Compagnie des Indes occidentales.

Entre 1726 et 1731, 13 vaisseaux négriers arrivent dans la colonie et 5 987 nègres y débarquent. Les archives de l'époque font mention de leur arrivée à un lieudit, situé en face du Vieux-Carré Français, sur l'autre rive du Mississippi, nommé la pointe d'Alger (aujourd'hui Algiers ou Algiers Point). Deux raisons expliquent le choix du nom «pointe d'Alger», de Bienville lui ayant déjà donné cette appellation en 1719 pour désigner ce port de débarquement. La première veut qu'avant même que les Français ne colonisent l'Algérie un grand nombre de bateaux négriers, affrétés pour le transport des esclaves, transitaient par Alger avant d'entreprendre leur longue traversée de l'Atlantique pour rejoindre les colonies européennes d'Amérique. L'autre, moins plausible mais qui demeure quand même une exactitude historique, vient qu'à la même époque de ce honteux commerce de nombreux pirates provenant des côtes d'Alger s'emparaient des vaisseaux négriers pour ensuite revendre cette marchandise humaine aux plus offrants.

L'affirmation afro-américaine

Dès le XVIIIe siècle, les Noirs affranchis commencent à s'installer dans le Faubourg Tremé. Cette mutation régulière et constante a toute son impor-

tance dans l'histoire puisque ces Noirs devenaient réellement propriétaires, et ce, en plein régime esclavagiste. Ce fait a marqué profondément la culture afro-américaine. La Nouvelle-Orléans «noire» se donnait des assises solides pour célébrer sa grande richesse culturelle. Tremé est non seulement le plus vieux faubourg noir des États-Unis, mais aux yeux de toute la communauté afro-américaine c'est aussi un haut lieu de réussite économique, politique, sociale et juridique. En 1850, soit une décennie avant le déclenchement de la guerre de Sécession, les Noirs affranchis détiennent déjà pour 2 214 000,20$ de valeurs immobilières dans le Faubourg Tremé.

Lors de la guerre civile, on dénombrait 30 000 gens de couleur libres dans la seule ville de La Nouvelle-Orléans, soit le nombre le plus élevé de l'époque à travers tout le territoire des États-Unis d'Amérique. Dans les faubourgs de La Nouvelle-Orléans, la cohabitation interraciale est une réalité vécue depuis le régime français, et cet état de fait devait perdurer après la guerre civile, même pendant la période de ségrégation institutionnelle.

L'esclavage... Les Français plus humains?

Dans son ouvrage *Si l'Amérique française m'était contée - Essor et chute*, publié à Montréal en 1990 aux Éditions de l'Hexagone (dans la Collection «Itinéraires»), Johnny Montbarbut raconte que les Français semblaient moins enclins à maltraîter leurs esclaves que les autres Européens. L'historien souligne que les Espagnols étaient réputés pour leur intransigeance envers leurs esclaves, autant africains qu'amérindiens, et qu'ils avaient un profond mépris pour les personnes issues du métissage. Plus subtils, les Anglais et les Hollandais se voyaient interdire toute relation amoureuse ou aventurière avec les femmes de couleur. Si le métissage, fruit de folâtries toutes gauloises, de perditions heureuses, de concubinages ou d'unions libres, était assez bien accepté en Nouvelle-France et en Haute-Louisiane entre Amérindiennes et Français, poursuit l'auteur, l'attrait de l'exotisme devait finalement triompher des préjugés en Basse-Louisiane entre Africaines et Français et, très certainement, entre Françaises et Africains; l'inverse devait également exister, au nord, entre jolies Françaises et beaux Amérindiens.

Le Code Noir

Dès 1724, le gouvernement français instaure le Code Noir, qui garantit des droits et privilèges tant des esclaves que des Noirs affranchis par leurs maîtres. Ce code délimitait les charges qui incombaient aux nègres de même que les obligations imposées aux maîtres, dont celle de voir à ce que tous les nègres soient baptisés dans la foi catholique. Le Code Noir prévoyait que les jours fériés et les dimanches étaient chômés. Le Code Noir français était nettement plus favorable que toutes les autres lois régissant les Noirs dans les autres États du Sud (sous tutelle anglaise ou espagnole) à cette époque. Ce code a prévalu jusque dans les années 1820, après quoi les Afro-Américains durent subir la dure loi prévalant dans les États sudistes.

Les Étasuniens

Bien avant que la France ne vende la Louisiane aux États-Unis d'Amérique en 1803, les Étasuniens considéraient ce territoire comme une continuité géographique naturelle de leur pays. La Nouvelle-Orléans se situe à l'embouchure du Mississippi, et ce long fleuve sillonnant les terres du nord au sud était considéré à juste titre comme un endroit stratégique. Autant pour des raisons militaires que pour des nécessités commerciales, voire économiques, la région attisait au plus haut point la convoitise de la jeune république américaine. Sitôt l'acte de vente de la Louisiane conclu avec la France, les États-Unis ne tardent pas à favoriser l'implantation massive d'immigrants d'origine anglo-saxonne. D'abord dans les villes, à La Nouvelle-Orléans et à Bâton-Rouge, puis progressivement dans les paroisses longeant le Mississippi.

À la fin de la première moitié du XIXᵉ siècle, les «Anglos» continuent à s'établir dans de nouvelles régions : dans la paroisse de Sainte-Marie (St. Mary), sur la côte du golfe du Mexique et, en plus grand nombre, dans la partie nord de la rivière Atchafalaya. La «folie sucrière» encouragea d'autres colons à acheter quantité de petites fermes des habitants français. Les nouveaux arrivants remplacèrent alors ces bâtiments rustiques par d'immenses installations agricoles vouées à la culture et à la transformation de la canne à sucre. Quant aux fermiers français, ils se déplacèrent vers les prairies du Sud-Ouest. À la même époque arrivèrent d'autres immigrants, nombreux certes mais cependant moins que les Anglo-Saxons et les Étasuniens. Ainsi s'implantèrent par vagues successives en Louisiane américaine des colons allemands, espagnols, irlandais, italiens et slaves.

Dans les années qui suivirent la guerre de Sécession, on assista à une vaste campagne de promotion visant à favoriser l'implantation de nouveaux colons dans les prairies du sud-ouest de l'État. De nombreux fermiers allemands du Midwest américain répondirent à l'appel. Ces derniers étaient des producteurs fort habiles de blé et d'autres céréales; en Louisiane, ils allaient vite ajouter à leur expertise la culture du riz.

Il y eut une autre grande vague d'immigration anglo-saxonne lors de la construction du chemin de fer, en 1882, par la compagnie

Southern Pacific. Mais la prépondérance anglophone allait devenir encore plus marquée avec la découverte du pétrole en 1901. Cette tendance devait se maintenir à la hausse jusqu'après la Seconde Guerre mondiale.

Institutions politiques

L'appareil législatif, dont le siège est à Bâton-Rouge, capitale de l'État, est constitué d'un Sénat et d'une Chambre des députés. L'État est divisé en districts formés d'une ou de plusieurs paroisses.

Le système judiciaire comprend la Cour suprême de l'État, cinq cours d'appel et des cours de district. Il est intéressant de noter que la Louisiane est le seul État américain à utiliser et à appliquer le Code civil français, hérité de celui de Napoléon.

Chaque État américain a un gouverneur et un lieutenant-gouverneur. En Louisiane, ce sont M. Mike Foster et Mme Kathleen Blanco qui occupent actuellement ces deux postes. Le secrétaire d'État et le Procureur général sont les deux autres plus importants personnages de l'État.

En outre, chaque paroisse a à sa tête un comité de membres élus, le Police Jury : le shérif, le coroner, le greffier et l'assesseur.

À ces divers appareils, s'ajoutent la police de l'État, à qui incombe la responsabilité de la circulation sur les autoroutes et les routes principales, le Département du shérif, qui veille à la sûreté des paroisses, et enfin la police municipale ou locale.

Économie

Lorsqu'il décide d'y fonder La Nouvelle-Orléans en 1718, Jean-Baptiste Le Moyne de Bienville sait que c'est là le meilleur endroit sur le Mississippi. La proximité du golfe du Mexique a vite fait de la ville la véritable porte d'entrée du Bas-Mississippi et la plaque tournante de l'économie louisianaise.

Sous le régime français, l'activité portuaire dépend tout autant du commerce du bois et des fourrures que des riches plantations voisines de La Nouvelle-Orléans qui produisent l'indigo, la canne à sucre et le coton.

L'économie de La Nouvelle-Orléans traverse une crise majeure durant la guerre de Sécession. Le blocus des Nordistes interdit toute expédition vers les marchés traditionnels du coton, et, au fur et à mesure de l'avancée nordiste, les esclaves fuient les plantations. Dans ce contexte, les valeurs immobilières chutent dramatiquement alors que les taux d'intérêt grimpent vertigineusement. Alors qu'au Nord l'industrialisation fait la fortune des uns, les planteurs du Sud n'arrivent plus à couvrir leurs obligations. Ceux-ci étant privés de leur main-d'œuvre, l'esclavage ayant été aboli, la structure économique sudiste s'effondre. Il faut attendre quelques années avant que ne se fasse sentir une certaine relance économique.

La Nouvelle-Orléans connaît une vigueur économique lors de la Seconde Guerre mondiale, alors que l'armée américaine commande des torpilles, des barges de débarquement et autres machineries de combat aux industries locales.

Le pétrole, le gaz naturel, l'industrie pétrochimique et aérospatiale, le soufre, le sel, les conserveries et produits alimentaires, la pêche et les forêts (elles couvrent encore de vastes étendues de la Louisiane) contribuent pour une juste part à l'économie louisianaise et aux activités portuaires de La Nouvelle-Orléans autant qu'à celles de Bâton-Rouge.

Culture

L'Opéra Français

La vie culturelle musicale de la Louisiane commence le 22 mai 1796 avec la création de l'opéra *Sylvain*, d'André Grétry, monté dans un théâtre de la rue Saint-Pierre, à La Nouvelle-Orléans. Cette ville a été durant de nombreuses années le centre de l'opéra en Amérique du Nord. Dès 1830, alors que New York et Boston présentaient à l'occasion des œuvres lyriques, il y avait ici une «saison» régulière alimentée par des chanteurs et même par des troupes complètes qui y venaient régulièrement de France. Les représentations étaient alors données au Théâtre Orléans et, à partir de 1859 année de son inauguration, à L'Opéra Français. Des premières américaines des opéras de Bellini, Donizetti, Halévy et Verdi y furent présentées. La Nouvelle-Orléans est demeurée un haut lieu de l'opéra, surtout français, jusqu'au déclenchement de la guerre de Sécession. Deux compositeurs néo-orléanais connurent une célébrité mondiale : Louis Moreau Gottschalk (1829-1869) et Ernest Guiraud (1837-1892). Ces deux prodiges étudièrent à Paris. Guiraud revint à La

Nouvelle-Orléans pour un court laps de temps afin d'assister à la première de son opéra, *Le Roi David;* il n'avait alors que 17 ans. Ce même compositeur fit la musique sur les récitatifs de la *Carmen* de Bizet et termina *les Contes d'Hoffmann*, qui avaient été laissés inachevés par Offenbach. L'Opéra Français, érigé en 1859 à l'angle des rues Bourbon et Toulouse, fut entièrement rasé par le feu en 1919.

Le Petit Théâtre du Vieux-Carré Français

Le Petit Théâtre du Vieux-Carré Français a été fondé en 1916 par un groupe d'amateurs néo-orléanais. C'est un des plus vieux théâtres communautaires aux États-Unis et la plus ancienne troupe théâtrale de La Nouvelle-Orléans. En 1922, la troupe de théâtre acquérait la propriété actuelle (616 rue Saint-Pierre) et déménageait de ses locaux, jusqu'alors situés dans l'édifice Pontalba.

Sur ce même emplacement avait été érigé un bâtiment en 1794; il brûla la même année. Trois ans plus tard, il était reconstruit pour don Manuel Cayoso de Limos, dernier gouverneur espagnol de la Louisiane. Celui-ci veilla personnellement à l'aménagement paysager du patio afin qu'il soit agréable pour sa jeune épouse.

Après la vente de la Louisiane en 1803, l'édifice changea de main à plusieurs reprises avant de tomber en désuétude, jusqu'à ce que la troupe de théâtre rachète l'endroit et lui redonne son éclat d'antan.

Les écrivains et la Louisiane

La Louisiane a donné naissance à quelques écrivains, en a attiré bien d'autres et en a inspiré un grand nombre. Chez les Afro-Américains, depuis Solomon Northup, auteur de l'ouvrage *Esclave pendant 12 ans*, paru en 1853, jusqu'au romancier contemporain Ernest Gaines, la mémoire collective ne fait jamais abstraction de l'humiliation infligée à leur peuple. Dans un autre registre, des musiciens ont laissé des mémoires ou confié leurs souvenirs pour publication. Ainsi en est-il de Sidney Bechet, de Jelly Roll Morton et de Louis Armstrong, avec *Ma Nouvelle-Orléans*, ouvrage publié en français chez Julliard en 1952.

C'est sans doute l'auteure Anne Rice qui, dans ses romans et nouvelles (*The Feast of All Saints* et *The*

Vampire LeStat), décrit le mieux les personnages de la vie quotidienne à La Nouvelle-Orléans. De grands écrivains blancs, parmi lesquels le Prix Nobel William Faulkner et le dramaturge Tennessee Williams, né Thomas Lanier, ont vécu à La Nouvelle-Orléans. C'est dans la métropole louisianaise, où il passait du whisky de contrebande, que Faulkner commença à écrire. Né sur l'autre rive du Mississippi, dans une famille ruinée par la guerre de Sécession, il déteste, à l'instar des Néo-Orléanais de vieille souche, *«l'esprit affairiste des Yankees. L'habitude dans le Sud, dit-il, c'est d'avoir non pas juste assez mais toujours plus qu'il ne faut, assez pour gaspiller».* Mentalité proche de celle de James Domengeaux, président-fondateur du CODOFIL (Conseil pour le développement du français en Louisiane), qui déclarait : *«En Louisiane, le français est un luxe peut-être, mais un luxe nécessaire.»*

Tennessee Williams, qui a aimé La Nouvelle-Orléans plus que toute autre ville au

Jasez-moi de jazz!

Le terme a des origines floues; *jass* ou «jazz», pourrait venir de «jasm» synonyme de vitalité et, en argot, de performance sexuelle, de chasse-beau, un pas de danse, des *jazzbelles*, surnom des prostituées de La Nouvelle-Orléans en souvenir de la Jézabel biblique, du verbe français «jaser» ou encore de l'artiste de *minstrel* Jazbo (extrait de *Le Jazz*, de Jean-Stéphane Brosse, Éd. Les essentiels, Milan).

Pour sa part, John Fordham, dans un album intitulé *Jazz*, publié à Montréal chez Hurtubise HMH, affirme que le mot «jazz», qui signifie «entrain et enthousiasme» dans le langage populaire, mais désigne aussi l'acte sexuel en argot, fut accolé à ce son nouveau avec sans doute une connotation plus sexuelle que musicale. Il est vrai que ces deux notions n'avaient rien d'incompatible à La Nouvelle-Orléans.

monde, regardait, médusé, passer devant sa fenêtre... un tramway nommé *Désir*. Il en tira une pièce célèbre dont l'héroïne, Blanche DuBois, incarne bien le monde fragile et vulnérable des rêveurs face aux réalistes étroits d'esprit qui l'entourent.

Jazz et musique afro-américaine

Tout débuta à La Nouvelle-Orléans. C'est en effet dans la grande cité louisianaise qu'allaient prendre racine en Amérique les musiques traditionnelles d'Afrique d'où sortiraient le jazz, le blues et le gospel.

Les Afro-Américains les plus âgés avaient gardé en mémoire le souvenir des rythmes et des instruments utilisés dans leurs cérémonies et rituels, avant les razzias qui les conduisirent à l'esclavage dans le monde blanc. Au square du Congo, où ils étaient autorisés à se réunir le dimanche, les Afro-Américains se livraient pendant des heures à des danses inspirées en s'accompagnant de *« [...] grands tambours cylindriques, tam-tams creusés dans des troncs d'arbres, tambours carrés, castagnettes faites à partir*

Triangle

d'ossements, calebasses, triangles, machoires grattées, tout un univers de percussion», comme l'écrit l'historien de jazz Arnaud Bienville, dont le nom rappelle le fondateur de La Nouvelle-Orléans. La musique qu'ils en tiraient, pour n'être pas écrite, n'en était pas moins codée, car basée comme toute musique sur une structure rythmique spécifique, à l'intérieur de laquelle seulement se développait l'imagination. Elle gardera toujours ces caractéristiques permettant une grande richesse d'improvisation.

La musique en général jouait un grand rôle à La Nouvelle-Orléans, qui avait ses troupes d'opéra, ses orchestres symphoniques et même, vers la fin du XIXᵉ siècle, son Orchestre symphonique créole, composé uniquement de Noirs. Car La Nouvelle-Orléans produisit un phénomène inconnu ailleurs, celui des Créoles noirs. Normalement, le terme «Créole» désigne un Blanc né dans les colonies d'Amérique. En Louisiane française toutefois, malgré le «Code Noir», élaboré à Versailles en 1724, les maîtres transgressaient sans peine les interdits et, quand de leurs amours naissaient ces enfants mulâtres, ils les

Sidney Bechet

Sidney Bechet est un autre enfant de La Nouvelle-Orléans, où il est né en 1897. Dès sa prime enfance, alors qu'il n'a que six ans, le petit Créole afro-américain apprend la clarinette. À 17 ans, Sidney ne compte déjà plus les nombreux concerts auxquels il a participé avec des groupes de jazz. Quittant sa Nouvelle-Orléans natale, Sidney Bechet s'installe à Chicago en 1916, puis à New York en 1919. Il approche la vingtaine lorsqu'il entreprend une tournée remarquée avec Clarence Williams et King Oliver. C'est aussi en 1919 que le jeune Sidney s'embarque pour l'Europe avec le Will Marion Cook's Southern Syncopated Orchestra. Un chef d'orchestre suisse, fort impressionné par la performance et l'immense talent de Sidney Bechet, lui donne l'occasion de se produire à Paris et à Londres. C'est alors qu'il passe au saxophone soprano, qui émet un son beaucoup plus puissant que la clarinette. Sidney Bechet est le premier à se servir de cet instrument et le nom du grand virtuose (car il s'exécute vraiment de façon magistrale) s'inscrit désormais au zénith des grands artistes néo-orléanais.

Avec le Clarence Williams Blues Five, Sidney Bechet enregistre en 1920 ses premiers disques. En 1925, il joue quelques mois avec Duke Ellington, fait aussi un disque avec les Red Oignon Jazz Babies – groupe du célèbre trompettiste Louis Armstrong – et entreprend ensuite une tournée en Europe avec la *Revue nègre* de Joséphine Baker. Après un séjour triomphal en Union soviétique, Sidney Bechet joue – par intermittence de 1928 à 1938 – avec le Noble Sissle's Band à Paris. Un soir où les esprits s'échauffent un peu trop, Sidney est mêlé involontairement à une bagarre à Pigalle. Cet impair l'oblige à purger 11 mois de prison et, après sa peine, d'être expulsé du territoire français.

De retour aux États-Unis, il constate que la crise des années trente touche aussi le milieu artistique. Les orchestres licencient les artistes; des boîtes de nuit ainsi que des salles de spectacles et de concerts ferment leurs portes, tandis que plusieurs maisons de disques sont acculées à la faillite. Le marché du disque fait une chute phénoménale, passant de 100 millions de disques vendus en 1927 à six millions en 1932; la vente des phonographes est elle aussi durement touchée, passant de un million à 40 000. Pour un temps, en 1932, malgré le succès de son groupe The New Orleans Feetwarmers, Sidney Bechet se voit dans l'obligation d'ouvrir une échoppe spécialisée dans les retouches de vêtements afin de pouvoir subvenir à ses besoins. Il enregistre quand même quelques grandes pièces musicales. En 1940, Sidney Bechet fait déjà figure de vétéran. Il a enregistré avec Louis Armstrong, autre grande figure légendaire du jazz, de même qu'avec des formations locales tout aussi légendaires dirigées par Kepped, Jack Carey et Buddy Petit.

Une année plus tard, Sidney Bechet triomphe au Festival de jazz de Paris. L'artiste musicien aime la France, ce pays de la liberté, de l'égalité et de la fraternité. À l'exemple de sa compatriote afro-américaine Joséphine Baker, naturalisée française, qui combat la ségrégation raciale sévissant avec force dans les États du sud des États-Unis, il fait de la France son véritable pays d'adoption. La France inspire Sidney Bechet et il y compose, entre 1949 et 1958, certaines de ses plus fameuses partitions. Il enregistre là, avec la complicité de Luter, des œuvres magnifique dont «Moi j'en ai marre», «Dans les rues d'Antibes», «Les Oignons (Les Échalotes)», «Coquin de Boubou» et «Petite Fleur», qui deviendra l'un de ses plus célèbres classiques.

En France, Sidney Bechet a vécu à Garches, en Île-de-France, dans la région parisienne, où il mourut en 1959 entouré de sa femme et de ses enfants. Le grand soliste de jazz, maître du saxophone soprano et chef d'orchestre, n'aura laissé que des amis. Avec Louis Armstrong, il demeure l'une des fortes personnalités du style New Orleans. L. Malson a dit de lui : *«Sidney Bechet est le meilleur clarinettiste de l'histoire du jazz.»*

En 1997, pour commémorer le centenaire de la naissance de Sidney Bechet, de nombreuses manifestations culturelles eurent lieu en sa mémoire dans plusieurs villes de France et à La Nouvelle-Orléans.

faisaient souvent baptiser, les mettaient à la pratique de travaux moins pénibles et leur offraient même l'affranchissement.

Vers 1800, La Nouvelle-Orléans compte au moins 2 000 de ces Créoles noirs affranchis, dont plusieurs profiteront d'une formation musicale blanche.

Au milieu du XIXe siècle, La Nouvelle-Orléans, avec plus de 100 000 habitants, est de loin la ville la plus peuplée du sud et même de l'ouest du pays. Le port d'où partent sucre et coton est très actif, et l'argent coule à flots. «Paris-sur-Mississippi» aime la fête, la parade, la danse, et est indulgente au plaisir. Les bals, les boîtes de nuit, les bars foisonnent, et la rue grouille au rythme des orchestres qui s'y succèdent au moindre prétexte. C'est surtout dans ces parades que la musique va se développer. Derrière l'orchestre officiel vient la *second line*, composée de musiciens anonymes qui se regroupent pour lancer des défis aux vedettes et souvent les détrôner. Le public suit en dansant, et l'orchestre dont le rythme semble le plus efficace est déclaré vainqueur.

Les parades de funérailles, une tradition importée d'Afrique pour assurer au défunt un enterrement décent, donnent aussi lieu à de véritables compétitions. Bien des carrières, ou tout au moins des engagements plus lucratifs, ont commencé là avant de se poursuivre dans un des nombreux dancings qui, pour attirer une clientèle prête à payer le bon prix pour s'amuser, font forte consommation de musiciens. Considérée d'abord comme musique des bas-fonds par les musiciens créoles noirs des boîtes chics plus près des goûts des Blancs, la musique pratiquée par les Afro-Américains dans les bouis-bouis les plus populaires va peu à peu l'emporter par son irrésistible originalité; les Créoles défaits viendront seulement enrichir la musique de leurs frères de race par l'apport des instruments de l'orchestre traditionnel.

Accordéon

Le premier des musiciens auquel le terme de «jazzman» fut appliqué, Buddy Bolden, était à la tête d'un orchestre de sept ou huit membres vers 1895. Son approche audacieuse aurait permis à la musique en train de se définir de faire un grand bond, avant qu'il n'aille terminer ses jours dans un asile, usé par les abus de toutes sortes. Un autre pionnier, le Créole noir Jelly Roll Morton, né Ferdinand La Menthe, reste de façon plus vivante dans l'histoire, car il a laissé plusieurs enregistrements. À la même époque, Joe «King» Oliver, «roi» dans la meilleure tradition versaillaise de Roi, suivi plus tard du duc, «Duke» Ellington, et du comte, «Count» Basie, débute au club Aberdeen, au coin de la rue du Marais et de Bienville. Oliver eut un orchestre jusqu'au début des années trente, alors que survint la Dépression. C'est à lui que revient l'honneur d'avoir découvert Louis Armstrong, à la fois instrumentiste et premier musicien de jazz à atteindre une renommée internationale. Un autre Créole, Sidney Bechet, boucla la boucle à sa façon en venant s'installer en France, où ses talents de mélodiste – qui ne se souvient de *Petite fleur?* – lui valurent un accueil chaleureux.

Quand, dans les années vingt, les musiciens de La Nouvelle-Orléans tentés par le Nord firent leur apparition à Chicago, «*tout le monde, musiciens venus de l'est comme de l'ouest, essaya de jouer comme eux*», se rappelle le bassiste Pops Foster. En France, l'arrivée des musiciens noirs dans les cabarets de Montmartre

Le *Dixie*

L'origine du mot *Dixie*, qui rappelle à la fois un style de jazz *(Dixieland)* et la Louisiane elle-même, vaut la peine d'être évoquée. Après que la Louisiane eut été devenue américaine en 1803, un billet de 10 dollars fut mis en circulation à La Nouvelle-Orléans. L'une des faces portait la mention française de «dix» et l'autre, le *ten* anglophone. Les Américains prononçaient le mot «dix» à l'anglaise, soit *dixe*, ce qui donna l'appellation *Dixie* pour qualifier La Nouvelle-Orléans puisque ce billet avait cours uniquement dans cette ville.

souleva l'enthousiasme des plus grands dont Ravel. Le saxophone en particulier, auquel ils allaient donner ses lettres de noblesse, l'enchanta. Il écrivit même une sonate pour piano et violon intitulée *Blues*.

Blues... Bien des Afro-Américains à La Nouvelle-Orléans ne travaillaient pas dans les plantations, mais ils apprirent, sur les docks de ceux qui récoltaient le coton, les chansons pleines

Louis Armstrong... Le Grand

Louis Daniel Armstrong, fils d'un domestique et d'une lavandière, naît dans le quartier Perdido (autrefois faubourg Sainte-Marie) à La Nouvelle-Orléans. La date est incertaine. D'aucuns affirment qu'il est né un 4 août 1901; d'autres soutiennent qu'il à vu le jour à la même date que l'anniversaire de l'Indépendance américaine, donc un 4 juillet 1900; enfin, d'autres le font naître vers 1898. Il est décédé le 6 juillet 1971.

Artiste précoce, l'enfant chantait et dansait dans les rues et venelles des faubourgs de La Nouvelle-Orléans. Lors des festivités de la Saint-Sylvestre en 1913, il décharge un pistolet à blanc en pleine rue; il est arrêté; il n'a que 12 ans et placé dans un foyer pour délinquants noirs où il apprend le cornet et le clairon. Il vécut une vie turbulente, avec une affectivité dévorante, et se mariera quatre fois.

Louis Armstrong est vite surnommé «Satchmo» qui vient de *satchelmouth*, c'est-à-dire «bouche en forme» de besace. En effet, il n'avait pas bien appris à appliquer ses lèvres à l'embouchure du cornet, et cette singularité allait permettre de créer une sonorité sans pareille. Avec ses improvisations sur les sonorités explosives et percutantes des onomatopées du scat, raconte John Fordham dans *Jazz*, publié chez Hurtubise HMH, Louis Armstrong est l'incarnation même du chanteur de jazz créant son propre son. Son timbre âpre s'écartait des normes vocales européennes, mais sa voix était d'une expressivité inouïe. Personne ne peut oublier l'incomparable voix éraillée de Satchmo après avoir entendu «What a Wonderful World».

Jean-Stéphane Brosse, dans un petit recueil intitulé *Le Jazz* (Éd. Les essentiels, Milan), ajoute que Louis Armstrong à la trompette donne à la mélodie une ampleur qui atteint des dimensions cosmiques. L'apport de Louis Armstrong à la musique est incommensurable. Génial improvisateur, il sut extirper le jazz du cocon louisianais pour en faire un phénomène universel.

Le jazz, ce folklore nord-américain, connut une renommée mondiale grâce aux talents de Louis Armstrong, qui se fit ambassadeur du nouvel art musical tant en Angleterre qu'en France. On a pu le voir et l'entendre dans une cinquantaine de films. Sommité mondiale, il fut considéré comme le musicien du XXᵉ siècle. Une voix immortelle heureusement gravée sur disque comme ses innombrables prestations en tant que trompettiste. Objet de louanges dithyrambiques,

Louis Armstrong les mérite. Tous les éloges superlatifs ont été employés pour illustrer les talents exceptionnels de ce génie musical louisianais.

Sans prosélytisme politique, il a su donner aux Noirs américains une résonance universelle avec ses sons d'une totale liberté qui se propagent depuis dans tout l'univers sous des formes sans cesse renaissante et que toutes les races reprennent autour de la planète bleue.

Le jazz : patrimoine culturel

Partie d'une structure très codée, le jazz allait ouvrir un champ d'improvisation sans limites et permettre à des musiciens de toutes origines et de toutes couleurs de s'y illustrer. Après avoir pris forme dans les grandes cités françaises, il est aujourd'hui enseigné dans de nombreuses universités à travers le monde.

d'états d'âme qui deviendront le blues. Ces états d'âme, mêlés à l'ardent désir de rythme resté ancré dans le cœur des travailleurs africains, trouveront encore une autre forme, religieuse cette fois : le gospel. Les pasteurs protestants utilisaient les cantiques pour apprendre aux Afro-Américains des rudiments de leur religion et les y convertir.

Le chant d'église sera peu à peu investi par les Afro-Américains et transformé en art par des voix puissantes comme celle, en particulier, de la Néo-Orléanaise Mahalia Jackson.

Jazz, blues, gospel : sous ces trois formes différentes, la musique de ces défavorisés venus de terres lointaines demeure l'un des plus beaux fleurons de La Nouvelle-Orléans.

Blues, *gospel blues* et spirituals

Voici comment le génial compositeur afro-américain Thomas Andrew Dorsey (1899-1993) définissait le blues : *«Il serait difficile à expliquer à quiconque n'a jamais vécu une passion amoureuse, connu la traîtrise d'un être aimé, eut le cœur blessé, l'esprit troublé ou senti l'absence de l'être adoré ou toute autre manifestation des sentiments humains.»*

Dorsey poursuit en affirmant : *«Le blues s'entend mieux la nuit, sous les éclairages si diffus qu'il devient impossible de distinguer le voisin à dix pieds de soi, nimbé d'une fumée si dense que l'on a l'impression d'être en mesure de s'en accaparer pour s'en remplir les poches.»* Poursuivant ses propos, lors de la même entrevue, il ajoutait que *«le lieu où l'on joue exhale des parfums de sueurs, d'alcools frelatés, la fumée des cigarettes Piedmont et de l'eau de Cologne Hoytes... Le pianiste est tellement courbé sur les quatre-vingt huit touches, que l'on peut croire qu'il va avaler tout l'instrument.»* Dans une lumineuse envolée, il termine avec panache soulignant que *«le pianiste s'avère être le roi de la nuit et les ivoires qu'il touche parle une langue universelle.»*

Gospel blues

En vieil anglais, «gospel» signifie *good news* : la bonne nouvelle. Le *gospel blues* atteint son apogée avec l'art fabuleux de Thomas Andrew Dorsey. Celui-ci s'explique : *«Ce rythme que j'avais en moi, je l'ai incorporé aux chants gospel... J'étais un chanteur de blues et j'ai amené tout cela dans les gospel songs qui sont issus de la prière, de la méditation, des temps de misère et la peine!»*

Dorsey, pianiste de bastringue et bluesman, s'était

fait une spécialité de chants érotico-pornographiques. Bien que fils de pasteur baptiste, il vécut comme un mécréant et fut souvent éconduit par les siens. Il faisait alors carrière sous le pseudonyme de Georgia Tom. Et, un jour, il se convertit à l'Église baptiste sanctifiée et reprend son nom. Dès 1931, il organise la première chorale de gospel songs de l'histoire, l'Ebenezer Baptist Church de Chicago.

L'année suivante, sa femme mourut en donnant naissance à l'enfant qui décéda quelques jours plus tard. À la suite à cet immense chagrin, il composa un chef-d'œuvre, «Precious Lord»,

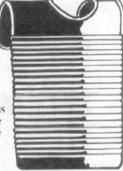
Frottoir

qui enferme l'essence même du *gospel blues*, à la fois mélancolique tel un blues, et roboratif tel un spiritual. Il dédie à Dieu tant sa douleur que son angoisse :
Precious Lord, take my hand, lead me on, let me stand.
I am tired, I am weak, I am worn
Thru the storm, thru the night Lead me on to the light
Take my hand, precious Lord, lead me home.

Voici la version qu'en donne Robert Sacré dans son incontournable ouvrage *Les Negro Spirituals et les Gospel Songs* (Presses universitaires de France, collection «Que sais-je?») :

Doux Seigneur, prends ma main, guide-moi, aide-moi à faire front.
Je suis fatigué, je suis faible, je suis brisé
À travers la tourmente, au-delà de la nuit
Conduis-moi à la lumière
Doux Seigneur, prends ma main et guide-moi vers la maison.

Ce chant n'est que l'une des 1 000 gospel songs qu'il a écrites, et au moins la moitié furent publiées. Le genre atteignit son âge d'or au cours des années 1945 à 1965. Né après la crise de 1929, le gospel blues se devait de témoigner des misères vécues par les déshérités des ghettos noirs. Élargissant ainsi le répertoire des chants, le gospel blues témoigne tant des écrits d'évangiles que de la détresse des Noirs. Le genre connut très vite une renommée telle, qu'à l'instar du jazz et du blues, le gospel échappa aussi à ses créateurs, la communauté

La Nouvelle-Orléans en bref

À l'angle des rues de Carondelet et Gravier, la banque Hibernia National, construite en 1920, fut pendant un certain temps l'immeuble le plus élevé de La Nouvelle-Orléans.

Le Factor Row, au coin des rues Perdido et de Carondelet, a été immortalisé en 1873 par le peintre français Edgar Degas sur une toile qu'il a intitulée *Le marché de coton à La Nouvelle-Orléans*.

La rue de Bourbon ne tire pas son nom de la boisson du même nom, mais plutôt de la famille royale de Bourbon, dont les origines étaient moitié françaises moitié espagnoles.

Du début des années vingt jusqu'à 1968, il fut interdit d'enseigner le français dans les écoles de la Louisiane et parfois même de le parler en public.

La construction de la canalisation souterraine de La Nouvelle-Orléans s'échelonne de 1927 à 1941. La ville est fière de voir son système de pompes figurant parmi les plus réputés au monde.

Les précipitations sont problématiques à La Nouvelle-Orléans. De juin à août, il peut tomber jusqu'à 35 cm de pluies en deux jours.

La couleur des maisons était un signe de richesse. Plus elles étaient colorées, plus leur propriétaire était fortuné.

Le Coliseum Park précède la Basse Cité-Jardin (Lower Garden District). Neuf de ses rues portent le nom de muses grecques, la première rue étant dédiée à Terpsichore, la muse de la Danse et du Chant choral. Ce quartier a été subdivisé en 1807 et se nommait autrefois «Faubourg de l'Annonciation».

Les funérailles afro-américaines traditionnelles de La Nouvelle-Orléans, tel qu'on peut le voir dans certains films (*Harnold et Maude* et *Live and let die*) ne se pratiquent plus maintenant que deux ou trois fois l'an et sont exclusivement réservées à la mémoire d'un musicien de jazz. Aussi, rarement le décès d'un fidèle de l'Église baptiste, peu importe son rang hiérarchique, entraîne une telle manifestation ou célébration lors des enterrements.

Anne Rice, née à La Nouvelle-Oréans le 4 octobre 1941, est l'une des auteures à succès les plus populaires de la Louisiane. La plupart de ses intrigues se déroulent à La Nouvelle-Orléans. Certains de ses livres ont été adaptés pour le cinéma, notamment *Entretien avec un vampire*, avec Tom Cruise, et *Exit to Eden*.

La Nouvelle-Orléans, «ville ouverte»? Héritière d'un certain laxisme des couches créoles et afro-américaines, La Nouvelle-Orléans demeure encore aujourd'hui, tout comme l'est devenue Las Vegas, une «ville ouverte». Ainsi, les 3 000 débits d'alcool de La Nouvelle-Orléans ont toute la latitude voulue pour choisir l'horaire de service qui leur convient.

À cause de la particularité géologique du Sud louisianais, l'eau se trouvant à quelques centimètres de son sous-sol, La Nouvelle-Orléans demeure sans doute l'une des seules villes au monde où la construction d'un métro souterrain est chose impossible.

afro-américaine, pour séduire le public blanc...

Cela commença par «O Happy Day!», hymne baptiste créé par Philip Doddridge (1702-1751) et Edward Rimbault (1816-1876). Edwin Hawkins, directeur de la chorale Church of God in Christ d'Oakland en Californie, revigora cette mélodie en la saccadant aux rythmes de tambours congolais, utilisant la voix experte d'un alto qu'il accompagnait au piano soutenu par un chœur aux pulsions dynamiques et de grandes intensités. Le succès populaire fut immédiat et l'engouement de cet art se communiqua rapidement dans les grandes villes d'Amérique puis d'Europe. De nos jours, les chorales les plus remarquables se font entendre aux quatre coins du monde.

Chants inspirés

Chants des esclaves et folklore religieux font écho aux hymnes et psaumes des églises protestantes. Telle est la nature originale de la première forme d'une musique américaine authentique, comme l'avait pressenti le compositeur tchèque Antonin Dvořák. Le *negro spiritual* puise ses sources dans l'héritage culturel de l'Afrique occidentale, plus précisément dans les savanes du Sénégal et de l'Angola. Il y puise la polyrythmie, l'improvisation et le canevas «appel-réponse», qui maintient à la fois la tradition de refrains immuables et favorise les couplets spontanés, inventés sur-le-champ. Très expressifs, les Blacks font appel à toutes sortes d'effets insolites tels que soupirs, roucoulements, murmures, grognements, onomatopées, tapements de pieds, etc. La «bémolisation» de certains degrés de la gamme diatonique européenne appelée *blue notes* est caractéristique des musiques afro-américaines. Ces influences africaines parsèment toutes les formes musicales subséquentes tels les *gospel songs*, le blues, le jazz et autres.

Bien qu'établis dès 1619 en Virginie, ce n'est qu'après le «Réveil religieux» de 1730 que les Noirs se mêlèrent aux fidèles blancs dans nombre de temples, même s'il y avait des zones délimitées pour les Afro-Américains. Dans le Sud, ils formaient souvent la majorité et, dès lors, brisant le carcan de la tenue terne des Blancs dans leurs pratiques religieuses, leur nature culturelle ancestrale commandait que revive le goût atavique des altérations de notes et de rythmes. L'improvisation reprenait ses droits et le corps retrouvait matière à exulter en toute expressivité. Voir aussi, dans le chapitre «Sorties», l'église Greater St. Stephen, p 299.

Événements sportifs

Football

Comme toutes les grandes villes américaines, La Nouvelle-Orléans accorde une place particulière aux événements sportifs.

La plus grande manifestation sportive à se dérouler à La Nouvelle-Orléans demeure le grand classique annuel de football du Sugar Bowl. Cet événement sportif d'envergure, réputé pour son fameux défilé qui se déroule à travers les rues de la ville, a lieu le 1er janvier de chaque année. Ce match largement médiatisé, qui met en compétition finale les deux meilleures équipes collégiales américaines, se veut le couronnement de la saison de football. Les équipes s'affrontent alors devant des partisans déchaînés au Superdôme de La Nouvelle-Orléans.

Basketball

Pendant la semaine qui précède le match décisif de football collégial, on assiste à une autre compétition sportive d'envergure, soit le Tournoi de basketball, également nommé celui du Sugar Bowl. L'événement se déroule aussi au Superdôme de La Nouvelle-Orléans; on assiste alors à la rencontre des meilleures équipes universitaires et collégiales dans cette discipline.

Baseball

Si la ville n'a pas son club professionnel de baseball, on peut néanmoins assister à un match de haut calibre au stade de l'université de La Nouvelle-Orléans, où joue l'équipe locale de baseball, les Zephyrs.

Gastronomie

La table louisianaise au XVIIIe siècle

Que boit-on et que mange-t-on en Louisiane en cette période du XVIIIe siècle? D'abord il y a de la bière, que même les ursulines de La Nouvelle-Orléans ne dédaignent pas, des vins de France, des haricots sauvages, des viandes domestiques telles que le bœuf (certains bœufs égarés dans la nature deviennent rapidement «farouches») et le mouton, des gibiers à plumes et à poil (la chasse se pratique tout l'hiver), des poissons parfois «monstrueux» (dont le poisson-chat et des carpes énormes), des huîtres, des melons d'eau, des melons «françois», des patates douces, des potirons (citrouilles), des pêches, des mûres, des figues (fraîches, en confiture et en gelée), des agrumes (certaines variétés provenant des vergers locaux) et des ananas importés de Saint-Domingue et de d'autres îles des Antilles, des céréales, du maïs, de la farine blé et de maïs, des noix-pays (pacanes), du riz au lait... L'abondance, on le constate, est de mise à la table de l'habitant, et même les moins nantis ne crèvent pas de faim.

La gastronomie néo-orléanaise est une symbiose des cuisines française, créole, africaine, cadienne et espagnole. Nulle part aux États-Unis, la gastronomie ne rivalise avec celle de La Nouvelle-Orléans et de l'Acadie louisianaise.

L'héritage culinaire amérindien

Comme ailleurs sur tout le continent américain, le sud des États-Unis et la Louisiane héritent de plusieurs modes de cuisson et de préparations culinaires empruntés aux Autochtones. Si, au nord-est de la Nouvelle-France, au Qué-

bec, l'érable fournit aux colons un délectable sirop qui, une fois réduit, devient le fameux «sucre du pays», c'est dans la partie méridionale que les influences culinaires amérindiennes imprègnent le plus la gastronomie du colon.

Dans l'ouvrage *L'Indien généreux - Ce que le monde doit aux Amériques* (Éd. du Boréal, Montréal, Québec), les historiens et auteurs Louise Côté, Louis Tardivel et Denis Vaugeois racontent que, là où le blé pousse difficilement, le colon adopte puis modifie le pain de maïs indigène pour l'apprêter de toutes les façons : en ragoût, en pain, en gâteau, etc. En Louisiane, le pain de maïs est encore aujourd'hui sur toutes les tables.

Le barbecue, autre mode de cuisson fort utilisé et prisé de part et d'autre du continent, plus particulièrement dans le sud des États-Unis et dans les régions tropicales des Amériques, nous vient des populations amérindiennes des Caraïbes. Sous un climat chaud et humide, tel que celui qui sévit de longs mois en Louisiane, il ne faut pas s'étonner de la grande popularité du barbecue («barbeque» ou «barbaque» chez les Cadiens) dans la gastronomie louisianaise ainsi que dans celle des États américains limitrophes. Cuire à

l'extérieur évite de sur-
chauffer la maison et de
conserver autant que pos-
sible la fraîcheur des lieux.

Quant au boucanage des
viandes et des poissons,
obtenu par l'addition sur les
braises de cuisson de co-
peaux de chêne ou d'autres
essences ou herbes aromatiques, il provient aussi d'une
coutume amérindienne.
Encore aujourd'hui en Louisiane, la cuisson au bar-
becue ainsi que le bouca-
nage sont toujours aussi
fortement utilisés dans les
cuisines créole et cadienne.

Les marchés de
La Nouvelle-Orléans

Le climat louisianais permet
de cultiver et de récolter
durant presque toutes les
saisons. Au printemps hâtif,
les semailles se font et l'on
obtient des récoltes assez
tôt. À La Nouvelle-Orléans,
les premiers marchés pu-
blics firent leur apparition
dès le début de la colonie.
Sous le régime français, les
producteurs maraîchers,
venus des plantations dissé-
minées tout au long du
Mississippi, s'installaient «en
ville» afin d'y vendre les
produits de leur récolte.
Rue de la Levée, près du
fleuve, arrivaient des barges, canoës et bateaux. Ils y
déchargeaient diverses
denrées (fruits, légumes,
viandes et poissons) dont

L'origine
du barbecue

Portrait

Le mot «barbecue», dont
l'appellation d'origine
barbacoa vient du taïno,
fait l'objet de plusieurs
écrits historiques du XVe
au XVIIIe siècle; il ne fait
donc aucun doute quant
à sa provenance. Les
Taïnos, qui appartenaient
à la grande famille des
Arawaks, peuplaient l'île
d'Hispaniola ou de Saint-
Domingue (actuellement
Haïti et la République
dominicaine). Ces Amé-
rindiens badigeonnaient
leurs morceaux de viande
et de poisson avant de les
faire griller sur les braises.
Voilà qui contredit la
croyance de certains
Français affirmant que le
mot «barbecue» est une
déformation anglo-
saxonne de «barbe à la
queue» (prononcé en
anglais *barbe-kyou*), ce
qui se référait au gibier
grillé en entier à la
broche... «de la barbe à la
queue» de l'animal.

Recettes néo-orléanaises

Hurricane (apéritif)

Son nom anglais lui vient de l'arawak et désigne rien de
moins qu'un cyclone tropical. Ce cocktail ou «cyclone» est en
fait l'ancêtre du «planteur», un délicieux mélange de jus de
fruits des tropiques et de rhum agricole, très populaire encore
aujourd'hui dans les Antilles créolophones. La recette donne
un verre.

65 ml (1/4 tasse) de rhum brun martiniquais
7 ml (1/2 c. à soupe) de sirop de grenadine
185 ml (3/4 tasse) de jus d'ananas
1/2 lime ou citron : le jus de la 1/2 lime ou du citron
Jus de citron et sucre granulé, pour givrer le verre
Garnitures : glaçons, tranches d'orange et cerises au
marasquin

Versez le rhum, le sirop de grenadine, le jus d'ananas et de
lime dans un coquetellier ou un mélangeur; secouez
énergiquement le mélange. Humectez le contour d'un verre de
jus de citron puis l'enrober de sucre granulé.

Huîtres Rockefeller (entrée)

Cette recette mondialement connue a été créée par Jules
Alciatore pour un réputé restaurant de La Nouvelle-Orléans
que son père Antoine, un Marseillais d'origine, avait ouvert.
Ces huîtres figurent encore au menu de l'établissement du
Vieux-Carré Français, toujours tenu par les descendants
d'Antoine. L'appellation des huîtres fait référence à la couleur
verte et blanche du dollar américain, ce dont le richissime
Rockefeller, fondateur de la Standard Oil, ne devait
certainement pas manquer! La recette est pour six personnes.

36 huîtres nettoyées
2 gousses d'ail, hachées finement
60 ml (4 c. à soupe) de beurre
30 ml (2 c. à soupe) d'huile d'arachide

60 ml (4 c. à soupe) de farine
500 ml (2 tasses) de jus d'huître et de fumet de poisson
750 g (1 1/2 lb) d'épinards, hachés finement
6 petits oignons verts, hachés finement
60 ml (4 c. à soupe) de persil, haché
15 ml (1 c. à soupe) de Ricard ou de Pernod
Sel et poivre du moulin, au goût
Sauce Tabasco, au goût
Fromage parmesan râpé
Gros sel

Écaillez les huîtres, égouttez-les en réservant le jus pour le conserver au frais dans les coquilles. Faites fondre le beurre avec l'huile dans une casserole avec l'ail haché, ajoutez la farine en tournant, le jus des huîtres, le fumet et laissez cuire quelques instants; incorporez les épinards, les oignons verts et le persil; laissez mijoter 10 minutes à découvert ou jusqu'à ce que la sauce soit assez épaisse; ajoutez le Ricard, le sel, le poivre et la sauce Tabasco.

Disposez 1 cm (1/2 po) de gros sel au fond d'une lèchefrite et déposez-y les huîtres; saupoudrez-les de parmesan. Gratinez le tout au four à 200°C (400°F) 10 minutes ou jusqu'à ce que le tout soit légèrement bruni.

Sébaste noirci de Paul Prudhomme (plat)

Le célèbre cuisinier 'cadien de La Nouvelle-Orléans a créé ce fameux plat de poisson qu'il a baptisé «Blackened Redfish». La recette sert quatre convives.

4 filets de sébaste ou de dorade rouge ou de vivaneau
60 ml (4 c. à soupe) de beurre fondu
15 ml (1 c. à soupe) de chacun des ingrédients suivants : paprika, poivre noir et sel
7 ml (1/2 c. à soupe) de chacun des ingrédients suivants : poivre de Cayenne, poudre d'ail, poudre d'oignon, origan séché, poivre blanc et thym séché

Chauffez une poêle en fonte à forte intensité (assez chaude pour qu'une goutte d'eau s'y évapore instantanément). Mélangez les herbes et les épices dans un bol; enrobez les filets de poisson de ce mélange. Déposez les filets dans la poêle chaude, et cuisez-les de 2 à 3 minutes jusqu'à noircissement; ajoutez 5 ml (1/2 c. à thé) de beurre fondu sur chaque filet; évitez que le beurre n'atteigne la poêle brûlante. Retournez les filets à l'aide d'une spatule, et badigeonnez la partie noircie du poisson de 5 ml (1/2 c. à thé) de beurre fondu. Cuisez encore de 2 à 3 minutes, jusqu'à ce que la chair soit noircie légèrement. Présentez le poisson dans un plat de service chaud.

Pralines aux noix de pacane (friandise)

L'origine de cette douceur est typiquement créole, et toutes les générations de Néo-Orléanais s'en sont régalées. La recette donne deux douzaines de pralines.

375 ml (1 1/2 tasse) de sucre granulé
375 ml (1 1/2 tasse) de cassonade
250 ml (1 tasse) de lait
30 ml (2 c. à soupe) de sirop de maïs
1 pincée de sel
375 ml (1 1/2 tasse) de noix de pacane, hachées grossièrement
90 ml (6 c. à soupe) de beurre non salé
10 ml (2 c. à thé) de vanille

Recouvrez une plaque à pâtisserie d'un papier beurré. Dans une casserole, mêlez le sucre, la cassonade, le lait, le sirop de maïs et le sel; portez à ébullition à feu moyen en remuant constamment; ajoutez les noix. Déposez un thermomètre à cuisson en bordure de la casserole, et cuisez à découvert sur feu moyen en tournant jusqu'à ce que la température atteigne 115°C (236°F) ou qu'une petite quantité plongée dans une eau glacée forme une boule molle. Retirez alors immédiatement du feu. Ajoutez le beurre et la vanille; battez vigoureusement jusqu'à ce que le mélange épaississe. À l'aide d'une cuillère, versez rapidement la préparation sur la plaque de cuisson en lui donnant une forme de biscuit de 5 cm (2 po) de diamètre. Si les ingrédients durcissent, placez la casserole sur feu très bas pour ramollir la préparation. Laissez refroidir complètement les pralines avant de les retirer. Conservez-les dans un contenant hermétique à la température ambiante.

Café brûlot

Voici une autre création du restaurateur Jules Alciatore qui fait désormais partie du patrimoine culinaire de La Nouvelle-Orléans. La recette est pour six cafés.

375 ml (3 tasses) de café chaud corsé
8 clous de girofle
1 bâtonnet de cannelle, cassé en deux
1 citron : le zeste coupé en longs rubans de 6 mm (¼ po)
22 ml (1½ c. à soupe) de sucre granulé
90 ml (6 c. à soupe) de cognac ou de brandy

Dans un poêlon placé sur la flamme d'un brûleur, mélangez les clous, la cannelle, le zeste, le sucre et le cognac; portez à feu moyen en mélangeant durant 3 minutes ou jusqu'à ce que le mélange soit chaud. Retirez du feu. Flambez la préparation; laissez brûler quelques minutes, et versez-y le café. À l'aide d'une louche, transvidez le café dans des demi-tasses.

la vente se faisait sur place. D'autres fermiers, dont les terres agricoles étaient davantage en périphérie de La Nouvelle-Orléans, parcouraient les rues et venelles du Vieux-Carré, criant leur litanie de beaux fruits et légumes. Le Néo-Orléanais venait alors choisir ce qu'il désirait à même ces charrettes à bœufs. Les autorités coloniales françaises sont vigilantes quant à la qualité des produits vendus et fixent les prix afin d'éviter tout abus; les Espagnols feront de même.

En 1779, sous le régime espagnol, la construction dans le Vieux-Carré de La Nouvelle-Orléans du Marché Français, toujours en activité, change un peu les habitudes en mettant fin au désordre qui règne aux alentours de la rue de la Levée les jours de marché. Si les Espagnols nomment Marché Français leur nouvelle réalisation, c'est que les producteurs qui fréquentent ce vaste marché sont majoritairement Français, Créoles, voire Franco-Allemands. Quelques années plus tard, en 1791, le Marché Français abrite la Halle aux fruits, la Halle des boucheries, le Marché aux poissons, le Marché aux plantes ainsi qu'un emplacement où les Amérindiens viennent vendre des gibiers à poil et à plumes. Le peintre Jean-Jacques Audubon (voir p 184), qui prend le prénom de John James quand la Louisiane devient américaine, raconte dans son journal sa surprise de voir exposé à la vente un hibou dépecé, offert à 25 sous.

Au fur et à mesure de la croissance démographique et de l'expansion de La Nouvelle-Orléans, des marchés s'ouvrent dans tous les faubourgs de la ville. La Louisiane devenue américaine, le port de La Nouvelle-Orléans est en plein développement et la «Cité du Croissant» devient un grand carrefour international. Les immigrants affluent du nord des États-Unis et d'Europe. Le Marché Français ne suffit plus; d'autres marchés apparaissent dans les faubourgs Saint-Marie et Trémy, puis dans d'autres quartiers... À la fin du XIXe et au début du XXe siècle, jusqu'à la Première Guerre mondiale, on dénombre 32 marchés dans les quartiers et faubourgs de La Nouvelle-Orléans. Au XXe siècle, il se parlait encore plusieurs langues dans les marchés de La Nouvelle-Orléans (français, espagnol, choctow, anglais, allemand, dialectes africains, etc.), mais l'incontournable anglicisation viendra vite mettre un terme à cette belle mosaïque linguistique.

Les marchés à grande surface ont eu un effet néfaste sur ces grouillants et colorés marchés publics. Il ne subsiste plus aujourd'hui que deux de ces marchés : le Marché Français du Vieux-Carré et le Marché des producteurs agricoles de la Cité du Croissant (Crescent City Farmers Market) dans le quartier des Entrepôts.

Le crabe mou

Chaque printemps, le crabe du golfe du Mexique se défait de sa vieille carapace. Durant quelques semaines, avant qu'il ne se regénère d'une nouvelle armure, le crabe est pêché au large des côtes. Ce crabe à carapace molle fait alors le délice des Néo-Orléanais qui le dégustent sous différents apprêts : en salade, en sauce, grillé, pané ou frit.

Renseignements généraux

L e présent chapitre
a pour objectif d'aider les voyageurs à
mieux planifier leur séjour en Louisiane.

Formalités d'entrée

Généralités

Pour entrer aux États-Unis,
les Québécois et les Canadiens n'ont pas besoin de
visa. Il en va de même pour
la plupart des citoyens des
pays de l'Europe de l'Ouest.
En effet, seul un passeport
valide suffit, et aucun visa
n'est requis pour un séjour
de moins de trois mois. Un
billet de retour ainsi qu'une
preuve de fonds suffisants
pour couvrir le séjour peuvent être demandés. Pour
un séjour de plus de trois
mois, tout voyageur, autre
que Québécois ou Cana-
dien, sera tenu d'obtenir un
visa (120$US) à l'ambassade
des États-Unis de son pays.

Précaution : le coût des
soins hospitaliers étant
extrêmement élevé aux
États-Unis, il est conseillé
de se munir d'une bonne
assurance-maladie. Pour

plus de renseignements,
voir la section «Santé»
(p 98).

Douane

Les étrangers peuvent entrer
aux États-Unis avec

200 cigarettes (ou 100 cigares) et des achats en franchises de douane *(duty-free)* pour une valeur de 400$US, incluant cadeaux personnels et un litre d'alcool (vous devez être âgé d'au moins 21 ans pour avoir droit à l'alcool). Vous n'êtes soumis à aucune limite en ce qui a trait au montant des devises avec lequel vous voyagez, mais vous devrez remplir un formulaire spécial si vous transportez l'équivalent de plus de 10 000$US. Les médicaments d'ordonnance devraient être placés dans des contenants clairement identifiés à cet effet (il se peut que vous ayez à produire une ordonnance ou une déclaration écrite de votre médecin à l'intention des officiers de douane). La viande et ses dérivés, toute denrée alimentaire, ainsi que les graines, les plantes, les fruits et les narcotiques, ne peuvent être introduits aux États-Unis. Pour de plus amples renseignements, adressez-vous au :

United States Customs Service
1301 Constitution Ave. NW
Washington, DC 20229
☎*(202) 566-8195*

Better Business Bureau
*www.bbb.org/library/travel/travel
Fr.asp*

Ambassades et consulats des États-Unis à l'étranger

BELGIQUE
Ambassade des États-Unis
27 boul. du Régent
B-1000 Bruxelles
☎*32 (2) 508-2111*
⇄*32 (2) 511-2725*
www.usinfo.be

CANADA
Ambassade des États-Unis
100 rue Wellington
Ottawa (Ontario)
K1P 5T1
☎*(613) 238-5335*
⇄*(613) 238-5720*

Le gouvernement du Québec a un bureau de Direction générale des communications avec le centre et l'ouest des États-Unis :

Ministère des Relations internationales du Québec
Direction générale avec les États-Unis
Édifice Hector-Fabre,
3e étage
525 boul. René-Lévesque Est
Québec (Québec)
G1R 5R9
☎*(418) 649-2312*
⇄*(418) 649-2416*

FRANCE
Ambassade des États-Unis
2 av. Gabriel
75382 Paris Cedex 08
☎*933 (1) 43.12.27.55*
⇄*933 (1) 43.12.24.01*

Consulats des États-Unis
À Paris c'est le consulat, et non l'ambassade des États-Unis, qui s'occupe des questions de visa et de séjour prolongé; vous obtiendrez tous les renseignements à :

Direction générale des affaires consulaires
2 rue Saint-Florentin
75382 Paris
cedex 08
☎ *933 (1) 43.12.22.22*
☎ *933 (8) 36.70.14.88*
⇄ *933 (1) 42.86.82.91*
minitel : 3617 VISA- USA

Consulat général des États-Unis
12 boul. Paul-Peytral
13086 Marseille Cedex 6
☎ *33.91.54.92.00*
⇄ *33.91.55.09.47*

Consulat général des États-Unis
15 av. d'Alsace
67082 Strasbourg
☎ *33.88.35.31.04*
⇄ *33.88.24.06.95*

LUXEMBOURG
Ambassade des États-Unis
22 boul. Emmanuel-Servais
2535 Luxembourg
☎ *(352) 46-01-23*
⇄ *(352) 46-14-01*

QUÉBEC
Consulat général des États-Unis
pl. Félix-Martin
1155 rue Saint-Alexandre
Montréal (Québec)
H2Z 1Z2
☎ *(514) 398-9695*

SUISSE
Ambassade des États-Unis
93 Jubilaum strasse
3005 Berne
☎ *41 (31) 357-7011*
⇄ *41 (31) 357-7344*

Consulats de pays francophones en Louisiane

BELGIQUE
Il n'existe pas de consulat belge en Louisiane; adressez-vous à celui de Houston :

2929 Allen Parkway
Bureau 2222
Houston
TX 77019
☎ *(713) 529-0775*
⇄ *(713) 224-1120*

CANADA
Le Canada n'ayant pas de consulat en Louisiane, vous devrez vous adresser à celui de Dallas :

750 N. St. Paul Street
Bureau 1700
Dallas
TX 75201
☎ *(214) 922-9806*
⇄ *(214) 922-9815*
www.canada-dallas.org

Renseignements généraux

FRANCE
Consulat général de France
Édifice Lykes
1340 rue de Poydras
Bureau 1710
La Nouvelle-Orléans
LA 70112
☎*(504) 523-5772*
≈*(504) 523-5725*
consulatnola@webtv.net

Alliance française
1519 av. Jackson
La Nouvelle-Orléans
LA 70130
☎*(504) 568-0770*

QUÉBEC
Le Québec n'ayant pas de
délégation en Louisiane,
vous devrez vous adresser à
celle de New York :

One Rockefeller Plaza
26e étage,
New York
NY 10020-2102
☎*(212) 397-0200*
≈*(212) 757-4753*

SUISSE
La Louisiane n'ayant pas de
consulat suisse, vous devrez
vous adresser à celui de
Houston :

1st Interstates Bank Plaza
1000 Louisiana St.
Bureau 5670
Houston,
TX 77002-5013
☎*(713) 650-0000*
≈*(713) 650-1321*

Renseignements touristiques

**Office du tourisme de la
Louisiane (Louisiana Office of
Tourism)**
666 rue Foster N.
C.P. 94291
Bâton-Rouge
LA 70804
☎*800-334-8626*

**New Orleans Metropolitan
Convention and Visitors Bureau
(Office des Congrès et du Tourisme de La Nouvelle-Orléans
métropolitaine)**
lun-ven 8h30 à 17h
1520 allée du Sugar Bowl/
Sugar Bowl Dr.
La Nouvelle-Orléans
LA 70112a
☎*(504) 566-5003 ou 566-5011*
☎*800-672-6124*
≈*(504) 566-5046*
www.neworleanscvb.com

**Centre d'accueil (Welcome
Center)**
529 rue Sainte-Anne
La Nouvelle-Orléans
LA 70116
☎*(504) 566-5031*

**Centre d'hospitalité de
l'aéroport (Airport Hospitality
Center)**
tlj 8h à 21h
*Zone de livraison des bagages
devant les halls B et D*
Aéroport international
La Nouvelle-Orléans

En France

La Louisiane a une représentation touristique à Paris :

Express Conseil
5 bis rue du Louvre
75001 Paris
☎*933 (1) 44.77.88.05*
≈*933 (1) 42.60.05.45*

Tenues de congrès et d'autres événements

Expo Emphasis!
4429 rue de Bienville
La Nouvelle-Orléans
LA 70119-4515
☎*(504) 488-5825*
≈*(504) 488-5830*

L'Expo Emphasis! se spécialise dans la préparation de congrès et d'expositions à La Nouvelle-Orléans. On peut s'adresser directement à Bobby Bergeron, qui organise tout ce qui est relié à la préparation et au succès de l'événement, du séjour jusqu'à l'aménagement de la salle, en passant par le transport et l'hébergement, la restauration voire même des circuits de visites guidées de la ville pendant le déroulement des évènements.

Pour s'y retrouver sans mal

Prenez note que l'indicatif régional de La Nouvelle-Orléans et de ses environs est le 504; il n'est pas nécessaire de précéder le numéro de l'abonné de ce numéro. Il est bon de savoir que tous les numéros de téléphone commençant par 800 ou 877 vous permettent de téléphoner sans payer de frais d'interurbain si vous vous trouvez à l'intérieur des États-Unis. La plupart sont aussi sans frais à partir du Canada.

La Nouvelle-Orléans est très facile d'accès. L'aéroport international Moisant (**New Orleans International Airport**), à 10 milles (16 km) vers l'ouest, accueille les principales lignes aériennes internationales, tandis que les vols privés ou nolisés transitent par celui qui donne à l'est sur le lac Pontchartrain (**Lakefront Airport**). L'autoroute I-10 ainsi que les nationales LA 61 et LA 90 traversent la ville, qui est également desservie par le chemin de fer et par les autocars inter-États. La Nouvelle-Orléans est aussi un port d'accueil pour les bateaux de croisière naviguant dans le golfe du Mexique et la mer des Antilles.

Renseignements généraux

La Nouvelle-Orléans est située à quelque 145 km (90 milles) du golfe du Mexique et s'étend le long du Mississippi. La ville est construite autour du Vieux-Carré Français. En aval, soit *Downtown*, se situent le Faubourg Marigny puis la banlieue que constituent Arabi et Chalmette, lieu de la célèbre Bataille de La

Orientation

La façon la plus facile de s'y retrouver sans mal est d'utiliser les mêmes expressions que les Néo-Orléanais. Ceux-ci s'orientent par rapport au fleuve et au lac Pontchartrain : **Downtown** désigne les quartiers en aval de la rue du Canal (Canal Street) et débute au Vieux-Carré Français; **Uptown** désigne ceux situés en amont de la rue du Canal (le quartier des Affaires, la Cité-Jardin, etc.); **Riverside** est du côté du fleuve et **Lakeside** est du côté du lac Pontchartrain.

Vous trouverez, sur l'ensemble des cartes, un symbole se référant à ces points de repère au lieu de la traditionnelle rose des vents.

Nouvelle-Orléans. La pointe d'Alger *(Algiers Point)* et Gretna composent une banlieue sise en face du Vieux-Carré Français, sur l'autre rive du Mississippi ou *West Bank*. En amont, c'est-à-dire à l'ouest, ou *Uptown*, se trouve le quartier des Affaires (*Central Business District*), qui se nommait antérieurement le Faubourg Sainte-Marie. Plus loin, on croise la Cité-Jardin *(Garden District)* puis les universités Tulane et Loyola, le parc et le jardin zoologique Audubon, et les quartiers résidentiels de la rue Magazine et de l'avenue Carrollton (le quartier aux environs des avenues Carrollton et Saint-Charles s'appelle *Riverbend*). Viennent ensuite les municipalités de Métairie et de Kenner, dans laquelle se situe l'aéroport international de La Nouvelle-Orléans (Moisant). Entre le centre-ville et le lac Pontchartrain, qui borde la ville au nord, il y a les Faubourgs Tremé et *Mid-City*, habités en majorité par une population afro-américaine.

De l'autoroute I-10, on accède au centre-ville par les sorties 234A (Claiborne), 234B (de Poydras), 234C (Superdôme), 235A (Vieux-Carré Français et rue d'Orléans), 235B (rue du Canal) ou 236A (avenue de l'Esplanade).

Aéroports

L'aéroport Moisant

L'**aéroport international de La Nouvelle-Orléans (Moisant)** (*New Orleans International Airport*) (*900 Airline Hwy., sortie 228 de l'autoroute I-10, Kenner, ☎464-2650, 464-3547 ou 464-0831, www.gnofn.org/ ~airport*).

L'**aéroport Moisant** (du nom d'un célèbre aviateur néo-orléanais) est l'aéroport international de La Nouvelle-Orléans, donc le plus important aéroport de la Louisiane. Il assure la liaison avec les principales villes nord-américaines, centraméricaines et sud-américaines.

On y retrouve tous les services essentiels : location de voitures, guichets automatiques, bars, restaurants, boutiques de souvenirs. S'y trouvent également un comptoir de l'Office du tourisme de La Nouvelle-Orléans, un centre d'accueil des visiteurs et le Bureau de remboursement des taxes sur les achats effectués par les voyageurs étrangers.

L'hospitalité est une tradition en Louisiane et transparaît dans l'accueil réservé aux visiteurs dès leur arrivée.

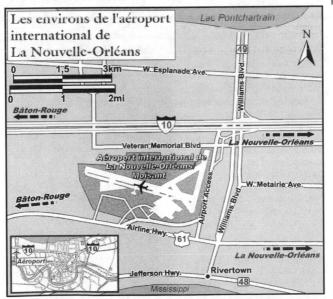

Les environs de l'aéroport international de La Nouvelle-Orléans

Renseignements généraux

L'aéroport est situé à 10 milles (16 km) à l'ouest de La Nouvelle-Orléans. On accède au centre-ville par l'autoroute I-10, sortie Canal (235B) ou sortie Vieux-Carré Français (235A). Des autobus, taxis et limousines peuvent vous amener vers les hôtels et les centres de congrès. La compagnie de transport **New Orleans Orleans Tour Airport** transporte par car les passagers de l'aéroport international Moisant vers le centre-ville en moins de 45 min *(10$; ☎522-3500)*.

Lakefront Airport

Le **Lakefront Airport** *(sortie 241 de l'autoroute I-10, ☎242-4110 ou 243-4010)* accueille les vols privés ou nolisés.

La **navette de l'aéroport** (Airport Shuttle Inc.) *(départ aux 10 min; ☎565-9780 ou 592-0555)* offre un service de minibus entre l'aéroport et la plupart des hôtels du centre-ville à partir de 10$ par personne. Le tarif des **taxis** est fixé par la Ville, et le trajet de l'aéroport à la plupart des adresses du centre-ville est de 21$ pour une ou deux personnes; pour trois passagers et plus, comptez 8$ par personne.

Le **Louisiana Transit**, avec ses **navettes d'aéroport** *(1,50$; départ aux 23 min de 6h à 18h30, aux 10 min de 6h à 9h*

et 15h à 18h; ☎737-9611 ou 818-1077), assure la liaison avec le centre-ville (trajet d'une durée de 45 min). On attend l'autobus sur la rampe supérieure de l'aéroport. Pour retourner à l'aéroport, un arrêt est situé à l'angle de la place Elks et de l'avenue Tulane, face à la Bibliothèque municipale. Le dernier autobus part à 18h20.

Le tarif d'un taxi pour se rendre au centre-ville (toutes directions allant à l'ouest de l'avenue des Champs-Élysées/Elysian Fields) est, depuis l'aéroport international Moisant, de 24$ pour une ou deux personnes. Un supplément de 8$ à 10$ est demandé pour chaque personne additionnelle.

Vos déplacements

En taxi

Les taximètres sont règlementaires, et le coût exigé pour un trajet peut être difficilement modifié. Le tarif régulier est de 2,10$ plus 0,20$ pour chaque 1/6 de mille supplémentaire ou 40 secondes, plus 0,75$ pour chaque personne additionnelle. Il y a une légère majoration pour les bagages. En cas de litige ou de contestation, on peut s'adresser à l'association

Les quartiers par leur nom

Le **Vieux-Carré Français** est aussi nommé en anglais **Vieux Carré** ou **French Quarter**.

Le **Faubourg Marigny** est la partie à l'est du Vieux-Carré Français et commence à l'avenue de l'Esplanade.

Bywater est la partie de la ville près du fleuve située en aval du Faubourg Marigny.

La Nouvelle-Orléans Est (New Orleans East) comprend la partie est de la ville bordée au nord par le lac Pontchartrain et au sud par le Chef Menteur Highway (US 90), qui en constitue l'artère principale. Elle est traversée par l'autoroute I-10.

Le **Faubourg Tremé**, sis au nord du Vieux-Carré Français, tient son nom d'un chapelier français, Claude Tremé, qui s'y installa dès 1783. Les esclaves affranchis ne tardèrent pas à l'habiter, ce qui en fait le premier quartier noir des États-Unis. Malheureusement, il fut pratiquement anéanti lors de la construction de l'autoroute.

Mid-City englobe les quartiers entre le Vieux-Carré Français, le Faubourg Tremé, le quartier des Affaires et le parc de la Ville.

Le **quartier des Affaires (Central Business District – CBD)** s'étend en amont du Vieux-Carré Français entre la rue du Canal et le Lee Circle.

Le **quartier des Entrepôts (Warehouse and Art District)** est la partie au sud de la rue Magazine, vers le fleuve, et s'étend de la rue Poydras jusqu'aux ponts qui enjambent le Mississippi (Crescent City Bridge).

La **Basse Cité-Jardin (Lower Garden District)** commence au Lee Circle pour se terminer à l'avenue Jackson; elle est délimitée, côté lac (Lakeside), par l'avenue Saint-Charles, et côté fleuve (Riverside), par la rue Magazine.

La **Cité-Jardin** est un quadrilatère délimité par les avenues Jackson et de la Louisiane/Louisiana, l'avenue Saint-Charles et la rue Magazine.

Le quartier **Uptown** commence après la Cité-Jardin et englobe le parc Audubon.

Passé le parc Audubon, le fleuve entreprend un virage en forme de coude; le quartier **Riverbend** a hérité de l'appellation.

Lakeside se trouve près du lac Pontchartrain.

Métairie, Harahan et Kenner sont les villes voisines à l'ouest de La Nouvelle-Orléans.

Westbank et la **pointe d'Alger (Westbank/Algiers Point)** sont situés en face du Vieux-Carré Français de l'autre côté du fleuve.

néo-orléanaise des chauffeurs de taxi, ☎565-6272.

Il est possible de noliser un taxi pour visiter la ville; le tarif horaire est de 22$ l'heure : une location minimum de deux heures du véhicule est exigée.

United Cabs Inc.
1630 rue Euterpe
☎*522-9771 ou 800-323-3303*

Checker Yellow Cabs
☎*525-3311*

White Fleet Cabs
☎*948-6605*

Liberty Bell Cabs
☎*822-5974*

Par les transports en commun

La Nouvelle-Orléans offre plusieurs types de transports en commun. Pour chacun, vous devrez avoir la monnaie exacte. Afin d'en faciliter l'accès, la **RTA - Regional Transit Authority** *(1,25$, express 1,50$, aîné et personne à mobilité réduite 0,40$, billet de correspondance 0,25$; 6700 Plaza Dr.,* ☎*248-3900 ou 569-2700)* offre une «carte du visiteur» ou **Visitor's Pass** au coût de 5$ pour un jour ou de 12$ pour trois jours. Nombre de voyages illimité, en autobus et en tramway, toute la journée. Vendue dans la

plupart des hôtels. Pour connaître le trajet et l'horaire des autobus et tramways, composez le ☎242-2600, www.regionaltransit.org/mainpage.htlm.

Le **tramway du bord du fleuve** (Riverfront Streetcar) ★ *(1,50$ aller seulement; lunven 6h à minuit, sam-dim 8h à minuit)* longe les abords du fleuve pour un accès rapide à toutes les activités riveraines. Inauguré en 1926, ce circuit de neuf stations est le plus ancien de la ville. Des voitures d'époque aux riches couleurs rouge et or, familièrement appelées les «dames en rouge», longent les abords du fleuve et permettent à près de 5 500 passagers par jour d'en apprécier les attraits culturels et commerciaux. En voici le trajet et les arrêts.

1er arrêt : **avenue de l'Esplanade**; 2e arrêt : **le Marché Français** et **la Halle aux Légumes**; 3e arrêt : **le Marché Français** *(rue de la Levée ou Decatur)*; 4e arrêt : **la place d'Armes** *(square Jackson)*, **la cathédrale Saint-Louis-Roi-de-France** et **le Cabildo**; 5e arrêt : **le parc et la promenade du bord du fleuve** *(Woldenberg Riverfront Park)* et **l'Aquarium des Amériques**; 6e arrêt : **l'Aquarium des Amériques**, **le quai de la rue du Canal** et **le traversier**; 7e arrêt : **le bateau à aubes** *Creole Queen* et l'entrée du **Riverwalk** par la rue de Poydras; 8ᵉ arrêt : entrée du Riverwalk par la rue Julia et le **Centre des congrès de La Nouvelle-Orléans**; 9ᵉ arrêt : **le quartier historique des Entrepôts**.

Le **tramway de l'avenue Saint-Charles** (St. Charles Streetcar) ★★ *(1,25$; service 24 heures sur 24)* suit, à partir de la rue du Canal et Garondelet (Bourbon devient Garondelet), le boulevard où se sont installées les universités **Loyola** (dirigée par les Jésuites) et **Tulane** (siège de la plus ancienne faculté de commerce des États-Unis) jusqu'à l'**avenue Carrollton**, après la **Cité-Jardin** (*Garden District*) et le **parc Audubon**.

Le **tramway de la rue du Canal** devrait, dès l'an 2003, relier le Vieux-Carré et le quartier des Affaires jusqu'au parc de la Ville.

Le **Vieux-Carré Line** est un car de touristes ayant l'apparence d'un vieux tramway de la rue Saint-Charles. Il transporte les passagers dans le Vieux-Carré Français, le Faubourg Marigny et le quartier des Affaires environ toutes les 15 min.

Les **autobus publics** : service dans toute la ville *(1,25$, express 1,50$, aîné et personne à mobilité réduite 0,40$, billet de correspondance 0,25$; 5h à 1h)*. Il vous faudra la monnaie exacte si vous ne possédez pas de laissez-passer. Ces autobus passent par toutes les attractions de la ville et suivent souvent des trajets intéressants :

- Le **numéro 11** relie le Vieux-Carré Français au parc Audubon par la rue Magazine;

- Le **numéro 40** est un express qui rejoint le Lakeshore Drive sur la rive du lac Pontchartrain; il longe la rue du Canal.

- Le **numéro 48** suit l'avenue de l'Esplanade et se rend au parc de la Ville (City Park).

Demandez les **New Orleans Street Map & Visitor Guide** dans les kiosques d'information touristique; on y trouve le numéro des autobus ainsi que leur trajet.

Par traversier

À La Nouvelle-Orléans, trois traversiers font la navette entre les rives du Mississippi. Le service est gratuit pour les piétons sur le traversier de la rue du Canal, et le tarif pour une voiture est de 1$. Il est amarré au pied de la rue du Canal, près du Vieux-Carré Français, et conduit à la pointe d'Alger (Algiers Point); dernier départ à minuit sur le quai de la rue du Canal. Un deuxième, sur l'avenue Jackson, au sud de la Cité-Jardin (Garden District), mène à Gretna. Enfin, le dernier traversier part de Chalmette.

En voiture

Le bon état général des routes et l'essence moins chère qu'en Europe, au Canada et au Québec, font de la voiture un moyen idéal pour visiter en toute liberté la Louisiane. Vous trouverez facilement une très bonne carte routière dans les librairies de voyage ou, une fois arrivé sur place, dans les stations-service.

Quelques conseils

Permis de conduire : en règle générale, les permis de conduire européens sont valides, mais il reste préférable d'obtenir un permis international. Celui-ci vous sera délivré, pour une modique somme, par la préfecture de votre département (pour les Français) ou en vous adressant au Royal Automobile Club de Belgique (R.A.C.B).

Les visiteurs canadiens et québécois n'ont pas besoin de ce permis international, et leur permis de conduire est tout à fait valide aux États-Unis. Soyez averti que plusieurs États sont reliés par système informatique avec les services de police du Québec pour le contrôle des infractions routières. Une contravention émise aux États-Unis est automatiquement rapportée aux dossiers du Québec.

Code de la route : attention, il n'y a pas de priorité à droite. Ce sont les panneaux de signalisation qui indiquent, à chacune des intersections, la priorité. Ces panneaux marqués *Stop* sur fond rouge sont à respecter scrupuleusement! Vous rencontrerez fréquemment un genre de stop au bas duquel est ajouté un petit rectangle rouge dans lequel est inscrit *4-Way*. Cela signifie bien entendu que tout le monde doit marquer l'arrêt et qu'aucune voie n'est prioritaire. Il faut que vous marquiez l'arrêt complet même s'il vous semble n'y avoir aucun danger apparent. Si deux voitures arrivent en même temps à l'un de ces panneaux de stop, c'est alors la règle de la priorité à droite qui s'impose. Dans les autres cas, c'est à la voiture arrivée la première de passer.

Les feux de circulation sont situés le plus souvent de l'autre côté de l'intersection. Faites attention où vous marquez l'arrêt.

Tableau des distances (km/mi)
par le chemin le plus court

1 mille = 1,62 kilomètre
1 kilomètre = 0,62 mille

	Alexandrie	Bâton-Rouge	Houma	Lafayette	Lac-Charles	Lac-Providence	La Nouvelle-Orléans	Leesville	Natchitoches	Nouvelle-Ibérie	Shreveport	Winnsboro
Alexandrie		236/146	330/205	156/97	160/99	303/188	364/226	79/49	100/62	179/111	218/135	156/97
Bâton-Rouge			180/112	83/51	206/128	316/196	131/81	311/193	331/205	118/73	446/277	227/141
Houma				183/113	305/189	512/317	89/55	413/256	430/267	138/86	544/337	428/265
Lafayette					111/69	409/254	210/130	219/136	251/156	28/17	367/228	312/193
Lac-Charles						454/281	334/207	101/63	115/71	159/99	299/185	317/197
Lac-Providence							450/279	385/239	411/255	438/272	310/192	121/75
La Nouvelle-Orléans								442/274	468/290	257/159	572/355	374/232
Leesville									219/136	266/165	192/119	238/148
Natchitoches										286/177	132/82	178/110
Nouvelle-Ibérie											401/249	341/211
Shreveport												240/149
Winnsboro												

Exemple : la distance entre Lafayette et La Nouvelle-Orléans est de 210 km ou 130 mi.

Dans l'État de la Louisiane, il est permis de tourner à droite à un feu rouge lorsque la voie est libre (vous devez néanmoins marquer un temps d'arrêt). Les intersections où cette manœuvre est interdite sont identifiées par un panneau indiquant *No Turn on Red*. Lorsqu'un autobus scolaire (de couleur jaune) est à l'arrêt (feux clignotants allumés), vous devez obligatoirement vous arrêter, quelle que soit votre direction. Le manquement à cette règle est considéré comme une faute grave!

Le port de la ceinture de sécurité est obligatoire.

Les autoroutes sont gratuites, sauf en ce qui concerne la plupart des Thruways. Les Interstates Highways sont désignées par la lettre *I*, suivie d'un numéro. Les panneaux indicateurs se reconnaissent à leur forme presque arrondie (le haut du panneau est découpé de telle sorte qu'il fait deux vagues) et à leur couleur bleue. Sur ce fond bleu, le numéro de l'Interstate ainsi que le nom de l'État traversé sont inscrits en blanc. En haut du panneau est inscrite la mention *Interstate* sur fond rouge.

La vitesse est limitée à 55 mph (88 km/h) sur la plupart des grandes routes. Le panneau de signalisation de ces grandes routes se reconnaît à sa forme carrée, bordée de noir; le numéro de la route y est largement inscrit en noir sur fond blanc.

Sur les Interstates, la limitation de vitesse monte à 65 mph (104 km/h).

La gendarmerie routière est particulièrement zélée sur toutes les voies carrossables de la Louisiane. Soyez vigilant aux abords des villes et villages.

Le panneau triangulaire rouge et blanc sur lequel vous pouvez lire la mention *Yield* signifie que vous devez ralentir et céder le passage aux véhicules qui croisent votre chemin.

La limitation de vitesse vous sera annoncée par un panneau routier de forme carrée et de couleurs blanche et noire sur lequel est inscrit *Speed Limit*, suivi de la vitesse limite autorisée.

Le panneau rond et jaune, barré d'une croix noire et de deux lettres *R*, indique un passage à niveau.

Postes d'essence : les États-Unis étant un pays producteur de pétrole, l'essence est nettement moins chère qu'en Europe, voire qu'au Québec et au Canada, en raison des taxes moins élevées.

Pour vous procurer les seuls et uniques pains au levain de la ville et autres délices, rendez-vous à la petite boulangerie française située dans le quartier Uptown.
- *Roch Nadeau*

Le Marché français date du régime français. On y retrouve une ambiance des plus animées avec ses brocantes, ses restaurants et ses étals de fruits, légumes, viandes, épices, café, etc.
- *Roch Nadeau*

Dans la Cité-Jardin, une calèche transportant des touristes passe devant la maison Morris, construite en 1869 et rénovée depuis peu. - *R. N.*

Location de voitures

L'agence **HATA** (☎800-356-8392) se chargera de la location d'une voiture et vous aidera à trouver un hôtel (voir section «Hébergement», p 107). Il n'y a aucuns frais pour ce service.

Les **agences de location de voitures** sont situées à l'aéroport et en différents endroits de la ville. Pour louer une voiture, les touristes étrangers doivent avoir un permis de conduire valide et l'une des principales cartes de crédit. Les tarifs commencent à 31$ par jour et à 160$ pour cinq à sept jours pour une voiture de classe économique, kilométrage illimité.

Alamo Rent A Car
225 Airline Dr.
☎469-0532 ou 800-327-9633

Avis Rent A Car
2024 rue du Canal
LA 70112
☎523-4317 ou 800-331-1212

Budget Rent A Car
1317 rue du Canal
☎467-2277 ou 800-527-0700

4841 boul. Veterans Memorial
Métairie
☎780-0253
⇄565-5619
www.drivebudget.com

Dollar Rent A Car
1806 Airlines Dr.,
Kenner
☎467-2285
www.dollar.com

Enterprise Rent-A-Car
1600 rte de l'Aéroport/Airline Dr.
Kenner, LA 70062
☎468-3018
☎800-736-8222
⇄468-3043
www.enterprise.com

Hertz Rent A Car
901 boul. Convention Center
Bureau 101
☎568-1645 ou 800-654-3131
⇄465-1207

National Car Rental
1020 Airline Hwy.
Kenner, LA 70062
☎466-4335 ou 800-227-7368
⇄466-9208

Pour une voiture plus luxueuse, une voiture sport ou une camionnette tout-terrain haut de gamme, appelez **Luxury Car Rentals**:

3634 rue du Colisée/Coliseum St.
La Nouvelle-Orléans, LA 70115
☎(504) 894-1111
⇄(504) 899-6546
www.luxurycarrentals.com

Les personnes à mobilité réduite peuvent s'adresser à **Wheelchair Getaways** :

3650 18ᵉ Rue
Métairie, LA 70002
☎*454-1178 ou 877-229-6878*
☎*800-962-9320*
☎*432-0243 service 24 heures sur 24*
☎*455-7315*
On y loue des camionnettes avec ou sans chauffeur, munies de tout l'équipement nécessaire à la levée et la descente de fauteuils roulants.

Entretien et réparation de voitures

American Automobile Ass. (AAA)
3445 Causeway Nord
Métairie
☎*838-7500 ou 800-222-4357*

CBD Chevron Services
447 rue du Rempart Nord
☎*568-1177*

Mardi Gras Truck Stop
2401 Elysian Fields
☎*945-1000*

Expert Auto Repairs
4724 rue Magazine - Uptown
La Nouvelle-Orléans, LA 70117
entre les rues Valence et de Bordeaux
☎*895-4345*

Pour la réparation d'un véhicule récréatif, appelez **Easyriders** :

4230 boul. du Mémorial des Vétérans/Veterans Memorial Blvd.
La Nouvelle-Orléans
LA 70112-0000
☎*887-6968*

Stationnement

Pour toute question au sujet du stationnement au centre-ville : ☎*826-1854 ou 826-1900*.

À La Nouvelle-Orléans, particulièrement dans le Vieux-Carré Français et le quartier des Affaires, les places de stationnement sont aussi rares que précieuses. Les restrictions sont multiples et les panneaux indicateurs, plus ou moins faciles à comprendre. On remorque rapidement les contrevenants, et, si par malheur la chose vous arrivait, voici l'adresse de la fourrière :

Fourrière municipale
Claiborne Auto Pound
400 av. Claiborne Nord
☎*565-7450 ou 565-7236*
☎*826-1900*

Aires de stationnement

Dixie Parking Service, Inc.
911 rue de la Douane (d'Iberville)
Vieux-Carré Français
☎*524-5996*

Downtown Parking Service
☎*529-5708*

Park Smart (☎826-1880), la compagnie qui gère le stationnement au centre-ville, distribue un dépliant pour aider les touristes à trouver où et comment stationner sans inquiétude.

Downtown Parking Service
911 rue du Rempart Nord
Vieux-Carré Français
☎524-5996
100 rue de Poydras - Quartier des Affaires
☎529-5708

Standard Parking
210 rue Baronne
Bureau 642
Quartier des Affaires (CBD)
☎524-3017
L'entreprise possède plus de 50 aires de stationnement dans le quartier des Affaires, dans le quartier des Entrepôts ainsi que dans le Vieux-Carré Français, avec facilités d'accès pour les véhicules récréatifs ou autres véhicules lourds (camions, cars et autobus).

Par autocar

Avec la voiture, l'autocar constitue le meilleur moyen de locomotion. Bien organisés et peu chers, les autocars couvrent la majeure partie de la Louisiane.

Pour obtenir les horaires et les destinations desservies, appelez la succursale locale de la société Greyhound (voir ci-dessous).

Les Québécois peuvent faire leur réservation directement auprès de la société Voyageur Colonial, qui représente la société Greyhound à Montréal (☎514-842-2281). Les Canadiens obtiendront tous les renseignements nécessaires en s'adressant au Terminus Go Transit à Toronto (☎416-393-7911).

Sur presque toutes les lignes, il est interdit de fumer. En général, les enfants de cinq ans et moins voyagent gratuitement. Les personnes de 60 ans et plus ont droit à d'importantes réductions. Les animaux ne sont pas admis.

Gray Lines
☎587-0862

Greyhound Bus Lines
1001 av. Loyola
☎525-6075 ou 800-231-2222
www.greyhound.com

Hotard Coaches
2838 rue Touro
☎944-0253

Circuit et fréquence des départs

Le trajet de la compagnie Greyhound a comme point de départ la Californie. L'autocar traverse ensuite le Texas et la Louisiane, où il fait la liaison entre les principales villes, puis l'État du Mississippi, pour enfin ter-

Renseignements généraux

miner son circuit tout au sud de la Floride.

Il y a plusieurs départs quotidiens, à partir de l'une ou l'autre des villes mentionnées. Le trajet est direct d'une ville à l'autre, mais, selon les heures, il y a parfois une ou deux correspondances d'autocar pour se rendre à destination de certaines municipalités.

Prix du trajet en autocar (aller simple)

La Nouvelle-Orléans–Houma : **10,50$**

La Nouvelle-Orléans–Bâton-Rouge : **11,50$**

La Nouvelle-Orléans–Lafayette : **17,50$**

La Nouvelle-Orléans–Lac-Charles : **22$**

La Nouvelle-Orléans–Alexandrie : **27,50$**

La Nouvelle-Orléans–Shevreport : **32$**

La Nouvelle-Orléans–Monroe : **46,50$**

La Nouvelle-Orléans–Nachitoches : **47,50$**

Par train

Le train n'est pas toujours le moyen le moins cher pour vos déplacements et sûre-

ment pas le plus rapide! (Il faut environ 30 heures pour se rendre de New York à La Nouvelle-Orléans.) Cependant, il peut être intéressant pour les grandes distances, car il offre un bon confort (essayez d'obtenir une place dans les voitures panoramiques pour profiter au maximum du paysage). Pour obtenir les horaires et les destinations desservies, communiquez avec la société AMTRAK, la propriétaire actuelle du réseau ferroviaire américain.

Train Station Amtrak, Union Passenger Terminal
1001 av. Loyola
☎*528-1610 ou 800-872-7245*

Par avion

Il s'agit bien sûr d'un moyen de transport coûteux; cependant, certaines compagnies aériennes (surtout régionales) proposent régulièrement des tarifs spéciaux (hors saison, courts séjours). Encore une fois, soyez un consommateur averti et comparez les offres. Pour connaître avec précision les diverses destinations desservies par les compagnies régionales, adressez-vous aux bureaux de tourisme locaux.

Nombre de vols des grandes compagnies aériennes arrivent à l'aéroport interna-

tional de La Nouvelle-Or-
léans (Moisant), ☎464-0831.

Aeromexico
☎524-1245 ou 800-237-6639

Air Canada
☎800-776-3000

AirTran
☎800-247-8726

American Airlines
☎800-433-7300

British Airways
☎800-247-9297

ComAir
☎800-354-9822

Continental Airlines
☎581-2965 ou 800-525-0280

Delta Airlines
☎529-2431 ou 800-221-1212

Lacsa the Airlines of Costa Rica
☎468-3948 ou 800-225-2272

MetroJet
☎888-638-7653

Northwest Airlines Inc.
☎800-225-2525

Southwest Airlines
☎834-2337 ou 800-531-5601
☎800-435-9792

Trans World Airlines (TWA)
☎800-892-2746

Taca
☎800-535-8780

United Airlines
☎466-1889 ou 800-241-6522

USAir
☎454-2668 ou 800-428-4322

À vélo

Les rues de La Nouvelle-
Orléans étant fort achalandées, faire du vélo devient
particulièrement agréable
dans le parc Audubon, dans
le parc de la Ville (City
Park) ainsi qu'aux abords
du lac Pontchartrain. Le **New
Orleans Bicycle Club** *(☎276-
2601)* donne de l'information sur les activités cyclistes.

Location de bicyclettes

Certains centres de location
organisent des excursions,
la tournée des parcs ou
celle de la Cité-Jardin, une
randonnée dans la région
des bayous ou la visite de
plantations situées près de
La Nouvelle-Orléans. Les
prix de location varient
d'un endroit à l'autre :
comptez de 3,50$ à 5$ pour
une heure et de 12,50$ à
15$ pour la journée.

French Quarter Bicycles
522 rue Dumaine
Vieux-Carré Français
☎529-3136

Joe's Bike Shop
2501 rue Tulane
Mid-City
☎*821-2350*

Michael's
622 rue Frenchmen
Faubourg Marigny
☎*945-9505*

Olympic Bike Rentals & Tours
tlj 8h à 19h
1618 rue Prytania
☎*523-1314*

En stop

À vos risques! Il est décon-seillé de faire de l'auto-stop en Louisiane; à la suite de trop nombreuses mauvaises expériences, les automobi-listes sont maintenant très méfiants envers les auto-stoppeurs. Puis, ceux qui ont recours à ce modèle de transport sont désormais identifiés comme «itiné-rants». À l'inverse, l'auto-stoppeur ne sait jamais sur quel quidam il tombera. Bref, y faire du «pouce» demeure risqué.

Télécommunications

Rappelons que l'indicatif régional de La Nouvelle-Orléans et de ses environs est le 504; il n'est pas né-cessaire de précéder le nu-méro de l'abonné de ce numéro. Il est bon de savoir que tous les numéros de téléphone commençant par 800 ou 877 vous permettent de téléphoner sans payer de frais d'interurbain si vous vous trouvez à l'intérieur des États-Unis.

Si vous désirez joindre un téléphoniste, faites le 0. À moins que vous ne possé-diez une carte d'appel, un montant de 0,80$ vous sera facturé si vous demandez au téléphoniste d'acheminer pour vous l'appel auprès de l'abonné.

Il en coûte 0,25$ pour faire un appel local avec un télé-phone public; vous devrez donc vous munir de petite monnaie. À défaut, on peut utiliser une carte d'appel téléphonique, une carte de crédit ou une carte à puce.

Pour appeler en Belgique, faites le 011-32 puis l'indi-catif régional (Anvers 3, Bruxelles 2, Gand 91, Liège 41) et le numéro de votre correspondant.

Pour appeler au Canada ou au Québec, faites le 1 puis l'indicatif régional (Montréal 514, Ottawa 613, Québec 418, Toronto 416, Vancou-ver 604) et le numéro de votre correspondant.

Pour appeler en France, faites le 011-33 et le numé-ro de votre correspondant en omettant le premier zé-ro.

Pour appeler en Suisse, faites le 011-41 puis l'indicatif régional (Berne 31, Genève 22, Lausanne 21, Zurich 1) et le numéro de votre correspondant.

Pour obtenir une «carte d'appel international» :
Royal Mail Service
828 rue Royale,
Vieux-Carré Français
☎ *522-0688*

France Direct

Ce service vous permet de communiquer avec un téléphoniste de France. Vous pouvez parler à un téléphoniste en composant le ☎800 872-7835.

Assurances

Annulation

Cette assurance est normalement offerte par l'agent de voyages au moment de l'achat du billet d'avion ou du forfait. Elle permet le remboursement du billet ou forfait dans le cas où le voyage devrait être annulé en raison d'une maladie grave ou d'un décès. Les gens n'ayant pas de problèmes de santé ont peu de chance d'avoir à recourir à une telle protection. Elle demeure par conséquent d'une utilité relative.

Vol

La plupart des assurances-habitation au Québec protègent une partie des biens contre le vol même si celui-ci a lieu à l'étranger. Pour réclamer, il faut avoir un rapport de police. Comme tout dépend des montants couverts par votre police d'assurance-habitation, il n'est pas toujours utile de prendre une assurance supplémentaire. Les visiteurs européens, pour leur part, doivent vérifier que leur police protège leurs biens à l'étranger car ce n'est pas automatiquement le cas.

Vie

Plusieurs compagnies aériennes offrent une assurance-vie incluse dans le prix du billet d'avion. D'autre part, beaucoup de voyageurs disposent déjà d'une telle assurance; il n'est donc pas nécessaire de s'en procurer une supplémentaire.

Maladie

Sans doute la plus utile pour les voyageurs, l'assurance-maladie s'achète avant de partir en voyage. La couverture de cette police d'assurance doit être la plus complète possible car à l'étranger le coût des soins peut s'élever rapidement. Au moment de l'achat de la police, il faudrait veiller à ce qu'elle couvre bien les frais médicaux de tout ordre, comme l'hospitalisation, les services infirmiers et les honoraires des médecins (jusqu'à concurrence d'un montant assez élevé, car ils sont chers). Une clause de rapatriement, pour le cas où les soins requis ne peuvent être administrés sur place, est précieuse. En outre, il peut arriver que vous ayez à débourser le coût des soins en quittant la clinique. Il faut donc vérifier ce que prévoit la police dans ce cas. Durant votre séjour, vous devriez toujours garder sur vous la preuve que vous avez contracté une assurance-maladie, ce qui vous évitera bien des ennuis si par malheur vous en avez besoin.

En cas de maladie ou d'hospitalisation, les détenteurs de carte Visa qui bénéficient d'une assurance-voyages peuvent joindre 24 heures sur 24 :

Assistance Voyages Visa
☎ **800-465-6390**

Santé

Généralités

Pour les personnes en provenance d'Europe, du Québec et du Canada, aucun vaccin n'est nécessaire. D'autre part, il est vivement recommandé, en raison du prix élevé des soins, de souscrire à une bonne assurance maladie-accident. Il existe différentes formules, et nous vous conseillons de les comparer. Emportez vos médicaments, surtout ceux qui exigent une ordonnance. Sauf indication contraire, l'eau est potable partout en Louisiane.

Méfiez-vous des fameux coups de soleil. Lorsque souffle le vent, il arrive fréquemment que l'on ne ressente pas les brûlures causées par le soleil. Comme la Louisiane est située à la même latitude que la ville du Caire en Égypte, n'oubliez pas votre crème solaire!

Morsures de serpents et piqûres d'insectes

Le climat subtropical ainsi que l'abondance d'étendues aqueuses et forestières font de la Louisiane un pays de prédilection pour les serpents, les insectes et les moustiques.

Le venimeux serpent Conjo *(Water Moccasin)* est particulièrement présent dans les endroits marécageux (bayous, cyprières, rizières, fossés, etc.). Comme la plupart des reptiles, voire d'autres animaux sauvages, le serpent redoute la présence humaine. Pour ne pas déranger ce serpent, on doit user de prudence lorsqu'on circule dans de tels endroits. Le promeneur enfilera donc une bonne paire de bottes en caoutchouc lorsqu'il s'aventure dans l'habitat du fameux Conjo.

Alligator

Les maringouins, ces insectes bien connus des Québécois dont le dard pénètre dans la peau pour en sucer le sang, abondent en été. Partout où il y a de l'eau, on retrouve l'insecte agaçant. Un simple produit insecticide évitera bien des désagréments.

Lorsqu'on se promène dans les bois, il faut prendre garde aux tiques. Non seu-

lement ce minuscule insecte pique-t-il, mais il peut aussi transmettre des maladies. En cas de piqûre, on recommande d'en glisser quelques spécimens dans un contenant fermant hermétiquement et de les porter immédiatement à la pharmacie ou la clinique la plus proche pour analyse. La tique des bois collant à la peau, on la retirera avec précaution, à l'aide d'une pince à épiler, par exemple.

Ne vous approchez pas trop des alligators (ou «cocodries», dans la langue cadienne), car, malgré leur apparente somnolence, ils sont toujours aux aguets. Si l'un d'entre eux vous pourchasse, évitez de fuir en ligne droite et courez plutôt en zigzaguant; l'alligator fonce droit sur sa proie, et il lui est difficile de changer de direction.

À la campagne de même qu'en ville, on trouve des tas de fourmis rouges. On évitera de s'en approcher, car elles irritent la peau telle une brûlure, d'où leur appellation anglaise de *fire ants*.

On peut se procurer une brochure sur les particularités de la faune et de la flore louisianaises en s'adressant au **Parc de la nature de l'Acadiana** (☎*318-261-8448*).

Pour toutes les urgences, incluant piqûres de serpents, morsures et empoisonnements, voir ci-dessous les numéros de téléphone à composer.

Secours

Si vous avez besoin d'aide urgente, composez le 911, ou le 0 pour obtenir l'assistance téléphonique nécessaire.

Hôpitaux

Trois hôpitaux sont situés près du Vieux-Carré Français et du centre-ville :

Touro Infirmary
ouvert sans interruption
entrée d'urgence du côté de la rue Delachaise, à l'angle de la rue Prytania
1401 rue Foucher
Uptown
☎*897-7011 ou 897-8663*
☎*800-803-7853*
☎*897-8250 urgences*
⇌*897-7023*
Le centre est situé près de l'avenue Saint-Charles, là où défile la parade du Mardi gras. Cartes de crédit acceptées.

Medical Center of Louisiana (Charity Hospital)
1532 av. Tulane
☎*568-2311*

Tulane University Medical Center
1415 av. Tulane
☎*582-3096*
⇌*582-3109*

Centre hospitalier universitaire (CHU)/ University Hospital
2021 rue Perdido
La Nouvelle-Orléans
☎*588-3000*
☎*588-3144 urgences*

Pharmacies

Dans les **pharmacies Walgreen** *(24 heures sur 24)*, on trouve, entre autres, du «XS», produit particulièrement utile en période de carnaval puisqu'il soigne la gueule de bois. Ces pharmacies sont situées en différents endroits de la ville. En voici quelques adresses :

134 rue Royale
Vieux-Carré Français

4001 av. du Général De Gaulle
Gretna
☎*368-8171*

1429 av. Saint-Charles,
entre les rues Melpomene et Thalia
☎*561-8458*

3057 boul. de Gentilly,
près de l'université Dillard et l'avenue des Champs Élysées (Elysian Fields)
☎*282-2621*

3311 rue du Canal,
à l'intersection du Jefferson Davis
Parkway, Mid-City
☎ *822-8073 ou 822-8070*

9999 Lake Forest
☎ *242-0981*

Sécurité

On ne le répétera jamais assez : les États-Unis sont une société relativement violente, mais rien ne sert de paniquer et de rester cloîtré dans sa chambre d'hôtel!

Un petit conseil : il est souvent préférable de s'enquérir, dès son arrivée, des quartiers qu'il vaut mieux s'abstenir de visiter à n'importe quelle heure du jour ou de la nuit. En prenant les précautions courantes, il n'y a pas lieu d'être inquiet outre mesure pour sa sécurité. Si toutefois la malchance était avec vous, n'oubliez pas que le numéro de secours est le 911, ou le 0 en passant par le téléphoniste.

Conseils de sécurité

Certains secteurs de La Nouvelle-Orléans sont à éviter la nuit, et peu recommandés même le jour quand on est seul. C'est le cas de la partie nord du Vieux-Carré Français et des rues avoisinantes autour des cimetières Saint-Louis numéro 1 et numéro 2, de même que de toute artère insuffisamment éclairée du Vieux-Carré Français. Ces règles de prudence s'appliquent au secteur sis au nord de l'avenue Saint-Charles entre le West Bank Expressway jusqu'au parc Audubon, mais plus particulièrement entre les avenues Jackson et de la Louisiane. Ces règles de sécurité valent également pour les rues au sud de la rue Magazine.

Urgences

Police, pompiers, ambulance
La Nouvelle-Orléans et paroisse de Jefferson
☎ *911*

Police (Eighth District Police Station)
24 heures sur 24
334 rue Royale
Vieux-Carré Français
☎ *821-2222*

Gretna
☎ *363-5590*

Pompiers
La Nouvelle-Orléans
☎ *483-2550*

Prévention du suicide
☎ *523-2673*

Prévention du crime - Crime Stoppers
☎ *822-1111*

Renseignements généraux

Aide ou assistance judiciaire
☎*523-2597 ou 524-0495*

Dentiste (New Orleans Dental Association)
La Nouvelle-Orléans
☎*834-6449*

Si vous êtes égaré ou en difficulté, n'hésitez pas à appeler le **Service d'aide et d'assistance aux voyageurs** (Travelers Aid Society) *(846 rue Baronne, La Nouvelle-Orléans, quartier des Affaires, LA 70113,* ☎*525-8726)*. La société est présente dans plusieurs grandes villes américaines ainsi qu'à Puerto Rico. Elle offre aux voyageurs en difficulté la nourriture, le gîte, voire les moyens de transport.

Renseignements aux voyageurs
☎*566-5031*

Personnes handicapées

L'État de la Louisiane a voté une loi pour le respect des droits des personnes handicapées.

Une vignette dûment appliquée sur la plaque d'immatriculation permet à ses détenteurs de stationner leur voiture dans des zones qui leur sont réservées. Les automobilistes qui ne détiennent pas cette vignette sont passibles d'une amende de 50$.

L'accessibilité aux personnes à mobilité réduite est donc un fait reconnu dans tous les endroits publics de la Louisiane : hôtels, motels, restaurants, musées, golfs, stationnements, etc.

Il existe un organisme national donnant tous les renseignements nécessaires aux voyageurs handicapés visitant les États-Unis :

Society for the Advancement of Travel for the Handicapped
347 5th Ave., Suite 610,
New York, NY 10016
☎*(212) 447-7284*

Services d'aide aux handicapés

Pour l'État de la Louisiane :

Louisiana State Rehabilitation Services
24 heures sur 24
☎*800-737-2875*

Resource for Independant Living
lun-ven 8h30 à 17h30
1555 rue de Poydras
☎*522-1955*

Advocacy Center for the Elderly and Disabled
210 av. O'Keefe, Bureau 700,
LA 70112
☎*522-2337 ou 800-960-7705*

Croix-Rouge américaine
☎*586-8191*

Catholic Deaf Center
☎949-4413

Lighthouse for the Blind,
☎(504) 899-4501

Gray Lines
☎587-0861
L'entreprise Gray Lines propose des tours de La Nouvelle-Orléans adaptés aux personnes handicapées.

Transport adapté pour les personnes à mobilité réduite LIFT,
☎827-7433

Davisson Mobility Sales
5163 General De Gaulle Dr., Bureau F, LA 70131
☎392-8630 ou 800-760-5831
⇌392-9513

Location de fauteuils roulants pour personnes à mobilité réduite

L'agence **Olympic Bike Rental and Tours** (☎523-1314), bien que spécialisée dans la location de bicyclettes, loue également des fauteuils roulants. La livraison est gratuite.

Davisson Mobility Sales
5163 General De Gaulle Dr., Bureau F,
La Nouvelle-Orléans, LA 70131
☎392-8630 ou 800-760-5831
⇌392-9513

Davisson Mobility Sales loue des fauteuils roulants pour courte ou longue durée et propose un service de transport adapté.

Location de véhicules pour les personnes à mobilité réduite

Wheelchair Getaways
3650 18ᵉ Rue
Métairie, LA 70002
☎454-1178 ou 877-229-6878
☎800-962-9320
☎432-0243 service 24 heures sur 24
⇌455-7315
Wheelchair Getaways loue des camionnettes équipées, avec ou sans chauffeur.

Renseignements généraux

Climat et habillement

Le climat rencontré en Louisiane est essentiellement chaud et humide pendant toute la saison estivale, qui s'étend de mai à la fin septembre. Aussi est-il préférable, dans la mesure du possible, de visiter cette région au printemps ou en automne. Ces deux saisons vous épargneront les grosses chaleurs torrides et l'humidité ambiante qui règnent durant l'été, tout en vous réservant d'agréables journées ensoleillées et de belles nuits fraîches. L'hiver est assez clément, et les températures restent douces. Que ce soit au printemps, en automne ou en hiver, il serait prévoyant de mettre dans ses valises, en plus de ses vêtements de demi-saison, un bon imperméable.

Pour se protéger contre le climat chaud et humide de la Louisiane, les hôtels, les restaurants et autres endroits publics sont parfois climatisés à l'excès. Il est donc recommandé de se couvrir les épaules pour éviter les refroidissements.

Température

(moyennes des maximum et des minimum en °C)

Janvier :	19 et 9
Février :	19 et 10
Mars :	22 et 13
Avril :	25 et 17
Mai :	29 et 20
Juin :	32 et 24
Juillet :	32 et 24
Août :	32 et 25
Septembre :	31 et 23
Octobre :	27 et 19
Novembre :	21 et 13
Décembre :	18 et 10

Les meilleurs mois pour visiter la Louisiane : octobre à mai. Les mois de juin, juillet, août et septembre sont humides et parfois inconfortables.

Services financiers

La monnaie

L'unité monétaire est le dollar ($US), lui-même divisé en cents. Un dollar = 100 cents.

Il existe des billets de banque de 1, 5, 10, 20, 50 et 100 dollars, de même que des pièces de 1 *(penny)*, 5 *(nickel)*, 10 *(dime)*, 25 *(quarter)* cents.

Les pièces d'un demi-dollar et le dollar solide sont très rarement utilisés. Sachez qu'aucun achat ou service ne peut être payé en devises étrangères aux États-Unis. Songez donc à vous procurer des chèques de voyage en dollars américains. Vous pouvez également utiliser toute carte de crédit affiliée à une institution américaine, comme Visa, MasterCard, American Express, la Carte Bleue, Interbank et Barcley Card. **Il est à noter que tous les prix mentionnés dans le présent ouvrage sont en dollars américains.**

Banques

Elles sont ouvertes du lundi au vendredi, de 9h à 15h.

Il existe de nombreuses banques, et la plupart des services courants sont rendus aux touristes. Pour ceux qui ont choisi un long séjour, il est à noter qu'une personne **non résidente** ne peut ouvrir un compte bancaire courant. Dans ce cas, pour avoir de l'argent liquide, la meilleure solution demeure encore d'être en possession de chèques de voyage. Le retrait de votre compte à l'étranger constitue une solution coûteuse, car les frais de commission sont élevés. Par contre, plusieurs guichets automatiques accepteront votre carte de banque européenne, canadienne ou québécoise, et vous pourrez alors retirer de votre compte directement. Les personnes qui ont obtenu le statut de résident, permanent ou non (immigrants, étudiants), peuvent ouvrir un compte de banque. Il leur suffira, pour ce faire, d'apporter leur passeport ainsi qu'une preuve de leur statut de résident.

**First National Bank
of Commerce**
210 rue Baronne
☎561-1371 ou 800-462-9511

Hibernia National Bank
313 rue de Carondelet
☎586-5552 ou 533-5361
☎800-262-5689

Whitney National Bank
228 av. Saint-Charles
430 rue de Chartres
☎586-7272 ou 800-347-7272
≈586-3658

Regions Bank
301 av. Saint-Charles
☎(504) 587-1888
☎800-843-9234

BankOne
201 av. Saint-Charles
Quartier des Affaires
☎822-0199

American Express Travel Agency
158 rue Baronne
☎586-8201

Guichets automatiques (ATMs)

Vous trouverez facilement des guichets automatiques **ATMS** un peu partout en ville, dans les stations-service ou dans certains restaurants comme le Troley Stop Café de l'avenue Saint-Charles. Les détenteurs sont identifiés par un logo placé bien en vue à l'extérieur de l'établissement.

First National Bank of Commerce (FNBC)
240 rue Royale
801 rue de Chartres

Hibernia National Bank
701 rue de Poydras

Whitney National Bank
228 av. Saint-Charles

Renseignements généraux

Change

La plupart des banques changent facilement les devises européennes et canadiennes, mais presque toutes demandent des **frais de change**. En outre, on peut s'adresser à des bureaux ou comptoirs de change qui, en général, n'exigent aucune commission. Ces bureaux ont souvent des heures d'ouverture plus longues. La règle à retenir : **se renseigner et comparer**.

À l'aéroport : la **Whitney National Bank** *(lun-jeu 8h30 à 15h, ven 8h30 à 17h30)* et la **Mutual of Omaha** - La Mutuelle d'Omaha *(tlj 6h à 19h)* sont situées au niveau supérieur du terminal principal.

Au centre-ville : le **Continental Currency Exchange Inc.** *(lun-sam 10h à 21h, dim 11h à 17h)* se situe dans le Riverwalk Market, près du fleuve; à une rue du Vieux-Carré Français se trouve le bureau des **Thomas Cook Currency Services** *(111 av. Saint-Charles, ☎524-0700)*.

Cartes de crédit

Les principales cartes de crédit (American Express, MasterCard et Visa) sont acceptées dans l'ensemble des commerces. On peut en outre obtenir des avances en argent avec ces mêmes cartes dans la plupart des institutions bancaires des États-Unis et certains bureaux de change. Visa International offre aux détenteurs de cette carte un service continu (24 heures sur 24) en cas de perte ou de vol de carte de crédit :

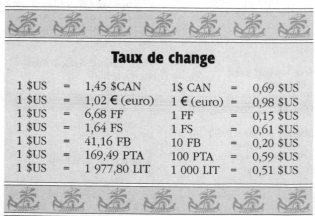

Taux de change

1 \$US	=	1,45 \$CAN	1\$ CAN	=	0,69 \$US
1 \$US	=	1,02 € (euro)	1 € (euro)	=	0,98 \$US
1 \$US	=	6,68 FF	1 FF	=	0,15 \$US
1 \$US	=	1,64 FS	1 FS	=	0,61 \$US
1 \$US	=	41,16 FB	10 FB	=	0,20 \$US
1 \$US	=	169,49 PTA	100 PTA	=	0,59 \$US
1 \$US	=	1 977,80 LIT	1 000 LIT	=	0,51 \$US

Visa International
☎800-847-2911 ou 800-336-8472

American Express
☎800-528-5200

MasterCard
☎800-826-2181

Hébergement

Types d'hébergement

Hôtels : quelques établissements luxueux, des grandes chaînes internationales telles que Le Méridien, Holiday Inn, Crown Plaza, avec restaurants à prix divers. Nombreux au centre-ville et le long des autoroutes. Service de style international.

Motels : situés sur les voies d'accès. Chambre particulière pouvant accueillir de deux à quatre personnes, avec télévision, salle de bain privée et stationnement.

Bed and breakfasts : on y est logé dans une chambre chez l'hôte, soit dans un pavillon séparé ou même dans une coquette maison de plantation. Les meubles sont souvent d'époque. On y sert gracieusement des petits déjeuners légers ou à l'américaine, avec œufs, bacon, saucisses, etc.

Cabins : on trouve encore mais plus rarement ces petits chalets individuels avec cuisinette.

Campings : ils sont nombreux. Comptez en moyenne 5$ et moins pour les campings d'État et environ 12$ pour les campings privés.

Auberges de jeunesse : elles sont accréditées auprès de la Fédération américaine des auberges de jeunesse.

Réservations et locations

L'agence HATA, ouverte tous les jours de 8h30 à 22h30, se charge des réservations d'hôtels ou de motels et de la location des voitures.

Si vous désirez visiter une région en particulier, HATA vous suggérera des hôtels et se chargera des réservations.

HATA USA (☎941-379-8031 ou 800-828-8587, ≠941-722-5124) : ce numéro sans frais est également accessible aux Canadiens et aux Québécois.

Veuillez noter qu'il faut s'attendre à payer plus cher, soit au moins 50% de plus, lors d'événements spéciaux

Renseignements généraux

(Mardi gras, événements sportifs, etc).

Achats

Généralités

Vérifiez auprès des commerçants s'ils peuvent vous faire bénéficier des exemptions de taxes auxquelles ont droit tous les visiteurs étrangers séjournant en Louisiane.

La Louisiane est en effet le seul État américain à pratiquer le remboursement des taxes sur les achats effectués par les visiteurs étrangers. Le plus simple est de se procurer le *Répertoire des établissements* (plus de 1 000 établissements participent à ce programme) dans les offices de tourisme ou au :

Louisiana Tax Free Shopping
2 rue du Canal
LA 70130
☎ *568-5323*

Lors de vos achats, on vous donne un formulaire à remplir que vous remettrez avec vos factures avant de quitter la Louisiane. Les visiteurs internationaux en possession d'un passeport valide ainsi qu'un billet pour l'aller et le retour d'une validité de moins de 90 jours peuvent obtenir le remboursement de la taxe de vente. Pour percevoir ce remboursement, le visiteur doit présenter tous les documents officiels de remboursement avec les coupons de caisse correspondants. Les visiteurs canadiens ou québécois peuvent utiliser un permis de conduire ou un certificat ou acte de naissance. Les remboursements inférieurs à 500$ sont offerts en espèces au Bureau de remboursement (Refund Center) de l'aéroport international de La Nouvelle-Orléans (Moisant) ou à la banque Hibernia de Lafayette ou de Shreveport; au-delà de 500$, un chèque sera expédié au domicile du visiteur.

Par la poste : retournez les copies de vos coupons de caisse, de vos tickets du voyage, une photocopie de votre passeport, accompagnées des formulaires de remboursement originaux ainsi que d'une déclaration indiquant la raison pour laquelle le remboursement n'a pas été effectué en Louisiane et en indiquant le lieu où se trouve la marchandise en ce moment.

Louisiana Tax Free Shopping Refund Center (Centre de recouvrement des taxes)
P.O. Box 20125,
La Nouvelle-Orléans
LA 70141
☎ *467-0723*
⇆ *471-2777*

Comment faire des économies en Louisiane et à La Nouvelle-Orléans en profitant de divers rabais?

Il existe de nombreuses façons qu'il ne faut surtout pas dédaigner. Les Américains n'hésitent pas à se prévaloir et à utiliser à bon escient quantité de coupons-rabais offerts dans la plupart des États par de nombreux établissements, musées, hôtels, restaurants, boutiques, sites touristiques, etc. En effet, ces coupons-rabais sont disponibles par le biais de prospectus, catalogues et autres dépliants promotionnels. On en trouve même sur certains sites Internet. Ces coupons-rabais offrent des réductions intéressantes qui font souvent économiser à leurs utilisateurs des dizaines voire des centaines de dollars durant leur séjour aux États-Unis.

Sur les autoroutes américaines, se trouvent, à la frontière de chaque État, des pavillons d'accueil des visiteurs (Welcome Centers). Les touristes peuvent s'y procurer les publications promotionnelles de différents hôtels dans lesquelles se trouvent quantité de coupons-rabais offrant des réductions de 10$, 20$ et parfois 30$. Vous choisissez l'hôtel ou le motel ainsi que l'endroit qui vous convient et, une fois arrivé sur les lieux, présentez ladite publication à la réception qui se fera un plaisir de découper le précieux coupon-rabais.

Il existe aussi un site Internet fort complet sur ces fameux coupons-rabais; il couvre la quasi-totalité des États américains et même certaines provinces canadiennes. Cette fois, vous faites une copie des coupons-rabais désirés sur votre imprimante et vous les conservez précieusement jusqu'à utilisation.

Pour consulter l'État de la Louisiane, sur la carte des États-Unis, cliquez sur LA (abréviation américaine de Louisiana) : www.exitinfo.com/state. htm
Pour La Nouvelle-Orléans : www.neworleansrestaurants.com/coupons.html

Horaires

Bureaux de poste

Ils sont ouverts du lundi au vendredi, de 8h30 à 16h30, et le samedi, de 8h30 à midi.

Main Post Office
701 av. Loyola
☎*589-1111 ou 589-1112*

Magasins

Ils sont généralement ouverts du lundi au samedi, de 9h30 à 17h30 (parfois jusqu'à 18h). Les supermarchés ferment en revanche plus tard ou restent même, dans certains cas, ouverts 24 heures sur 24, sept jours par semaine.

Quoi acheter?

À La Nouvelle-Orléans, de nombreuses boutiques proposent des souvenirs reliés au Mardi gras, et l'on y trouve une foule d'antiquaires et de galeries d'art.

Taxes

Contrairement à l'Europe, les prix sont, dans la majorité des cas, affichés **hors taxes**. N'oubliez pas d'en tenir compte dans l'évaluation de votre budget, car

elles peuvent être de 9% à La Nouvelle-Orléans.

Droit de remboursement pour les non-résidents

Renseignez-vous auprès des offices de tourisme et des commerces visités, ou téléphonez au :

Louisiana Tax Free Shopping
☎*568-5323*

Pourboire

En général, le pourboire s'applique à tous les services rendus à table, c'est-à-dire dans les restaurants où l'on vous sert à table (la restauration rapide, lorsqu'on passe la commande au comptoir, n'entre donc pas dans cette catégorie). Le pourboire est aussi de rigueur dans les bars, les boîtes de nuit, les taxis et à l'hôtel.

Selon la qualité du service rendu dans un restaurant, il faut calculer environ 15% de pourboire sur le montant de l'addition, avant les taxes. Le pourboire n'est pas, comme en Europe, inclus dans l'addition. Notez que le client doit calculer lui-même ce pourboire et le remettre directement à la serveuse ou au serveur; service et pourboire sont une même et seule chose en Amérique du Nord.

Les montants suggérés ci-dessous reflètent la pratique commune dans le cas des services mentionnés et ces montants peuvent être réduits ou augmentés en fonction de la qualité du service.

Consigne : 1$ par valise et un peu plus si vos bagages sont lourds.

Bagagiste : 1$ par valise et un peu plus si vos bagages sont lourds.

Conducteur de navette : 1,50$ à 2$.

Préposé au stationnement : 1$ à 2$.

Taxis : 15% du prix de la course. N'offrez pas de pourboire au conducteur peu scrupuleux qui a fait des détours inutiles.

Portier d'hôtel : 1$ à 2$ pour l'appel d'un taxi, 1$ pour chaque valise manipulée.

Chasseur : 1$ à 2$ par valise et 5$ à 10$ si les bagages sont très lourds ou de grande dimension; 2$ à 5$ pour une course spéciale.

Service spéciaux : réservation dans un restaurant, au théâtre ou autre, 2$ à 10$ selon le service reçu.

Service aux chambres : 15% de la note ou un minimum de 2$ à chaque livraison.

Femme de chambre : 1$ à 2$ par nuitée, par personne, et un pourboire pour une course spéciale.

Préposé au vestiaire : 1$ par personne.

Musiciens : 1$ par demande spéciale; 2$ ou 3$ pour un petit orchestre; 5$ à 10$ pour un plus grand orchestre.

Serveuse ou serveur : 15% de l'addition (à calculer avant les taxes), jusqu'à 20% pour un service exceptionnel.

Service au bar : 0,50$ à 0,75$ par verre ou 15% du total de l'addition.

Jours de fête et jours fériés

Voici la liste des jours fériés aux États-Unis. Notez que la plupart des magasins, services administratifs et banques sont fermés ces jours-là. **En Louisiane, la journée du Mardi gras est également fériée.**

Jour de l'An : 1er janvier

Journée de Martin Luther King : troisième lundi de janvier

Anniversaire de Lincoln :
12 février

Anniversaire de Washington :
troisième lundi de février

Saint-Patrick : 17 mars

Jour des Patriotes : 19 avril

Journée du Souvenir : dernier
lundi de mai

Jour de l'Indépendance : 4 juillet (fête nationale des États-Unis)

Fête du Travail : premier lundi de septembre

Journée de Christophe Colomb :
deuxième lundi d'octobre

Journée des Vétérans et de l'Armistice : 11 novembre

Date du Mardi Gras pour la présente décennie

2001 : le 27 février
2002 : le 12 février
2003 : le 4 mars
2004 : le 24 février
2005 : le 8 février
2006 : le 28 février
2007 : le 20 février
2008 : le 5 février
2009 : le 24 février

Action de grâce : troisième
jeudi de novembre

Noël : 25 décembre

Divers

Bars et discothèques

Certains exigent un droit d'entrée, particulièrement lorsqu'il y a un spectacle. Le pourboire n'y est pas obligatoire et est laissé à la discrétion de chacun; le cas échéant, on appréciera votre geste.

Décalage horaire

Lorqu'il est 13h à Montréal, il est midi à La Nouvelle-Orléans. Le décalage horaire pour la France, la Belgique ou la Suisse est de sept heures. N'oubliez pas qu'il existe plusieurs fuseaux horaires aux États-Unis. Par exemple, Los Angeles, sur la côte du Pacifique, a deux heures de retard sur La Nouvelle-Orléans et Hawaii en a quatre.

Drogues

Elles sont absolument interdites (même les drogues dites «douces»). Aussi bien les consommateurs que les distributeurs risquent de très gros ennuis s'ils sont trouvés en possession de drogues.

Électricité

Partout aux États-Unis, la tension électrique est de 110 volts et de 60 périodes (Europe : 50 périodes); aussi les magnétophones, magnétoscopes, lecteurs de disques compacts et réveille-matin électriques de fabrication européenne ne sont-ils pas conseillés.

Les fiches d'électricité sont plates, et l'on peut trouver des adaptateurs sur place.

Émigrer aux États-Unis

Renseignez-vous auprès des services d'immigration des ambassades et consulats des États-Unis d'Amérique de votre pays.

Garderies

En plus du service de garderie, les deux agences suivantes offrent des activités touristiques et d'animation conçues spécialement pour les enfants.

Accent Arrangements
☎*524-1227*
≈*524-1229*

Dependable Kid Care
☎*486-4001*

Le **Bureau des Congrès et du Tourisme de La Nouvelle-Orléans métropolitaine inc.** (New Orleans Metropolitan Convention and Visitors Bureau, Inc.) (☎*566-5031 ou 566-5011*) offre pour 5$ un petit guide de suggestions d'activités à faire et à voir avec des enfants.

Journaux, revues et magazines

Gambit Communications-Native's Guide (*3923 rue de Bienville,* ☎*486-5900,* ≈*483-3159, www.bestofneworleans.com*) est un tabloïd qui paraît une fois par semaine et qui promeut les arts et spectacles, les sorties, les achats et l'art de vivre. L'actualité y est traitée sous forme éditoriale.

OffBeat Publication (*421 rue Frenchmen, bureau 200,* ☎*944-4300 ou 877-944-4300,* ≈*944-4306, www.offbeat.com*) est impératif à La Nouvelle-Orléans pour tout connaître sur la musique, les spectacles, les clubs, etc.

The Times-Picayune (*3800 av. Howard,* ☎*826-3121 ou 800-925-0000,* ≈*826-3808, carroll@gs.rerio.net*) est le quotidien du matin à La Nouvelle-Orléans.

WHERE Magazine (*528 Wilkinson Row,* ☎*522-6468,* ≈*522-0018, www.whereneworleans.*

com) est un guide consacré au tourisme : des articles sur les achats, les sorties ainsi qu'une liste exhaustive des attractions, des hôtels, des restaurants ainsi que plusieurs conseils utiles.

Vie gay

Trois publications se partagent le marché gay à La Nouvelle-Orléans : ***Ambush***, ***Impact*** et ***The Weekly Guide*** sont distribués au Bourbon Pub, à l'intersection des rues Bourbon et Saint-Anne. Pour tout connaître sur les bars et spectacles gays en ville (voir aussi «Sorties» p 283).

Stations radio

WWOZ - MF (FM) 90,7
1201 rue Saint-Philippe,
La Nouvelle-Orléans
☎*568-1239*
Du jazz traditionnel et du rhythm-and-blues.

KMEZ (Big Easy 102,9)
1450 rue de Poydras, bureau 440,
La Nouvelle-Orléans
☎*593-6376*
Musique soul; classiques des années soixante et soixante-dix.

WWNO - MF (FM) 89,9
Université de La Nouvelle-Orléans,
La Nouvelle-Orléans
☎*280-7000 ou 286-7000*
Musique classique et jazz.

Attraits touristiques

L e cachet unique
de La Nouvelle-Orléans ne se compare
à aucune autre ville.

M algré les nombreux
cataclysmes, tels qu'in-
cendies, ouragans et inondations, qui ravagèrent ou
affectèrent plusieurs de ses
quartiers au cours des siècles, l'architecture d'époque
et l'urbanisme furent toujours respectés, et la ville a
été à chaque fois recons-
truite dans un constant souci de maintenir la réputation
de splendeur à la belle «Cité
créole».

V oilà pourquoi tant de
quartiers, de faubourgs
et de banlieues de La Nouvelle-Orléans sont si intéressants à visiter, voire à
explorer, et pourquoi cette
ville demeure l'une des plus
palpitantes du continent
nord-américain.

Le Vieux-Carré Français

Le Vieux-Carré Français
(French Quarter) conserve
un patrimoine architectural

d'une richesse impressionnante. Depuis ses balcons ouvragés et ses cours fleuries, l'arrondissement déploie ses charmes à la fois français, espagnols et créoles; on ne peut s'empêcher de comparer cette mosaïque culturelle à celle des Antilles francophones et hispanophones.

Au square Jackson (l'ancienne place d'Armes), les flèches de l'élégante cathédrale Saint-Louis-Roi-de-France dominent. Depuis le parvis et jusque dans le parc, les peintres à leur chevalet contribuent à mettre une note montmartroise à ce quartier aux noms de rues évocateurs : de la Levée, de Conti, Dauphine, de Bienville, Bourbon, des Ursulines, de Chartres, Toulouse, Dumaine, etc. Situé sur le bord du fleuve Mississippi, le Vieux-Carré Français conjugue présent et passé dans un cadre paisible et verdoyant.

On aura plus de plaisir à visiter le Vieux-Carré Français à pied qu'en voiture. En flânant sur ses grands boulevards, dans ses rues et ses venelles, on découvre les charmes de l'historique arrondissement de La Nouvelle-Orléans, aussi appelée «Cité du Croissant», en raison de son étalement en bordure du Mississippi. Prévoyez au moins trois heures pour cette balade pédestre, davantage si vous voulez flâner dans les boutiques ou vous rafraîchir dans l'un ou l'autre des nombreux cafés du quartier.

En son centre, se trouve la **place d'Armes** (square Jackson), où, à l'époque, les soldats s'exerçaient devant la **cathédrale Saint-Louis-Roi-de-France**, bâtiment aux hauts clochers et à la façade

● **ATTRAITS**

1. Ancien couvent des Ursulines
2. Café du Monde
3. Chapelle des Sépultures
4. Forge des frères Jean et Pierre Lafitte
5. Grille des épis de maïs
6. Maison Clay
7. Maison de la Douane
8. Maison Gallier
9. Maison Gauche
10. Maison Hermann-Grima
11. Maison La Laurie, dite «La Maison Hantée»
12. Maison Le Carpentier - Maison Beauregard
13. Maison Soniat du Fossat
14. Maison Thierry
15. Maisons Widow Miltenberger
16. Marché Français
17. Moon Walk
18. Musée de Conti
19. Parc Louis-Armstrong
20. Résidence du Docteur Gardette - Maison Le Prêtre
21. Sun Oak Middle American Research Institute & Art Gallery
22. Ancien Hôtel de la Monnaie des États-Unis
23. Woldenberg Riverfront Park

Le Vieux-Carré Français

attraits

FAUBOURG/MARIGNY

rue de Bourgogne

rue Dauphine

rue Royale

rue de Chartres

Frenchmen

rue Kerlerec

Champs-Élysées

Élysian Fields

Peters-Nord

Av. de l'Esplanade

rue du Quartier (Barracks)

rue Royale

rue de Chartres

rue de l'Hôpital
(du Gouverneur Nicholls)

rue de Bourgogne

rue des Ursulines

Dauphine

Bourbon

rue Saint-Philippe

rue de la Levée (Decatur)

rue Dumaine

Madison

rue du Bassin

rue du Rempart Nord

rue Saint-Anne

Av. d'Orléans

rue Saint-Pierre

Wilkinson

rue de Toulouse

Bourbon

rue Royale

rue Saint-Louis

de Conti

de Chartres

Place des Échanges

Dorsière

rue de la Douane (d'Iberville)

rue de Bienville

rue de Bourgogne

Mississippi

Clinton

rue Peters Nord

Voir l'agrandissement du
Vieux-Carré Français

rue du Canal

Dauphine

Common

Gravier

Union

Baronne

Pennne

Carroll

de Poydras

Av. Saint-Charles

de Carondelet

QUARTIER DES
AFFAIRES ET LE
QUARTIER DES
ENTREPÔTS

Magazine

Lafayette

Constance

Tchoupitoulas

rue des Tchoupitoulas

rue du Commerce

rue Peters Sud

Fulton

0 200 400m

0 600 1200pi

© ULYSSE

N
U—D
R
L

blanche qui voit aujourd'hui défiler musiciens, artistes et conducteurs de voitures à cheval. Toujours devant la cathédrale se trouve la **statue équestre d'Andrew Jackson**, qui sauva La Nouvelle-Orléans de l'invasion britannique pendant la guerre de 1812. À droite de la cathédrale, on peut admirer le **presbytère** et, à sa gauche le **Cabildo**, ancien corps de garde devenu plus tard le siège du gouvernement, où sera en outre signé l'acte de cession de la Louisiane en 1803. Ces deux bâtiments font maintenant partie du Musée de l'État de la Louisiane, de même que l'**édifice Lower Pontalba** et l'**édifice Upper Pontalba**, bâtiments en brique rouge ornés des typiques balustrades ajourées en fonte qui constituent les premiers immeubles résidentiels construits aux États-Unis.

Ce type très particulier d'architecture du XIXe siècle révèle un trait caractéristique de La Nouvelle-Orléans. Les façades des immeubles sont ornées de balustrades délicates, véritables broderies de fonte dans lesquelles s'entremêlent harmonieusement des dessins complexes.

Mentionnons à cet égard le célèbre et imposant **édifice La Branche** (La Branche Building) (*700 rue Royale*). À

voir également, **Forge Lafitte** (Lafitte's Blacksmith Shop) (*941 rue de Bourbon*), construite en «briquette-entre-poteaux», et la **maison Le Carpentier-Beauregard-Keyes** (*1113 rue de Chartres*) de style néoclassique, deux exemples d'architecture et de maçonnerie typiques de la Louisiane du XVIIIe siècle.

Édifice Lower Pontalba

La résidence Kolly – Premier couvent et première résidence des Ursulines – L'hôpital de la Charité ★★ (*301 rue de Chartres, angle de Bienville*). Jean-Daniel Kolly, conseiller financier de l'Électeur de Bavière et l'un des investisseurs de la Compagnie française des Indes occidentales, fit construire cet hôtel particulier en 1718. Il y résida pendant une dizaine d'années. Les ursulines occupèrent les lieux par la suite jusqu'au moment où, en 1749, elles prirent possession de leur nouveau couvent de la rue de Chartres. L'endroit allait enfin accueillir l'hôpital de la

Charité, le premier hôpital de La Nouvelle-Orléans.

Montez la rue de Bienville jusqu'à la rue Royale; prenez ensuite à droite et arrêtez-vous au numéro 322 de la même rue.

A Gallery for Fine Photography ★★ *(entrée libre; lun-sam 10h à 18h, dim 11h à 18h; 322 rue Royale, ☎568-1313)* présente une très belle collection de photographies, de la fin du XIXᵉ siècle à nos jours. On aborde tous les thèmes ou presque, et une nouvelle exposition est présentée chaque mois.

Rendez-vous ensuite au numéro 334.

L'ancienne Banque de la Louisiane *(334 rue Royale).* Ce magnifique immeuble fut construit en 1826, dans ce qui était alors le quartier des Affaires, pour abriter la Banque de la Louisiane. Il a depuis servi de siège au gouvernement de l'État de la Louisiane, à la Légion américaine et, plus récemment, au commissariat de police de l'arrondissement du Vieux-Quartier Français.

Traversez la rue Royale en direction du numéro 343.

La vieille Banque des États-Unis d'Amérique *(343 Royale).* C'est dans cet immeuble construit en 1800 que s'ou-vrit la première Banque des États-Unis. Le bâtiment est orné de magnifiques fenêtres et de balcons en fer forgé qui témoignent du talent des artisans de l'époque.

Continuez par la rue Royale jusqu'à la rue de Conti.

La Banque de l'État de la Louisiane *(403 rue Royale).* Le monogramme de la banque, LSB, est toujours visible dans les ornementations en fer forgé des balcons. L'immeuble a été élevé en 1821 d'après les plans d'un des architectes du capitole de Washington, le Français Benjamin Larobe.

Traversez la rue Royale vers le numéro 400.

Le Palais de justice de La Nouvelle-Orléans *(400 rue Royale).* Cet édifice de marbre blanc date du début du XXᵉ siècle. Il a également abrité la Cour suprême de l'État et est maintenant occupé d'une part par le Musée de la faune et d'autre part par la Cour d'appel du 5ᵉ District judiciaire des États-Unis. À noter que l'édifice a été entièrement rénové au cours de l'année 1997.

Retraversez la rue Royale en direction du numéro 417.

La Casa Faurie *(417 rue Royale).* Cet hôtel particulier a été érigé en 1801 pour le grand-père maternel du peintre impressionniste Edgar Degas. Racheté quatre ans plus tard par la Banque de la Louisiane, il est revendu en 1819 à David Gordon, qui en fera un haut lieu de la vie sociale néo-orléanaise. Le général Andrew Jackson y fut l'invité d'honneur de fêtes somptueuses lors de son second passage dans la ville en 1828. En 1841, Gordon est ruiné, et l'immeuble, vendu aux enchères, deviendra la propriété du juge Alonzo Morphy. Aujourd'hui, l'édifice abrite le célèbre restaurant Chez Brennan. Voir «Restaurants», p 265.

Prenez à gauche la rue Saint-Louis et marchez jusqu'au numéro 820.

La maison Hermann-Grima ★ *(6$; lun-sam 10h à 16h, dernier tour à 15h30; 820 de la rue Saint-Louis, ☎525-5661).* La maison a été construite en 1831 par l'architecte William Brand pour le riche marchand Samuel Hermann; c'est un rare exemple d'architecture américaine dans le Vieux-Carré Français. Treize ans plus tard, elle passe entre les mains de l'avocat et notaire Félix Grima, qui y rajoute la remise. La maison et les fort belles stalles de l'écurie sont bien conservées. Autre

● **ATTRAITS**

1. A Gallery for Fine Photography
2. Ancienne place d'Armes
3. Ancienne Banque de la Louisiane
4. Ancienne ruelle d'Orléans Sud
5. Arsenal de l'État de la Louisiane
6. Banque de l'État de la Louisiane
7. Cabildo
8. Casa de Comercio
9. Casa Faurie
10. Cathédrale Saint-Louis-Roi-de-France
11. Collection historique de La Nouvelle-Orléans
12. Cour des deux lions
13. Édifices Pontalba
14. Jardin de la cathédrale Saint-Louis-Roi-de-France
15. Maison 1850 du patrimoine néo-orléanais
16. Maison Créole
17. Maison de Flechier
18. Maison Jackson
19. Maison de Jean Pascal - Maison de Madame John Lagacy
20. Maison Le Monnier
21. Maison Le Monnier
22. Maison Mérieult
23. Maison Seignouret
24. Musée d'État de la Louisiane
25. Musée de la pharmacie de La Nouvelle-Orléans
26. Musée historique du vaudou de La Nouvelle-Orléans
27. Palais de justice de La Nouvelle-Orléans
28. Passage du Père Antoine
29. Presbytère
30. Résidence Kolly - Premier couvent et première résidence des Ursulines - Hôpital de la Charité
31. Résidence Williams
32. Salle de bal d'Orléans
33. Ancienne Banque des États-Unis
34. Williams Research Center

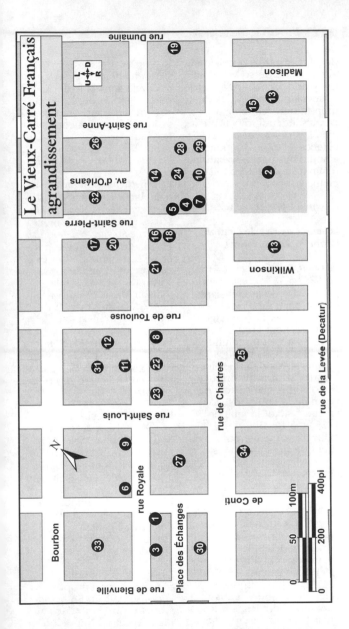

Le Vieux-Carré Français agrandissement

détail d'origine : la cuisine à aire ouverte de style créole. On y donne aujourd'hui des cours de cuisine et des démonstrations culinaires créoles le jeudi, d'octobre à mai. Les réservation sont exigées. L'immeuble loge aujourd'hui une association féminine à caractère religieux.

Continuez par la rue Conti.

Le musée de cire de Conti ★ (Conti Wax Museum) *(5,75$; tlj 10h à 17h; 917 rue de Conti, ☎525-2605 ou 800-233-5405).* C'est le musée de cire de la Louisiane. On y trouve en effigie héros, vilains et personnages célèbres, dont l'humaniste Mark Twain et le peintre naturaliste Jean-Jacques Audubon, sans oublier les grandes scènes historiques : Napoléon signant l'acte de vente de la Louisiane, Lafayette visitant la ville en 1825 et la Bataille de La Nouvelle-Orléans, pour n'en citer que quelques-unes.

Regagnez la rue Royale et tournez à gauche.

La maison Seignouret *(520 rue Royale).* C'est François Seignouret, un riche négociant en vin originaire de Bordeaux, qui fit bâtir cette splendide résidence en 1816. Fort bon ébéniste, Seignouret fabriqua aussi quelques meubles, sur lesquels il ajouta discrètement

le *S* de sa signature. On peut en apercevoir un exemple dans la frise du balcon en fer forgé de l'étage. Une chaîne de radiotélévision occupe actuellement les lieux.

Traversez la rue.

La Collection historique de La Nouvelle-Orléans ★★ (Historic New Orleans Collection Museum Research Center) *(533 rue Royale, ☎523-4662).* La collection est gérée par la Williams Foundation et comprend les attractions suivantes : la galerie, la maison Mérieult, la résidence Williams et le Williams Research Center.

La **Galerie** *(entrée libre; mar-sam 10h à 16h45)* présente des expositions rotatives sur l'histoire et la culture en Louisiane.

La maison Mérieult *(4$; lun-ven 9h à 17h, visites guidées 10h, 11h, 14h et 15h; 533 rue Royale).* C'est ici que s'élève la plus ancienne maison de la rue Royale, construite en 1792 pour le négociant Jean-François Mérieult. La maison Mérieult fut l'une des rares à échapper à l'incendie qui ravagea la ville deux ans plus tard.

L'histoire raconte que, lors d'un séjour en Europe, l'épouse de Jean-François Mérieult, Catherine McNamara, reçut de Napoléon l'offre d'une forte somme en échange de sa chevelure d'un beau roux naturel. L'Empereur aurait souhaité en faire cadeau au Sultan turc, dont la préférée se morfondait du désir d'être admirée en rousse. Mais la belle Catherine ne se laissa pas fléchir et revint en Louisiane avec tous ses cheveux.

La maison Mérieult, aujourd'hui propriété de la Fondation Kemper et Leila Williams, abrite une magnifique collection d'estampes, de cartes anciennes et d'autres documents reliés à l'histoire de La Nouvelle-Orléans, ainsi que des cartes, des documents, des photos et de rares livres sur l'histoire depuis les premiers explorateurs jusqu'à nos jours.

La **résidence Williams** (Williams Residence) *(4$; visites guidées mar-sam à 10h, 11h 14h et 15h)*, construite en 1889, a été restaurée dans un style plus récent. Elle recèle une belle collection de porcelaines chinoises et de meubles d'époque dont certaines pièces sont originaires de la Louisiane.

Le **Williams Research Center** *(mar-sam 10h à 16h30; 410 rue de Chartres, ☎523-4662)* concentre sa recherche sur l'histoire de l'État et de la ville elle-même.

Retraversez la rue Royale.

La Casa de Comercio *(536 rue Royale)*. L'immeuble, construit peu de temps après l'incendie de décembre 1794, qui détruisit le centre de la ville, est un important exemple de l'architecture espagnole à La Nouvelle-Orléans.

Rendez-vous à l'angle de la rue Toulouse.

La Cour des deux lions *(537 rue Royale et 710 rue Toulouse)*. L'immeuble tire son nom des deux lions de pierre soutenant le haut portail duquel on peut apercevoir la rue Toulouse.

Continuez par la rue Royale.

La maison Le Monnier ★ (First Skyscraper) *(640 rue Royale)*. La première maison que se fit ériger en 1811 le docteur Le Monnier avait trois étages, ce qui en fit plus ou moins le «premier gratte-ciel de la Louisiane». Le cabinet du médecin, au dernier étage, est considéré comme l'un des joyaux de l'architecture de La Nouvelle-Orléans.

Prenez à gauche la rue Saint-Pierre.

La maison Le Monnier (Le Monnier House) *(714 rue Saint-Pierre)*. Bâtie en 1829 pour le docteur Yves Le Monnier, elle est rachetée

Attraits touristiques

La statuaire de
La Nouvelle-Orléans ★★

Comme dans toutes les grandes villes du monde, La Nouvelle-Orléans a voulu rendre hommage à ses héros et héroïnes en leur élevant des monuments.

Celui érigé à la mémoire de **Jean-Baptiste Le Moyne, sieur de Bienville**, se dresse au cœur du Vieux-Carré Français, dans le petit parc triangulaire que ceinturent les rues Peters Nord, de Conti et de la Levée (Decatur). Le monument commémoratif rappelle que le fondateur de La Nouvelle-Orléans en 1718 est «Né à Montréal (Québec) le 23 février 1680 - Mort à Paris (France) le 7 mars 1767».

Sur la place d'Armes est installée la statue équestre du démocrate **Andrew Jackson**, héros de la Bataille de La Nouvelle-Orléans à Chalmette et président des États-Unis d'Amérique de 1829 à 1837. Le monument avoisine un groupe de sculptures représentant les quatre saisons, sujet pour le moins inattendu dans une ville qui n'en connaît qu'une seule, l'été perpétuel. Près du square Lafayette se trouvent les statues de **Benjamin Franklin** et de l'ancien président du Congrès, **Henry Clay**, et, à l'angle de la rue du Canal et de la place Elks, celle de **Molly Marine**, coulée dans le béton en 1943 (le seul matériau dont on disposait en ce temps de guerre) et maintenant couverte de bronze. Ce monument est un hommage aux pionnières de l'Armée américaine. À l'entrée du parc de la Ville (City Park), on peut admirer la statue équestre du **général Pierre-Gustave Toutant Beauregard**. Le Lee Circle *(1000 avenue Saint-Charles)* est dominé par une haute colonne surmontée de la statue de bronze du «malheureux» chef sudiste, le **général Robert E. Lee**. Ce monument pesant quelque trois tonnes est l'œuvre du sculpteur Alexander Doyle.

L'importante communauté afro-américaine, majoritaire à La Nouvelle-Orléans, n'a pas oublié l'action qu'a menée le pasteur Martin Luther King pour les droits civiques et l'intégration des Noirs. On retrouve donc un monument à **Martin Luther King Jr.** à l'intersection de l'artère du même nom et de l'avenue Claiborne. C'était également une obligation que d'honorer celui qui fut l'un des plus prestigieux ambassadeurs de La Nouvelle-Orléans et le véritable initiateur du jazz classique, **Louis «Satchmo» Armstrong**, qui a quant à lui sa statue dans le parc portant son nom (autrefois le square Congo), lequel longe la rue du Rempart entre les rues Sainte-Anne et Saint-Pierre.

À La Nouvelle-Orléans, comme dans toute ville aux origines multiples, monuments et places publiques témoignent aussi des liens tissés par l'histoire. Près de l'International Trade Mart, on trouve, par exemple, la statue de **Jeanne d'Arc** en bronze doré offerte par le gouvernement français. Autres témoignages des amitiés internationales : les statues de **Sir Wiston Churchill**, installée sur British Place, et, sur la travée centrale de la rue du Bassin, des héros de l'Amérique latine **Simón Bolívar** (don du Venezuela), de **Benito Juárez** (don du Mexique) et du **général Francisco Morazón** (don du Honduras).

en 1860 par Antoine Alciatore, qui la reconvertit en pension de famille. Gastronome et cordon-bleu, Alciatore proposait une table d'hôte si soignée que le gratin néo-orléanais afflua à sa porte, à tel point qu'il décida d'ouvrir un restaurant. Le succès fut immédiat, et Chez Antoine se tailla rapidement une réputation internationale.

Chez Antoine existe toujours à quelques pas d'ici, et ce sont des descendants d'Antoine Alciatore qui le dirigent. Voir «Restaurants» p 264.

Marchez jusqu'à l'adresse suivante, soit le numéro 718 de la rue Saint-Pierre.

La maison de Flechier ★ (aussi appelée maison Garnier) *(718 rue Saint-Pierre)*. Cette

Attraits touristiques

maison aurait été construite peu après l'incendie de 1794 pour le planteur Étienne-Marie de Flechier. Aujourd'hui un bar occupe les lieux. Les cours intérieures à la française ou à l'espagnole sont fort nombreuses dans le Vieux-Carré Français; celle de la maison de Flechier est vraiment magnifique, et il fera bon s'y arrêter un moment.

Traversez la rue.

L'arsenal de l'État de la Louisiane ★★ *(adulte 5$; mardim 9h à 17h; 615 rue Saint-Pierre).* À l'époque de l'occupation espagnole, c'est là que se trouvait la prison *(calabozo)*. Au début du XIXᵉ siècle, l'État louisianais y aménagea un arsenal et une académie militaire fréquentée par les fils des meilleures familles créoles et américaines. Le bâtiment, qui a plus ou moins bien vieilli, est aujourd'hui le siège du **Musée de l'État de la Louisiane** (voir p 129).

Remontez vers la rue Royale quelques pas, puis tournez à droite dans le passage Cabildo, qui mène au passage des Pirates.

L'ancienne ruelle d'Orléans Sud *(dans le passage des Pirates).* C'est dans la ruelle d'Orléans, aujourd'hui le **passage des Pirates**, que le général Jackson aurait donné rendez-vous aux frères flibustiers Pierre et Jean Lafitte pour discuter d'un plan de défense de la ville contre les troupes anglaises. L'actuelle allée date de 1831. Le grand romancier William Faulkner y vécut dans sa jeunesse.

Prenez la direction de la rue Royale et arrêtez-vous à la rue d'Orléans.

Le jardin de la cathédrale Saint-Louis-Roi-de-France *(à l'angle des rues Royale et d'Orléans).* Derrière une grille en fer ouvragé se trouve le jardin de la cathédrale. On y admirera le monument érigé en l'honneur des marins victimes d'une épidémie de fièvre jaune qu'ils avaient volontairement choisi de combattre en compagnie des responsables des services sanitaires de la Ville.

Dirigez-vous vers le numéro 717 de la rue d'Orléans.

La salle de bal d'Orléans *(717 rue d'Orléans).* La Nouvelle-Orléans, petite bourgade fondée en 1718 sous le régime français, est devenue depuis l'une des principales villes américaines. L'ouverture du Théâtre Français en 1817 marque une date importante de son histoire. Son directeur, Davis, allait y ajouter un opéra à large déploiement, un restaurant et un casino qui pouvaient rivaliser avec les

Le patrimoine toponymique des rues du Vieux-Carré Français

Au même titre que le précieux patrimoine architectural du Vieux-Carré Français, et d'autres faubourgs et quartiers, se veut rigoureusement protégé par l'État, la toponymie des rues l'est avec autant de détermination par la ville de La Nouvelle-Orléans. Sur les plaques indiquant chacune des rues, le nom français d'origine figure au-dessus de l'appellation plus récente. Il arrive parfois qu'une plaque commémorative indique les noms hispaniques de certaines rues et places; ces noms, tels que Calle Real pour la rue Royale et Plaza de Armas pour la place d'Armes, furent ajoutés durant l'occupation espagnole de la Louisiane. Voici, à titre d'exemples, quelques noms de rues, places, lieux et quartiers avec leurs appellations historiques et modernes.

Noms français d'origine	Autres appellations
place des Échanges	Exchange Passage
avenue de l'Esplanade	Esplanade Avenue
avenue des Champs-Élysées	Elysian Fields
cimetière Saint-Louis numéro 1	St. Louis Cemetery Number One
Faubourg Sainte-Marie ou Ville Gravier	Central Business District
passage des Pirates	Pirates Alley
passage du Père Antoine	Pere Antoine Alley
place d'Armes (Plaza de Armas)	Jackson Square
rue de Bourbon	Bourbon Street
rue d'Amour	Love Street
rue de Bourgogne	Burgundy Street
rue de Chartres	Chartres Street
rue de la Douane	Iberville Street
rue de l'Hôpital	Governor Nicholls Street

Attraits touristiques

Noms français d'origine	Autres appellations
rue de la Levée	Decatur Street
rue de la Piété	Piety Street
rue de la Victoire	Victory Street
rue des Bons-Enfants	Good Children Street
rue des Grands-Hommes	Greatmen Street
rue Félicité	Felicity Street
rue du Quartier	Barracks Sreet
rue du Rempart	Rampart Street
rue Royale	Royal Street
rue Saint-André (San Andrea)	St. Andrew Street
rue Saint-Philippe	St. Philip Street
rue Saint-Pierre	St. Peter Street
rue Sainte-Anne	St. Ann Street
rue Sainte-Marie	St. Mary Street

meilleurs établissements européens. La guerre de Sécession, qui ruina l'aristocratie néo-orléanaise, provoqua la fin de ce style de vie fastueux. En 1881, les religieuses de la congrégation de la Sainte Famille en font leur maison mère et y ouvrent une école. Et, en 1964, autre signe des temps, la «salle de bal», comme on l'appelle depuis toujours, est vendue à un complexe hôtelier. Malgré les transformations qu'elle a subies, l'historique salle de bal est toujours debout, décor original en moins.

Regagnez la rue Royale, tournez à gauche; aux confins du jardin de la cathédrale se trouve le passage du Père Antoine.

Le passage du Père Antoine *(entre la cathédrale et le presbytère).* Ce passage a été tracé en 1831. On ne parle jamais ici de la ruelle d'Orléans (son nom officiel), mais du passage du Père Antoine : c'est que le souvenir de ce moine espagnol est resté vif dans la mémoire des habitants. Il en est de même du jardin de la cathédrale, mieux connu sous le nom de «jardin du Père Antoine» par ses usagers.

Continuez jusqu'à la rue de Chartres (square Jackson). À

côté de la cathédrale se trouve le presbytère (le bâtiment gris).

Le presbytère ★★ *(4$; mardim 9h à 17h).* Le monastère des capucins espagnols érigé sur ce site n'a pas échappé à l'incendie qui ravagea la ville en 1788. En 1791, don Andrés Almonester y Roxas fait reconstruire sur ses bases El Casa Curial (le presbytère) dans l'intention, sans doute, d'y loger les desservants de l'église voisine. Les travaux ne seront terminés qu'en 1810, soit sept ans après que la colonie sera devenue américaine.

Cathédrale St-Louis-de-France

Malgré son nom, le presbytère n'a jamais été utilisé comme tel, et quand, en 1853, les autorités de la ville en font l'acquisition, c'est pour y installer le Palais de justice. Aujourd'hui l'un des musées de l'État occupe les lieux (voir p 129). Si les artisans du presbytère furent surtout espagnols et américains, c'est l'influence française qui y prédomine, comme on peut facilement le constater.

La **cathédrale Saint-Louis-Roi-de-France ★**, la plus ancienne cathédrale des États-Unis d'Amérique, a été construite entre 1849 et 1851 d'après les plans de J.N.B. de Pouilly; le pape Paul VI lui accorda en 1964 le statut de basilique mineure, et le pape Jean-Paul II y célébra la messe lors de sa visite aux États-Unis en 1987. La cathédrale Saint-Louis est la troisième église élevée sur ce site. La première fut emportée par un ouragan en 1722 et la deuxième fut détruite par un incendie.

Le **Musée d'État de la Louisiane ★★★** (Louisiana State Museum) *(Cabildo et arsenal, presbytère et ancien Hôtel de la Monnaie des États-Unis; pour chaque musée, 5$, 20% de remise pour la visite de 2 musées ou plus; 751 rue de Chartres, ☎568-6968 ou 800-568-6968, ≈ 568-4995, www.crt.state.la.us)* occupe un certain nombre de bâtiments historiques dans le Vieux-Carré Français : le **Cabildo** retrace avec une exposition permanente d'objets anciens et des archives, l'histoire de la Louisiane depuis l'époque précolombienne jusqu'à nos jours; l'**arsenal** *(600 rue Saint-Pierre)* dresse le bilan du trafic maritime sur le Mississippi, les activités portuaires de La Nouvelle-Orléans et les différents commerces, notamment le café; le **presbytère** *(751 rue de Chartres)* traite du Mardi gras en Louisiane; la **maison 1850** *(3$; 523 rue Sainte-Anne, édifice Lower Pontalba)* se spécialise dans la période d'avant et d'après-guerre de Sécession. **Les amis du Cabildo** (The Friends of the Cabildo) proposent une visite guidée du Vieux-Carré Français (voir p 196); la maison de **Madame John's Lagacy** *(3$; 632 rue Dumaine)* est un rare exemple d'architecture créole dans le Vieux-Carré Français; l'**ancien Hôtel de la Monnaie des États-Unis** (The Old US Mint) *(400 avenue de l'Esplanade;sur réservation, ☎568-8214)* est consacré au jazz. Au deuxième étage, un centre historique regroupe des cartes réalisées sous l'occupation française et espagnole (voir p 133). La **maison créole** (Creole House) et la **maison Jackson** (Jackson House) *(616 et 619 passage des Pirates)*, sont deux architectures typiques d'avant la guerre de Sécession. La première est la permanence des amis du Cabildo (The Friends of the Cabildo) et la seconde loge les bureaux de formation sur les musées.

À côté de la cathédrale se dresse le Cabildo.

Le Cabildo ★★★ (Conseil colonial espagnol) *(5$; mar-dim 9h à 17h; 701 rue de Chartres; ☎568-6968)*. Sous le régime espagnol, les bâtiments du Cabildo servirent à abriter le Conseil colonial jusqu'au moment où ils furent détruits par l'incendie qui, en 1788, ravagea la ville. Don Andrés Almonester y Roxas les fit reconstruire avant la fin du siècle, et l'on peut y voir encore aujourd'hui une magnifique balustrade en fer forgé du plus pur style espagnol, œuvre de Marcelino Hernández.

Cette maison a vu défiler tous les gouvernements. Les Français, qui y avaient précédé les Espagnols, y revinrent; le gouvernement des États-Unis céda les lieux pour un temps aux Confédérés avant d'y revenir à son tour, cette fois pour de bon. L'acte par lequel la France vendait la Louisiane aux États-Unis d'Amérique fut signé ici, dans la Sala Capitular. On peut y admirer la «pierre de fondation» symbolique de la colonie en 1699 ainsi qu'un masque mortuaire de l'empereur Napoléon. Le musée retrace à l'aide d'archives l'histoire de la Louisiane de l'époque précolombienne à nos jours.

Poussez votre visite plus loin dans la rue de Chartres.

Musée de la pharmacie

Le Musée de la pharmacie de La Nouvelle-Orléans ★★ (New Orleans Pharmacy Museum) *(2 $, mar-dim 10h à 17h dernière visite à 16h; 514 rue de Chartres, ☎565-8027)*. Fondé en 1950, ce musée est une réplique de la première boutique d'apothicaire construite ici en 1823. L'officine et les comptoirs en bois de rose sculpté sont remplis de cornues et d'immenses jarres de verre soufflé au contenu parfois inquiétant : liquides multicolores difficilement identifiables, gris-gris et racines brutes de toutes sortes.

La place en face de la cathédrale Saint-Louis-Roi-de-France porte le nom de «square Jackson».

L'ancienne place d'Armes ★★ *(square Jackson)*. Elle s'appela «place d'Armes» sous les Français; elle fut «Plaza de Armas» pour les Espagnols, et, vers le milieu du XIXe siècle, elle fut officiellement transformée, avec toutes les cérémonies d'usage, en **square Jackson**. La statue équestre du général Jackson, qui domine la place depuis 1856, est l'œuvre du sculpteur Clark Mills. Elle commémore la victoire de Jackson sur les Anglais lors de la fameuse Bataille de La Nouvelle-Orléans, qui eut lieu à Chalmette, à environ 10 km d'ici, en 1815.

De là, jetez un coup d'œil sur les deux imposants bâtiments bordant chaque extrémité du square Jackson.

Les édifices Pontalba ★ *(bordant le square Jackson de part et d'autre)*. Le riche commerçant don Andrés Almonester y Roxas fut l'une des figures les plus importantes de l'époque où la Louisiane était colonie espagnole. En 1849, sa fille, la baronne Micaela Almonester de Pontalba, fit construire l'immeuble dont le rez-de-

Statue équestre d'Andrew Jackson

chaussée donnant sur la Place d'Armes avait été conçu pour y installer des boutiques de luxe susceptibles d'attirer la riche clientèle locale. Délaissant leurs échoppes démodées du Vieux-Carré Français, les commerçants répondirent à la proposition avec enthousiasme, et c'est bientôt de la Louisiane tout entière et même des autres États qu'affluèrent les visiteurs.

Au centre des édifices Pontalba, rue Sainte-Anne, se trouve la maison 1850.

La maison 1850 du patrimoine néo-orléanais ★ *(3$; mar-dim 10h à 17h; 525 rue Sainte-Anne, ☎568-6968).* La partie centrale d'un des édifices Pontalba a été entièrement restaurée sur ses trois étages. Son décor raffiné et ses meubles d'époque permettent d'avoir une idée de la

Le Marché Français

Le Marché Français s'est toujours appelé ainsi, bien que son site fût au départ un poste de traite amérindien. Sous le régime espagnol, en 1791, on le transforme en marché couvert. Ce sont d'abord les maraîchers germano-créoles, des Allemands venus sous le régime français, qui alimentent le marché public, et plus tard ce seront des Italiens. Dès 1831, un train longeant les Champs-Élysées depuis le Marché Français se rendait jusqu'au lac Pontchartrain. Grâce au président Roosevelt, la restauration du vieux Marché Français eut lieu en 1936. Avec sa Halle des Boucheries construite en 1813, sa

Halle aux Légumes en 1822, sa Maison Rouge reconstituant le bazar d'origine et sa nouvelle Halle des Cuisines, le Marché Français forme un ensemble fascinant. Il abrite aussi le Marché aux Puces où l'on peut se procurer de l'artisanat local. Les cafés se sont installés à cet emplacement en 1860. Le Café du Monde est son plus ancien locataire. On y déguste de délicieux beignets, et l'on y boit le populaire café au lait qui n'est autre qu'un brave café à la chicorée. Le Marché Français s'étend sur plusieurs blocs entre la rue de la Levée (Decatur) et Peters Nord.

façon dont les riches Néo-Orléanais vivaient au milieu du XIXe siècle.

Une fois sorti de la maison 1850, marchez jusqu'à la rue de la Levée : devant vous se trouvent le Marché Français et le Café du Monde.

Le **Marché Français** ★★★ s'étend sur cinq pâtés de maisons le long des rues de la Levée et Peters Nord; on y retrouve des brocantes, des restaurants et, endroit remarquable entre tous, un marché vieux de deux siècles qui étale 24 heures par jour ses viandes fraîches, ses épices aux mille parfums et ses primeurs. C'est là que se cache le **Café du Monde**, où l'on peut s'offrir, quelle que soit l'heure du jour ou de la nuit, un café corsé à base de chicorée et des beignets.

Tout près se dresse la **Jackson Brewery** *(620 rue de la Levée)*, familièrement appelée **JAX.**

Masque (Musée Old US Mint)

Cette ancienne fabrique reconvertie en une pittoresque galerie marchande regroupe une centaine de magasins et boutiques.

Le Parc national et réserve historique Jean-Lafitte – Centre de folklore du Quartier Français ★★★ *(tlj 9h à 17h; 916 rue Peters Nord, ☎589- 2636).* On y présente des expositions et des spectacles, et l'on y fait des démonstrations de toutes sortes. C'est aussi le point de départ pour les promenades guidées dans le Vieux-Carré Français, le plus ancien secteur de La Nouvelle-Orléans classé district national historique, et dans la région du delta du Mississippi.

Continuez votre balade jusqu'à l'avenue de l'Esplanade.

L'ancien Hôtel de la Monnaie des États-Unis ★★ (Old US Mint) *(5$; mar-dim 9h à 17h; immeuble du 400 de l'avenue de l'Esplanade, ☎568-6968).* Ici se trouvait au XVIIIe siècle le fort San Carlos. En 1839, le gouvernement des États-Unis fit construire l'Hôtel de la Monnaie. L'immeuble relève désormais du musée de l'État de la Louisiane. Une exposition permanente y illustre les grands moments du jazz et le Mardi gras, voir p 130.

Retournez par la rue de la Levée et, dans la rue des Ursulines, tournez à droite. Vous atteindrez, un pâté de maisons plus loin, la rue de Chartres.

L'ancien couvent des Ursuli-
nes ★★ *(5$; mar-ven visite guidé à 10h, 11h, 13h, 14h et 15h, sam-dim à 11h15, 13h et 14 h; 1114 rue de Chartres, entrée au 1112 rue de Chartres).* On est ici devant l'un des plus anciens bâtiments de la vallée du Mississippi. Les ursulines, qui étaient arrivées à La Nouvelle-Orléans en 1727, le firent construire en 1749. Le couvent devint la première école catholique de la ville, le premier orphelinat et la première institution à accueillir des Amérindiens et des Afro-Américains. Les ursulines l'occupèrent jusqu'en 1827. La Législature de l'État de la Louisiane leur succéda de 1831 à 1834, et en 1846 le couvent fut rattaché à l'église italienne de Sainte-Marie.

Traversez la rue.

La maison Le Carpentier – La maison Beauregard ★★
(Beauregard-Keyes House) *(4$; lun-sam 10h à 15h, visites guidées à l'heure; 1113 rue de Chartres, ☎523-7257).* Après avoir acheté le terrain aux ursulines, Joseph Le Carpentier construisit en 1827 cette maison qui porte son nom pour y loger sa fille et son gendre, le notaire Alonzo Morphy.

Le général de l'armée des Confédérés, Pierre-Gustave Toutant Beauregard, surnommé affectueusement «le grand Créole», autant pour ses talents militaires que pour son tempérament fantasque, passa le rude hiver qui suivit, en 1866, la défaite du Sud et la fin de la guerre civile, dans une petite chambre de cette maison. La romancière Frances Parkinson-Keyes, auteure de plusieurs ouvrages inspirés de la vie louisianaise et des tribulations vécues ici même par le célèbre général, y résida à son tour à la fin du XIXe siècle. La salle Beauregard renferme une collection de meubles et objets ayant appartenu au général.

Continuez par la rue de Chartres.

La maison Soniat du Fossat ★ *(1133 rue de Chartres).*
Cet hôtel particulier fut élevé en 1829 pour le planteur louisianais Joseph Soniat du Fossat, membre à part entière de l'aristocratie néo-orléanaise. Aux environs de 1860, des travaux d'embellissement amenèrent le remplacement des grilles en fer forgé d'origine par les admirables ouvrages aux formes dentelées que l'on peut voir aujourd'hui. La maison Soniat loge de nos jours un charmant petit hôtel (Soniat House) (voir «Hébergement» p 219).

Rejoignez la rue de l'Hôpital et tournez à gauche.

La maison Clay *(618-620 rue de l'Hôpital)*. John Clay fit ériger cette résidence en 1828 pour y loger sa famille. John était le frère de Henry Clay, ce farouche partisan du protectionnisme américain qui présida le Congrès de 1810 à 1820. Le bâtiment à l'extrémité du jardin fut ajouté en 1871 et servit d'école à partir de 1890.

Rendez-vous à l'angle des rues de l'Hôpital et Royale. Vous trouverez là, avec promesse de frissons d'usage pour les amateurs, une maison «hantée».

La maison La Laurie, dite «La Maison Hantée» *(1140 rue Royale)*. Edmond du Fossat, qui avait fait construire en toute innocence cette maison en 1830, la vendit à Barthélemy de Macarty (appelé aussi Maccarty ou McCarty sur les documents de l'époque), qui la légua à sa fille Delphine. Devenue épouse de La Laurie, Delphine y organise des soirées très courues, et le tout Nouvelle-Orléans ne tarit pas d'éloges sur ses qualités d'hôtesse. Mais, en 1833, une de ses servantes porte plainte contre sa maîtresse, qui lui aurait fait subir de graves lésions. Que la plainte d'une esclave soit écoutée est déjà chose extraordinaire, et Delphine s'en sortira avec au moins une amende. Les magistrats se douteraient-ils de quelque chose? L'année suivante, un incendie se déclare dans la propriété. Tous les voisins accourent pour porter secours aux habitants de la maison. On crie, on frappe aux portes et aux fenêtres, mais sans résultat. Les La Laurie auraient-ils déjà succombé? Ou sont-ils simplement absents? Le moment est mal venu pour trop réfléchir, et les secouristes enfoncent la porte fermée à double tour. Vision d'horreur! Dans la pièce enfumée, on découvre sept malheureux domestiques, enchaînés et affreusement mutilés.

Dans le compte rendu qui paraît le lendemain, Mme La Laurie est ouvertement soupçonnée d'avoir elle-même mis le feu à la maison. Une foule rugissante se rassemble autour de la maison du couple de tortionnaires, bien décidée à les pendre haut et à raser ces lieux maudits. À ce moment même, un fiacre surgit de la cour avec à bord les La Laurie, qui s'empressent de fuir pour éviter la vindicte populaire. On ne les revit jamais plus.

Delphine La Laurie serait, dit-on, morte en Europe quelques années plus tard et son corps aurait été ramené à La Nouvelle-Orléans pour y être enterré dans le plus grand secret.

Attraits touristiques

Bien que la maison ait été entièrement rénovée par la suite, on la dit toujours hantée. Aujourd'hui encore, plus d'un Néo-Orléanais affirme y avoir entendu tantôt gémir, tantôt crier les suppliciés, sons auxquels s'ajoutent le frottement métallique des chaînes et le sifflement des fouets. Mieux vaut s'abstenir de rôder autour de cette maison sur le coup de minuit et même pendant la nuit!

Ami visiteur... respirez profondément, traversez avec prudence la rue Royale et regagnez la rue de l'Hôpital.

La maison Thierry *(721 rue de l'Hôpital).* La maison date de 1814 et appartint à Jean-Baptiste Thierry, l'éditeur du *Courrier de la Louisiane.* D'architecture néoclassique, elle est la première et l'une des plus intéressantes constructions de ce style en Louisiane.

Rejoignez la rue Royale.

La maison Gallier ★ ★ ★ *(6$; lun-sam 10h à 16h; 1118-1132 rue Royale,* ☎*525-5661).* Fils d'un architecte très réputé, qui a d'ailleurs laissé d'intéressants mémoires, James Gallier (fils) allait à son tour marquer l'architecture néo-orléanaise pendant toute la période qui précéda la guerre de Sécession. On leur doit plusieurs immeubles, entre autres l'église Saint-Patrick *(724 rue Camp),* le Gallier Hall *(545 avenue Saint-Charles),* les édifices Pontalba et l'hôtel Saint-Charles. La maison a été restaurée, décorée et meublée dans le style des années 1860. Le fer ouvragé de ses balcons épouse la forme de jolies roses.

Empruntez la rue des Ursulines jusqu'à la rue Bourbon, tournez à gauche et marchez jusqu'à l'angle de la rue Saint-Philippe.

La Forge des frères Jean et Pierre Lafitte ★ *(941 de la rue de Bourbon).* Le premier acte notarié relatif à cette maison remonte à 1772. Les frères Jean et Pierre Lafitte avaient ouvert cette forge pour qu'elle serve de couverture à leurs beaucoup plus rentables activités de corsaires dans les eaux proches du golfe du Mexique, plus précisément dans la marécageuse baie de Barataria.

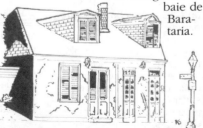

La Forge des frères Jean et Pierre Lafitte

Ils essayèrent de se racheter de leur conduite en participant, avec d'ailleurs un courage qui leur fit honneur, à la célèbre Bataille de La Nouvelle-Orléans.

Regagnez la rue Royale par la rue Saint-Philippe.

La Grille des épis de maïs ★
(The Cornstalk Hotel) *(915 rue Royale)*. La première maison construite sur ce site date d'au moins de 1731, car elle figure sur le plan de la ville relevé par Gonochon cette année-là. Elle fut remplacée par une résidence qu'allait occuper de 1816 à 1826 François Xavier Martin, premier juge en chef de la Cour suprême de l'État. Ce magistrat sera l'auteur du tout premier livre d'histoire sur la Louisiane. L'ensemble des bâtiments victoriens visibles aujourd'hui ont été bâtis en 1850. On y remarquera un magnifique portail en fer forgé à la grille d'entrée, avec motifs d'épis de maïs enchevêtrés de tiges de belles-de-jour.

Les maisons Widow Miltenberger *(900, 906 et 910 rue Royale)*. Les trois maisons construites en 1838 pour Mme Miltenberger étaient destinées à ses trois fils. En 1910, c'est son arrière-petite-fille, Alice Heine, qui les occupe toutes. Cette intéressante héritière épousa d'abord le duc de Richelieu, avant de devenir, par son second mariage avec le prince Louis de Monaco, princesse.

Empruntez la rue Dumaine et marchez jusqu'au numéro 632.

La maison de Jean Pascal – La maison de Madame John Legacy *(632 rue Dumaine)*. Cette belle maison surélevée, avec balcon en retrait, est aussi appelée le «Patrimoine de Madame Lagacy». La première construction remonterait à 1726. Après le grand incendie du Vendredi saint 1788, qui rasa la quasi-totalité de La Nouvelle-Orléans, Mme Lagacy en confia la reconstruction à Robert Jones, un artisan reconnu. L'officier espagnol Manuel de Lanzos en fut le premier locataire. Cette maison est considérée à juste titre comme l'un des plus beaux exemples d'architecture créole de toute la vallée du Mississippi; ce style développé dans les Antilles françaises allait influencer de nombreux architectes louisianais. Le bâtiment est aujourd'hui la propriété de l'État de la Louisiane, qui l'a transformé en musée. Malheureusement, son accès est strictement réservé à des groupes d'universitaires et à des associations culturelles. Ces privilégiés peuvent y admirer une magnifique collection de meubles d'époque (voir «Le Musée d'État de Louisiane», p 129).

Attraits touristiques

Rendez-vous un peu à l'écart, près du Vieux-Carré Français.

Le parc Louis-Armstrong ★★★ *(au nord du Vieux-Carré Français, entre les rues Saint-Pierre et Saint-Philippe).* Dédié à cette grande figure du jazz et inauguré par sa veuve en 1980, il se trouve à l'emplacement de l'ancien square du Congo. On y trouve également l'**Auditorium municipal** et le **Théâtre des arts de la scène** (Performing Arts).

Aux confins du Vieux-Carré Français et de la rue du Canal, à quelques pas du fleuve, vous pourrez visiter l'Aquarium des Amériques

L'Aquarium des Amériques ★★★ *(13$; tarif combiné aquarium-cinéma : 17,25$; stationnement gratuit de 3 heures près du Hilton Riverside, section réservée à l'Aquarium; tlj 9h30 à 17h; 1 rue du Canal, promenade Woldenberg du Riverfront Park, ☎861-2537).* On peut y admirer, dans leur habitat naturel, plus de 100 000 espèces d'oiseaux, de poissons et de reptiles.

Le bel Aquarium des Amériques, aux lignes résolument modernes, jouit d'une grande popularité et se trouve à proximité d'un parc dont la promenade longe la rive du Mississippi. On y côtoie des petites familles et des centaines d'écoliers venus des États avoisinants en autobus scolaire. L'endroit mérite une visite certes; mais, attention, le coût du stationnement voisin s'avère presque aussi élevé que l'admission! Il est donc préférable d'utiliser le tramway situé au bord du fleuve (Riverfront Streetcar), que l'on peut prendre à partir du Marché Français.

Sitôt le tourniquet d'entrée franchi, l'Aquarium des Amériques offre aux explorateurs les merveilleux mondes marins de la planète. Au rez-de-chaussée, le visiteur passe d'abord sous un immense aquarium voûté dans lequel s'agitent, au-dessus des têtes et de chaque côté de l'arceau de verre, la murène, la raie, le poisson coffre et le requin. La visite se poursuit à travers divers écosystèmes océanographiques et des microcosmes climatiques aménagés de façon à recevoir, dans des environnements reconstitués, les espèces des mers coralliennes des Caraïbes et du Pacifique, ainsi que des mers polaires de l'Arctique et de l'Antarctique.

À l'étage, deux perroquets accueillent les visiteurs dans un espace amazonien recréant l'environnement moite et humide de cette région sud-américaine. Dans cet aménagement se laissent admirer l'esturgeon-chat,

La Nouvelle-Orléans insolite

★★★
La Cité des Morts

La Nouvelle-Orléans est située, en partie, à environ 1,5 m au-dessous du niveau de la mer. Cette particularité causait autrefois des problèmes douloureux aux citoyens désirant ensevelir leurs êtres chers, car le vieux principe d'Archimède voulant que la masse d'eau souterraine repousse le défunt à la surface empêchait toute possibilité d'une sépulture décente. C'est alors que furent créées les «Cités de la mort», où l'on retrouve de nos jours des tombes de tous les styles construites au-dessus du sol.

Il y a en tout 42 cimetières dans la région métropolitaine de La Nouvelle-Orléans. Parmi les plus fréquentés, notons le **cimetière Saint-Louis numéro 1** (St. Louis Cemetery Number 1) (*400 rue du Bassin, juste à l'extérieur du Vieux-Carré Français*). C'est le plus ancien et le plus visité, car on y trouve les sépultures de notables et aussi de personnages mythiques des premiers temps de La Nouvelle-Orléans. Le **cimetière Saint-Louis numéro 2** (St. Louis Cemetery Number 2) (*visites organisées par le Service national des parcs,* ☎ *589-2636*) est divisé en deux parties. Un troisième fut isolé par la municipalité et consacré à l'inhumation des Afro-Américains catholiques, principaux artisans des grilles et ornementations de fer forgé qui décorent les lieux. Enfin, le **cimetière de Métairie**, est un endroit unique au monde autant par la variété des styles de ses monuments que par leur démesure.

Le vaudou

Les Créoles introduisirent le vaudou à La Nouvelle-Orléans au début du XIXe siècle, et cette pratique devint rapidement une mode, un peu comme le Nouvel Âge aujourd'hui.

Originaire du Bénin (ex-Dahomey), ce culte était un amalgame de rites africains et catholiques, et son dieu original était un serpent nommé Zombi.

Vers 1700, le Dahomey avait vendu environ 20 000 esclaves aux Européens, et plusieurs aboutirent à la Martinique, à la Guadeloupe ou en Haïti (alors appelée Saint-Domingue). En 1717, près de 3 000 Africains étaient parvenus jusqu'en Louisiane, après avoir transité par les Indes occidentales françaises (les Antilles). À la suite de rébellions sanglantes en Haïti, les planteurs français, suivis de leurs esclaves, se replièrent sur la Louisiane du Sud. Plusieurs d'entre eux s'établirent à La Nouvelle-Orléans, et c'est ainsi qu'au début des années 1800 le vaudou y fit son apparition.

Le vaudou était avant tout une institution matriarcale. Seules les femmes avaient le droit de présider les cérémonies auxquelles étaient conviés tous les esclaves. La participation à ces cérémonies devint à ce point populaire, qu'en 1817 le Conseil municipal, craignant les soulèvements, limita ces rassemblements au dimanche, dans un endroit étroitement surveillé, le square du Congo (Congo Square).

Pour les adeptes du vaudou, le 23 juin, veille de la Saint-Jean, était le jour le plus important de l'année. On préparait de grands feux de joie, sur lesquels étaient sacrifiés des animaux vivants (poules, grenouilles, chats, serpents), et la foule entonnait des incantations pendant que la «reine» exécutait une danse rituelle.

Les deux personnages les plus connus dans la tradition du vaudou à La Nouvelle-Orléans furent le Docteur Jean et Marie Laveau. Le premier, un colosse à la peau d'ébène marquée de tatouages hideux, prétendait être un prince sénégalais et détenait un pouvoir considérable sur les Créoles, qu'il approvisionnait en amulettes et autres objets de culte.

Marie Laveau, elle, était une grande et séduisante femme à la carnation cuivrée et au regard mesquin. Au début, fervente catholique, elle épousa en 1819, un certain Jacques Paris... qui disparut mystérieusement peu de temps après. C'est alors que Marie Laveau se fit appeler «la veuve Paris», avant de devenir la maîtresse d'un certain Louis-Christophe Duminy de Glapion, dont elle eut 15 enfants.

Aucun lien ne fut officiellement établi entre la disparition de son premier mari et l'adhésion subséquente de Marie Laveau au vaudou, en 1830. Elle régna pendant 30 années sur les bords du lac Pontchartrain, jouissant d'un pouvoir démesuré et n'hésitant pas, dit-on, à éliminer les reines potentielles au moyen de puissants gris-gris. Elle se retira en 1869, et c'est sa fille, née en 1827, qui lui succéda, atteignant une notoriété qui dépassa celle de sa mère. Marie Laveau-De

Glapion est enterrée dans le cimetière Saint-Louis numéro un, près de l'entrée de la rue du Bassin. Sa tombe est toujours décorée de bougies consumées, de fleurs et d'offrandes.

Aujourd'hui, l'influence du vaudou est pratiquement inexistante. Cependant, on trouve encore des boutiques où se procurer gouttes, poudres et gris-gris aux noms aussi évocateurs que «Suivez-moi» et «Poudre de séduction», de même que la célèbre racine appelée «Jean le Conquérant» (High John), dont il est souvent fait mention dans les blues.

Le Musée historique du vaudou de La Nouvelle-Orléans

★★ (The New Orleans Historic Voodoo Museum) *(adulte 5$, aîné et étudiant 4$, visite guidée dans le Vieux-Carré Français 18$, visite guidée dans un cimetière 10$; tlj 10h au crépuscule; 724 rue Dumaine, ☎523-7685).* Dans ce musée unique au monde, on retrouve les objets les plus insolites, témoins séculaires de bons et de mauvais sorts.

l'*arapaïma*, le *pacu*, le poisson coffre puis, dans un bassin leur étant réservés, le carnivore piranha (sa peau est une véritable mosaïque de pépites d'or et d'argent) et la raie léopard aux pastilles blanches et noires. Plus loin se trouvent les espèces arctiques et antarctiques dont de jolis manchots à mèche jaune, qui obtiennent beaucoup de succès auprès des enfants. D'autres lieux reproduisent les fonds marins du golfe du Mexique. Dans un de ces bassins, entre les piliers d'une plate-forme pétrolière reconstituée, des tiges métalliques sont incrustées d'une multitude de coraux. Dans ces eaux s'agitent l'étonnant poisson scie et la tortue géante. Dans d'autres aquariums, les méduses bleues, sans doute les plus magnifiques, déploient leur ombrelle colorée tandis que d'autres bassins reconstituent la ténébreuse profondeur océane afin de mieux permettre l'observation de certaines espèces de poissons aux lueurs phosphorescentes.

Depuis son ouverture, en 1990, le jour de la fête du Travail, l'Aquarium des Amériques a reçu plus de 12 millions de visiteurs. Pour son 10e anniversaire, l'Aquarium a ajouté à ses salles abritant sa vaste collection océanographique une autre galerie uniquement réservée aux hippocampes. On y apprend entre autres que l'hippocampe femelle fait fertiliser ses œufs par le mâle qui l'a fécondée. Le précieux prétendant les conserve et les fertilise jusqu'à la naissance des bébés. La collection est unique puisqu'il est très difficile de conserver l'hippocampe en captivité. Son arrivée a été rendue possible grâce à la précieuse collaboration de l'Aquarium des Amériques à un vaste projet international pour la sauvegarde de l'espèce. L'espèce est en effet gravement menacée d'extinction par une pêche abusive, suscitée par ceux qui croient aux vertus aphrodisiaques de la poudre d'hippocampe séché.

L'IMAX Theatre (*Aquarium des Amériques, 7,75$; tarif combiné cinéma-aquarium : 17,25$; stationnement gratuit de 3 heures près du Hilton Riverside, section réservée à l'Aquarium; tlj 10h à 18h; 1 rue du Canal, promenade Woldenberg du Riverfront Park, ☎581-IMAX ou 800-774-7394*) projette des films consacrés à la mer et à la vie aquatique.

L'Aquarium des Amériques abrite bien d'autres pensionnaires tels que des araignées, des serpents d'eau et de terre, des tortues de mer et d'eau douce, ainsi qu'un alligator albinos. Petits et grands peuvent gentiment flatter, sous l'œil vigilant d'un gardien, un inoffensif bébé requin élevé dans un aquarium aménagé à cet effet!

Ici se termine notre balade dans le Vieux-Carré Français. À vous maintenant d'en arpenter les rues à votre guise et d'y faire vos propres découvertes.

Quartier des Affaires et quartier des Entrepôts

Le quartier des Affaires est un quartier du centre-ville qui se réfère souvent à la rue du Canal (Canal Street) et qui se situe à l'ouest du Vieux-Carré Français. Juste au sud du quartier des Affaires, le quartier des Entrepôts, dont les bâtiments industriels étaient jusqu'à récemment en désuétude, est devenu celui des artistes qui y installent petit à petit de belles galeries.

Le **Centre des arts contemporains** (Contemporary Arts Center) *(5$, entrée libre mar; mar-dim 11h à 17h; 900 rue du Camp, un pâté de maison au sud de l'avenue Saint-Charles et du Lee Circle, ☎528-3805, ⌕528-3828)* diffuse l'art contemporain sous toutes ses formes : théâtre

alternatif, musique, arts visuels, etc. Le **cybercafé** *(tlj 7h à 20h, jusqu'à 11h mer-sam; ☎523-0990)* offre gratuitement l'accès Internet.

La Collection de la Fondation Virlane ★★ (The Virlane foundation Collection) *(entrée libre; 1055 avenue Saint-Charles, Lee Circle)*. Cet organisme privé s'est donné pour objectif de stimuler l'intérêt du public pour les arts et plus particulièrement pour la sculpture contemporaine. La collection se compose d'œuvres d'artistes de partout à travers le monde et connus mondialement; elles sont disposées sur la place entourant l'édifice K&B ainsi qu'à l'intérieur. Un livret explicatif ainsi qu'un plan détaillé sont distribués gratuitement. Outre une sculpture du Britannique Henry Moore *(Reclining Mother and Child)*, on peut apprécier les mouvements de l'ouvrage hélicoïdal *Flight* de l'Américain Lin Emery (à qui l'on doit une œuvre semblable devant le Musée des beaux-arts), *The Virlane Tower* de Kenneth Snelson, une structure de barres métalliques soutenues et reliées entre elles par un câble d'acier qui semble défier la gravité, ou encore la *Bus Stop Lady*, cette femme qui attend l'autobus, grandeur nature, que l'on ne peut s'empêcher de saluer. Bref, on y retrouve plus de 70 créations.

Le Musée des Confédérés ★★★(Confederate Museum) *(4 $; lun-sam 10h à 16h; 929 rue du Camp, ☎523-4522)*. Construit en 1891, ce musée est le plus ancien de la Louisiane. On y voit des milliers de souvenirs d'une valeur inestimable : armes, uniformes, drapeaux datant de la guerre de Sécession et même des objet ayant appartenu aux héros nordistes.

Le Musée louisianais des enfants ★★(Louisiana Children's Museum) *(5$; mar-sam 9h30 à 17h, dim midi à 17h; 420 rue Julia, ☎523-1357, www.lcm.org)*. Musée éducatif pour les enfants. Bonne nouvelle, on peut toucher les objets!

Le Marché des producteurs agricoles de la Cité du Croissant (Crescent City Farmers Market) *(sam 8h à midi; 700 rue Magazine, quartier des Entre-pôts, stationnement au William B. Realy Parking)* est des plus intéressants. Une visite de ce marché permet de découvrir tout ce que les producteurs agricoles louisianais ont de beau, de bon et d'appétissant à offrir aux Néo-Orléanais : vins régionaux, fromages, fruits et légumes, confitures, etc. Il y a toujours des activités sur place pour les grands comme pour les petits, et, sur le coup de 10h, on y fait des démonstrations culinaires avec les denrées offertes dans ce marché public où s'approvisionnent des milliers de citadins ainsi que de nombreux restaurateurs.

Le **Musée national du jour J ★★** (National D-Day Museum) *(7$;tlj 9h à 17h; 945 rue Magazine, angle Howard, quartier des Entrepôts; ☎527-6012)* a été ouvert en grande pompe le 6 juin 2000, jour commémorant le 56e anniversaire du débarquement des Forces alliées sur les côtes françaises.

● **ATTRAITS**

1. Aquarium des Amériques
2. Centre des arts contemporains
3. Cinéma IMAX -
4. Collection de la Fondation Virlane
5. Église de l'Immaculée Conception
6. Église Saint-Patrick
7. Ernest N. Morial Convention Center
8. Gallier Hall
9. Julia Row
10. Monument de Lee
11. Marché des producteurs agricoles de la Cité du Croissant
12. Musée des Confédérés
13. Musée national du Jour J - The National D-Day Museum
14. Musée louisianais des enfants
15. Piazza d'Italia
16. Place d'Espagne
17. Square Lafayette
18. Superdôme de la Louisiane
19. Traversier de la rue du Canal
20. World Trade Center

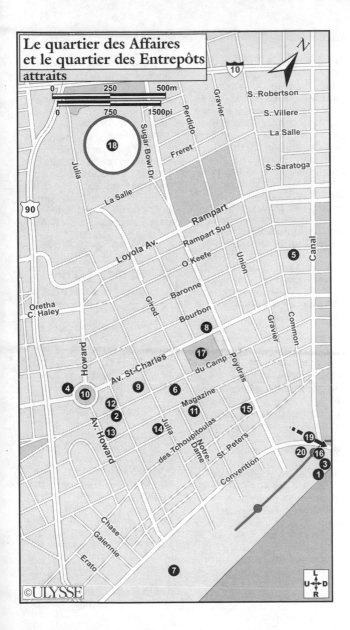

Le quartier des Affaires et le quartier des Entrepôts

attraits

0   250   500m

0   750   1500pi

N

10

S. Robertson

S. Villere

La Salle

S. Saratoga

Gravier

Perdido

Freret

Sugar Bowl Dr.

Julia

La Salle

Rampart

90

Loyola Av.

Rampart Sud

O'Keefe

Union

Canal

5

Baronne

Girod

Bourbon

Oretha
C. Haley

Gravier

Common

8

17

du Camp

Poydras

Howard

Av. St-Charles

4 10

9

6

Magazine

12

2

11

15

Av. Howard

13

14

Julia

des-Tchoupitoulas

Notre-Dame

St. Peters

Convention

19

20 16

3

1

Chase

Gatennie

Erato

7

©ULYSSE

L
U — D
R

L'ouverture de ce musée a été précédée d'un défilé dans les rues de la ville auquel ont participé quelques centaines de vétérans de la Seconde Guerre mondiale (La Nouvelle-Orléans en dénombre environ 10 000) ainsi que des artistes hollywoodiens ayant tenu des rôles dans des films relatant ce haut fait historique. On peut y voir de nombreuses pièces de collection reliées à cette période tourmentée de l'histoire ainsi que des documentaires et des films de fiction, dont le grand classique cinématographique *Le Jour J*, projetés dans une salle du musée.

Le Musée Ogden des arts du sud des États-Unis – Université de la Nouvelle-Orléans ★★ (The Ogden Museum of Southern Art -University of New Orleans) (☎539-9600). Ce tout nouveau musée expose, comme son nom l'indique si bien, les œuvres de centaines d'artistes sudétasuniens. Moderne, il est entièrement voué à faire connaître les arts visuels américains, anciens et contemporains. Les amateurs d'art et les chercheurs trouvent ici une foule de renseignements sur l'évolution des différents courants et écoles qui ont marqué à travers les ans les peintres et sculpteurs originaires du sud des États-Unis ou qui y ont vécu.

Le Superdôme de la Louisiane ★★ (Louisiana Superdome) *(6$; visites guidées 10h, midi, 14h et 16h; Sugar Bowl Drive, 1500 rue de Poydras, ☎587-3808 ou 587-3810).* Construit en 1975, il peut accueillir 80 000 personnes; c'est le plus grand bâtiment de ce type au monde. C'est ici que se déroulent les grands événements sportifs, les mégaconcerts, etc.

La Cité-Jardin (Garden District)

La Compagnie française des Indes avait cédé à Bienville un immense territoire à l'ouest (ou en amont du fleuve) du Vieux-Carré Français. La concession s'étendait jusqu'à Nine Mile Point, une sinuosité du fleuve au-delà de ce qui est aujourd'hui la rue Carrollton et le Riverbend. Il n'en occupa qu'une petite partie, une bande d'environ 2 km en bordure du Vieux-Carré Français; ce secteur devint la partie réduite de sa plantation. Lorsqu'il part pour la France, il cède ses terres aux jésuites, qui y cultivent la canne à sucre (près de la zone où se trouve l'église des Jésuites, au 130 de la rue Baronne) jusqu'à ce qu'ils soient expulsés de la

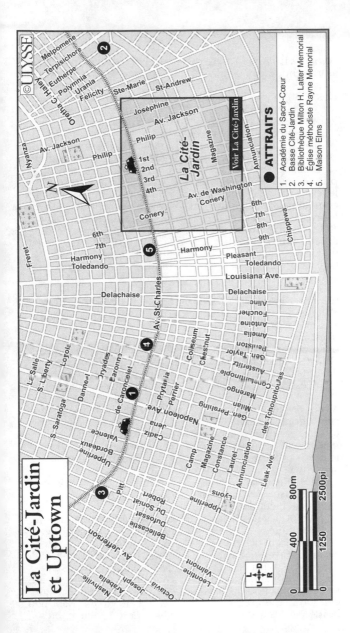

La Cité-Jardin et Uptown

© ULYSSE

Voir La Cité-Jardin

La Cité-Jardin

N

L
U ← → D
R

800m   400   0
2500pi   1250   0

Melpomene
Terpsichore
Eutherpe
Polymnia
Urania
Felicity
Camille C. Haley
Clio

Ste-Marie
St-Andrew
Joséphine
Av. Jackson
Philip
1st
2nd
3rd
4th
Conery
Av. de Washington

Nyanza
Av. Jackson
Philip

Freret
6th
7th
Harmony
Toledando

Magazine
Annunciation
6th
7th
8th
9th
Chippewa

Harmony
Pleasant
Toledando
Louisiana Ave.

Delachaise
Delachaise
Aline
Foucher
Antoine
Amelia
Pellison
Gen. Taylor
Austerlitz
Constantinople
Marengo
Milan
Gen. Pelailing
des Tchoupitoulas

Av. St-Charles

Coliseum
Chestnut
Prytania
Perrier
Napoleon Ave.
Jena
Cadiz
Camp
Magazine
Constance
Laurel
Annunciation
Leak Ave.
Lyons
Upperline

Le Salle
S. Liberty
Loyola
Dryades
Baronne
de Caronlelet
Valence
Bordeaux
Upperline
S-Saratoga
Danneel

Pitt
Robert
Du Sonat
Dufossat
Bellecastle
Av. Jefferson

Octavia
Joseph
Arabella
Nashville
Leontine
Valmont

colonie en 1763. La terre est alors vendue aux enchères.

Dès 1740, plusieurs segments étaient vendus en lotissements en bordure du Mississippi et devenaient les plantations d'Hauterive, Broutin, Darby, Carrière et Livaudais. Subdivisées, ces plantations formèrent avec le temps les trois petites communautés de Nuns, Lafayette et Livaudais. En 1832, les communes s'associaient pour former la cité de Lafayette, et, 11 ans plus tard, la cité annexait le Faubourg Lassaiz, plus à l'ouest, étendant ainsi ses frontières jusqu'à la rue Toledeno (près de l'avenue Washington). C'est en 1852 que Lafayette devint un quartier de La Nouvelle-Orléans; elle comptait plus de 14 000 habitants dont 1 500 esclaves.

À leur arrivée, les Américains, dont plusieurs étaient fortunés, choisirent cet emplacement. Le Vieux-Carré Français et le Faubourg Marigny était habité par les Créoles et les Français. Les terrains vastes favorisaient l'aménagement de jardins et, bientôt, les résidences aristocratiques s'échelonnèrent le long des rues Noyades (avenue Saint-Charles) et Magazine. Le secteur fut bientôt connu sous l'appellation de Garden District, un rectangle bordé par les avenues Jackson et Louisiane, par la rue Magazine et l'avenue Saint-Charles. À l'origine les rues Apollo (Garondelet), côté lac, et Joséphine, en aval, en faisaient partie.

Aujourd'hui les quartiers au nord et au sud sont habités par des Afro-Américains vivant dans une pauvreté apparente. On recommande même aux touristes d'éviter ces quartiers noirs vivant dans une pauvreté désolante (HLM délabrés, voitures délaissées, sans roues...). Un méchant contraste!

La visite à pied de la Cité-Jardin débute sur l'avenue de Washington.

Au long de votre promenade dans la Cité-Jardin, vous serez charmé par les résidences somptueuses et leurs jardins. Nous avons déjà souligné la particularité de certaines demeures et sites historiques de cet arrondissement de La Nouvelle-Orléans. Prenez le temps d'admirer la Cité-Jardin. Prévoyez environ deux heures de balade.

Le **cimetière Lafayette** ★★ (*1400 avenue de Washington*) existe depuis 1833 et était alors la propriété de la Ville de Lafayette avant que celle-ci ne soit annexée à La Nouvelle-Orléans. Puisque les «Américains» étaient peu prisés dans les cimetières

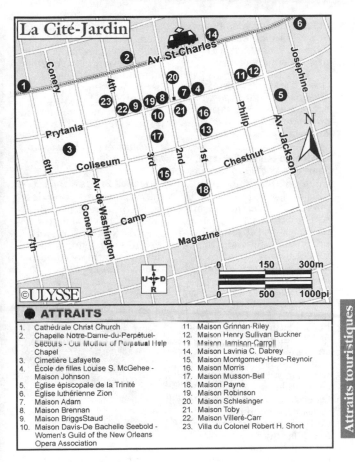

La Cité-Jardin

● ATTRAITS

1. Cathédrale Christ Church
2. Chapelle Notre-Dame-du-Perpétuel-Secours - Our Mother of Perpetual Help Chapel
3. Cimetière Lafayette
4. École de filles Louise S. McGehee - Maison Johnson
5. Église épiscopale de la Trinité
6. Église luthérienne Zion
7. Maison Adam
8. Maison Brennan
9. Maison BriggsStaud
10. Maison Davis-De Bachelle Seebold - Women's Guild of the New Orleans Opera Association

11. Maison Grinnan-Riley
12. Maison Henry Sullivan Buckner
13. Maison Jamison-Carroll
14. Maison Lavinia C. Dabrey
15. Maison Montgomery-Hero-Reynoir
16. Maison Morris
17. Maison Musson-Bell
18. Maison Payne
19. Maison Robinson
20. Maison Schlesinger
21. Maison Toby
22. Maison Villeré-Carr
23. Villa du Colonel Robert H. Short

Attraits touristiques

près du Vieux-Carré Français, de nombreuses personnes d'origine allemande (il ne s'agit pas ici de descendants des colons venus s'établir en Louisiane au XVIIIe, mais d'immigrants arrivés à La Nouvelle-Orléans beaucoup plus tard) et irlandaise y ont été ense-velies. En 1852, la fièvre jaune fait rage et plus de 2 000 victimes sont alors inhumées dans ce seul ci-metière. La plupart des tombes sont recouvertes de modestes monuments. En 1970, la Ville de La Nou-velle- Orléans entreprend de restaurer des tombeaux et, dans le but d'embellir les lieux, fait planter une belle allée de magnolias à l'entrée du cimetière.

À la sortie du cimetière, sur l'avenue de Washington, dirigez-vous vers la rue Prytania, puis marchez jusqu'à la 4ᵉ Rue. Tournez à droite.

La **villa du colonel Robert H. Short** *(1448 4ᵉ Rue)* fut construite en 1859. Quatre ans plus tard, au plus fort de la guerre de Sécession, la maison est saisie par les forces fédérales en l'absence du propriétaire rebelle. On remarquera les balcons en fer forgé aux formes dentellées ainsi que la particularité des motifs de la clôture qui évoquent des épis de maïs. L'histoire veut que la femme du colonel s'ennuyait tant du Kentucky que son mari lui dénicha cette grille rappelant les champs de maïs de sa lointaine contrée. Ce beau portail, fabriqué à la fonderie Wood & Perot de Philadelphie, n'est pas sans rappeler celui de la maison du 915 de la rue Royale, dans le Vieux-Carré Français.

Regagnez la rue Prytania et traversez la rue.

La **maison Villeré-Carr** *(2621 rue Prytania)* a été bâtie vers 1870 dans le plus pur style néoclassique pour l'un des membres de la célèbre famille néo-orléanaise Villeré. Son porche et ses fenêtres angulaires s'intègrent harmonieusement à ce bel ensemble architectural particulièrement recherché à l'époque.

Poursuivez votre balade dans la rue Prytania.

La **maison Briggs-Staud** *(2605 rue Prytania)* est l'une des rares constructions gothiques de la ville. Elle fut érigée en 1849, et son architecture s'imprègne fortement des influences européennes de l'époque.

Villa du colonel Robert H. Short

Empruntez la 3ᵉ Rue et dirigez-vous vers le numéro 1331.

La **maison Musson** *(1331 3ᵉ Rue)*, élevée en 1850, est une commande du riche marchand de coton Michel Musson, oncle du célèbre peintre Edgar Degas. La demeure est magnifiquement ceinturée de balcons en fer forgé ouvragé. Ces lieux ont été le témoin d'une bien triste histoire conjugale. En 1872, Edgar et son frère René arrivent de France pour visiter leur famille maternelle. René tombe éperdument amoureux de sa cousine Estelle, malheureusement aveugle depuis l'âge de 12 ans. Puisqu'ils sont cousins au premier degré, René et Estelle obtiennent une dispense papale pour vivre leur bonheur sans contrainte religieuse. De leur union, naissent quatre enfants. Chaque après-midi, une amie d'Estelle vient lui faire la lecture et profite de ses visites pour courtiser René. Succombant aux charmes de la lectrice, René abandonne Estelle et ses enfants. Fou furieux, le père d'Estelle répudie son gendre et adopte ses petits-enfants en leur donnant le nom de Musson et raya définitivement le nom de Degas de sa famille. Le nom et l'image d'Estelle ont toutefois été immortalisés sur une toile peinte par Edgar (le frère peintre de René) intitulée *Le portrait d'Estelle*, que l'on peut admirer au Musée des beaux-arts de La Nouvelle-Orléans (voir p 162).

Continuez jusqu'au numéro 1213.

La **maison Montgomery-Hero-Reynoir** *(1213 3ᵉ Rue)*, splendide demeure, a été cons-truite vers 1868, peut-être même avant la guerre de Sécession, par Archibald Montgomery. L'année du décès de Montgomery, en 1885, et jusqu'en 1977, la demeure devient la propriété de la famille Hero. Les verdoyantes persiennes de ses fenêtres ainsi que les fines colonnes blanches qui s'élèvent des galeries (à l'avant et sur le côté) confèrent une touche particulière à cette belle demeure restaurée dans toute l'élégance de son époque par les Reynoir, ses derniers propriétaires.

Renevez sur vos pas jusqu'à la rue Prytania. Puis dirigez-vous vers la chapelle.

La **chapelle Notre-Dame-du-Perpétuel-Secours** (Our Mother of Perpetual Help Chapel) *(2521 rue Prytania)*, d'abord construite à titre de résidence privée en 1856, a ensuite été aménagée en chapelle pour les besoins du culte des pères rédemptoristes.

Continuez par la rue Pritania.

La **maison Brennan** *(2507 rue Prytania)*, avec ses éblouissantes colonnes d'inspiration corinthienne, date de 1852. Les riches propriétaires de l'époque ont eu recours à un artiste de Vienne pour décorer avec des feuilles d'or la magnifique salle

Edgar Degas à La Nouvelle-Orléans

En 1872, Edgar Degas se rend à La Nouvelle-Orléans d'où est originaire sa mère, née Musson, et où ses frères, Achille et René, se sont établis comme marchands de coton.

Le pays l'enchante. *«Rien ne me plaît comme les négresses de toute nuance, tenant dans leurs bras des petits Blancs, si blancs, sur des maisons blanches à colonnes de bois cannelées et en jardins d'orangers et les dames en mousseline sur le devant de leurs petites maisons et les steamboats à deux cheminées, hautes comme des cheminées d'usine, et les marchands de fruits à boutiques pleines et bondées, et le contraste des bureaux actifs et aménagés si positivement avec cette immense force animale, ...etc. Et les jolies femmes de sang pur et les jolies quarteronnes et les négresses si bien plantées!»*, écrit-il à un ami parisien.

Ses lettres sont généralement rédigées sur papier à en-tête des *de Gas Bro-*

thers, ses frères ayant conservé la particule, de bon effet dans le milieu élégant où ils évoluent. Le peintre pour sa part y a renoncé. *«Dans la noblesse, on n'a pas l'habitude de travailler. Puisque je veux travailler, je porterai donc un nom roturier»*, expliquait-il.

Sa correspondance reflète bien la vie mondaine à La Nouvelle-Orléans, quelque peu secouée après la guerre de Sécession. Dans une lettre du 5 décembre à son ami Rouart, il déplore l'absence de la traditionnelle saison d'opéra. Enceinte, *«la pauvre Estella* —la cousine des Degas devenue femme de René est aveugle— *qui est musicienne comptait là-dessus. On lui aurait loué une baignoire où elle n'aurait jamais manqué d'aller jusqu'à son accouchement.»* *«À la place*, souligne-t-il toutefois, *nous avons une troupe de comédie, drame, vaudeville, où il y a d'assez bons et beaucoup de talents de Montmartre».*

Degas rapportera de ce séjour quelques «scènes» de famille et d'importants tableaux dont *Portrait dans un bureau*, plus communément appelé *Le Bureau de coton à La Nouvelle-Orléans,* première œuvre à entrer dans un musée français, celui de Pau, auquel elle appartient toujours. On y voit, parmi les commerçants en pleine effervescence, René, qui lit nonchalamment le journal, et, adossé à un mur avec un air absent, son associé Achille. Les deux frères devaient d'ailleurs faire faillite, et c'est, ironie du sort, Edgar l'artiste qui, pour sauver l'honneur du nom, assumera leurs dettes.

de bal qui faisait tant la fierté des hôtes.

Retraversez la rue Prytania.

La **maison Davis-De Bachelle Seebold** – la **Women's Guild of the New Orleans Opera Association** *(2504 rue Prytania)* a d'abord logé Edward Davis, qui en avait commandé la construction en 1858. Le docteur Hermann de Bachelle Seebold et son épouse, mélomanes et amis des arts, en font l'acquisition en 1944. Au décès de Mᵐᵉ Seebold, l'association culturelle hérite de cette résidence flanquée d'une tourelle octogonale, l'une des rares ouvertes au public *(réservation exigée)*. Tout le mobilier est de la même époque que ses premiers propriétaires.

Continuez par la rue Prytania. Dans la 2ᵉ Rue, tournez à droite.

Une partie de la **maison Schlesinger** *(1427 2ᵉ Rue)* était autrefois rattachée à la résidence d'une importante plantation. L'annexe fut déménagée puis accolée au bâtiment en construction dans les années 1850. Les portes-fenêtres donnant directement sur le balcon, avec leurs 4 m presque à hauteur de plafonds, sont une particularité de cette propriété.

Revenez sur vos pas jusqu'à la rue Prytania et tournez à droite.

La **maison Adams** *(2423 rue Prytania)* : ayant acquis un terrain appartenant à la plantation de François de

Livaudais en 1860, le commerçant John I. Adam s'y fit construire une résidence qu'il habita à partir de 1896. Les deux galeries, l'une à l'avant l'autre sur le côté, sont entourées d'une série de colonnades blanches.

Retraversez la rue Prytania.

L'**école de filles Louise S. McGehee** *(2343 rue Prytania)*, œuvre de l'architecte James Freret, dévoile des lignes fortement influencées par l'École des beaux-arts de France, où le maître étudia de 1860 à 1862. Freret construisit cette résidence en 1872 pour le riche planteur de canne à sucre Bradish Johnson. En 1929, la maison devait être transformée en une école de filles privée.

En face se trouve la **maison Toby** *(2340 rue Prytania)*, mieux connue sous le nom de **Toby's Corner** (elle fait l'angle de la 1re Rue et de Prytania). On raconte que c'est sans doute l'une des plus vieilles résidences de la Cité-Jardin. Son style s'inspire des maisons créoles des Antilles. Lors de sa construction, en 1838, son propriétaire, un fortuné homme d'affaires originaire de Philadelphie, prit bien soin de faire surélever sa demeure afin de la protéger des inondations toujours possibles à La Nouvelle-Orléans.

Dirigez-vous vers la 1re Rue et tournez à droite.

La **maison Jamison-Carroll** *(1315 1re Rue)*, érigée en 1869 dans un style d'inspiration italienne par son premier propriétaire, Samuel Jamison, devait ensuite accueillir Joseph Carroll, magnat du coton venu de sa Virginie natale pour s'enrichir à La Nouvelle-Orléans. De magnifiques balcons et une clôture en fer forgé ornent cette belle résidence aux tons pastel.

Regagnez la rue Prytania.

La **maison Grinnan-Riley** *(2221 rue Prytania)* : c'est à l'architecte Henry Howard, à qui l'on doit de nombreuses demeures à La Nouvelle-Orléans, que l'Anglais Robert A. Grinnan confia les plans de construction de son hôtel particulier. Un fait intéressant à mentionner : les armoiries apparaissant sur la porte de l'entrée principale sont semblables à celles de la plantation Nottoway (située à White Castle), également dessinées par Howard.

Remontez la 1e Rue jusqu'à l'avenue Saint-Charles.

La **maison Lavinia C. Dabrey** *(2265 avenue Saint-Charles)*, élevée en 1856-1857, est l'œuvre de la firme d'architectes Gallier-Turpin et associés. La résidence Dabrey fut ensuite habitée, à partir de 1893, par la famille de Jonas O. Rosenthal, qui l'occupa jusqu'en 1952. Cette même année, elle devient le siège du diocèse de l'Église épiscopale jusqu'en 1972.

Continuez votre balade sur l'avenue Saint-Charles jusqu'à l'avenue Jackson.

La **maison Henry Sullivan Buckner** *(1410 avenue Jackson)*, construite en 1856 par le fameux architecte Lewis E. Reynolds, avec ses grandioses balcons à colonnades ceinturés de fer ouvragé, est l'une des plus majestueuses résidences de la Cité-Jardin. En 1983, le Collège Soulé transforme cette belle propriété en une maison d'enseignement.

L'**église épiscopale de la Trinité** *(1329 avenue Jackson)* : les travaux de construction de cette imposante église de style gothique, commandés à l'architecte George Purves, débutent en 1852. En 1873, d'importantes modifications sont apportées à l'église, ouvrage commun de l'architecte Charles L. Hilger et de l'entrepreneur Middlemiss : on ajoute entre autres l'actuelle façade, la tour et le portail.

Ici se termine la visite de la Cité-Jardin.

Riverbend

La durée de ce circuit dépend du temps que vous passerez au parc Audubon ainsi qu'au Jardin zoologique du même nom. Prévoyez environ une demi-journée dont deux à trois heures pour visiter le zoo. Vous pourrez vous rafraîchir et manger au jardin zoologique, à moins que vous ne décidiez de faire un pique-nique dans le parc Audubon. Emportez une bouteille d'eau pour votre balade si vous ne voulez pas vous ajouter aux longues files d'attente des fontaines qui se forment immanquablement certains jours de fréquentation des écoliers ou de canicule!

Milton H. Latter Memorial Library *(lun sam 10h à 17h, dim 12h30 à 16h30; 5120 avenue Saint-Charles,* ☎*596-2625)*. Construite en 1907, cette bibliothèque a d'abord été la résidence de l'actrice de films muets Marguerite Clark. La famille Latter a ensuite acquis la maison, puis l'a offerte à la Ville en 1948, en mémoire de leur fils décédé pendant la Seconde Guerre mondiale. La bibliothèque est ouverte au public et vaut la peine d'être visitée.

Attraits touristiques

*Rendez-vous jusqu'à l'inter-
section de l'avenue Saint-
Charles et de la rue Walnut.*

L'**Université Tulane - Gibson
Hall** *(6823 avenue Saint-Charles)* ont été érigés dans les
années 1893-1894. Leurs
plans furent dessinés par les
architectes Harrod et Andry,
et primés lors d'un con-
cours mené à travers l'État
de la Louisiane. Les ga-
gnants se virent également
octroyer la tâche de créer
les autres pavillons du campus dont le Tilton Hall (à
gauche du Gibson Hall),
construit en 1901, et le Din-
widdie Hall (à droite du
Gibson Hall) en 1936.
L'Université a été fondée en
1834 et portait alors le nom
de Collège de médecine de
la Louisiane avant de prendre son titre d'Université de
la Louisiane. Paul Tulane
ayant été l'un des principaux donateurs de l'éta-
blissement universitaire, elle
porte ce nom depuis 1884.
La même année, l'État de la
Louisiane renonce à conserver le caractère public de
cette maison d'enseigne-
ment, et l'Université Tulane
devient alors une institution
privée.

Le **Centre de recherche Amistad** (Amistad Research Center) *(lun-sam de 8 h 30 à
17 h; Tilton Hall, Université
Tulane, ☎865-5535)* est un
important centre d'archives
sur l'histoire des minorités
ethniques des États-Unis

traitant entre autres des
relations raciales et des
mouvements pour les droits
civiques.

L'**Institut de recherche sur
l'Amérique centrale** ★★
(Middle American Research
Institute & Art Gallery) *(entrée libre; lun-ven 8h30 à 16h;
6823 av. Saint-Charles, Din-
widdie Hall, Université Tulane,
☎865-5110)* existe depuis
1924 et présente une exposition sur les époques précolombienne et hispa-
no-américaine. On peut
notamment y admirer une
intéressante collection d'arts
maya et guatémaltèque ou
consulter les livres et documents de l'impressionnante
bibliothèque consacrée à
l'Amérique centrale.

*Continuez par l'avenue
Saint-Charles.*

À l'exception de la Faculté
de droit située sur l'avenue
Saint-Charles, à l'angle de la
rue Broadway, le **campus de
l'Université Loyola** *(6363
avenue Saint-Charles)* côtoie
celui de l'Université Tulane
et s'étend ainsi jusqu'à la
rue Calhoun. Au centre du
campus se dresse l'impo-
sante église de style gothique Saint-Nom-de-Jésus
(Holy Name of Jesus). De-
puis sa fondation par les
jésuites en 1911, l'Université
a su se distinguer par ses
programmes de droit et de
communications. Cette dernière faculté est regroupée

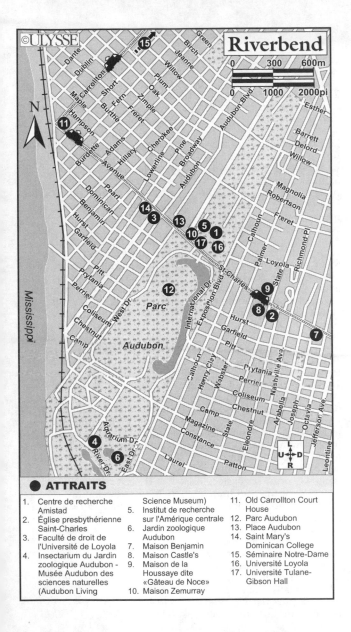

© ULYSSE

Riverbend

0   300   600m

0   1000   2000pi

Mississippi

N

Parc Audubon

● ATTRAITS

1. Centre de recherche Amistad
2. Église presbythérienne Saint-Charles
3. Faculté de droit de l'Université de Loyola
4. Insectarium du Jardin zoologique Audubon - Musée Audubon des sciences naturelles (Audubon Living Science Museum)
5. Institut de recherche sur l'Amérique centrale
6. Jardin zoologique Audubon
7. Maison Benjamin
8. Maison Castle's
9. Maison de la Houssaye dite «Gâteau de Noce»
10. Maison Zemurray
11. Old Carrollton Court House
12. Parc Audubon
13. Place Audubon
14. Saint Mary's Dominican College
15. Séminaire Notre-Dame
16. Université Loyola
17. Université Tulane-Gibson Hall

dans le pavillon Louis J. Roussel.

Traversez l'avenue Saint-Charles en direction du parc Audubon.

Le **parc Audubon** fait face aux universités Tulane et Loyola. Il s'étend depuis la rue Saint-Charles jusqu'à la rive nord du Mississippi, enserrant la partie du zoo du même nom, bordé par les rues Walnut et Calhoun.

Ce terrain appartenait autrefois à Jean-Baptiste Le Moyne, sieur de Bienville, avant de devenir la propriété du planteur Étienne de Boré, premier maire de La Nouvelle-Orléans et père de la commercialisation industrielle du sucre granulé louisianais. La Ville a acquis le terrain en 1871. En 1884-1885, on s'affaira à y organiser l'Exposition mondiale du coton pour souligner le centenaire de cette industrie. Les prétentions mégalomanes des organisateurs de l'évènement ne semblaient avoir aucune limite et, pour l'occasion, ils firent construire notamment le plus grand bâtiment du monde dont le hall d'exposition avait une superficie de 14 ha. Les sommes déraisonnables investies pour la tenue de cette manifestation provoquèrent un véritable désastre financier. Il ne reste plus rien de ces bâtiments aujourd'hui. Quel-

ques années plus tard, on confia à Frederick Law Olmsted (le créateur du Central Park à New York et du parc du Mont-Royal à Montréal) la tâche d'aménager ce magnifique parc. Son appellation Audubon rend hommage au célèbre Jean-Jacques Audubon, peintre et ornithologue, pour son apport et sa contribution à La Nouvelle-Orléans.

Le parc Audubon est l'un des plus grands parcs urbains des États-Unis et également l'un des plus réputés au pays. Il est parsemé de lagunes et de fontaines. Plusieurs de ses chênes datent du temps de la plantation de Boré. Outre la visite du Jardin zoologique Audubon (voir ci-dessous), maintes activités de plein air peuvent y être pratiquées : golf, tennis, vélo, course à pied, marche et équitation. L'un des trajets de course à pied indique à chaque quinzaine de postes les exercices de conditionnement physique à faire lors de cette activité. Le parc offre également des aires de repos et de pique-nique, une piscine, des terrains de jeux pour les enfants, etc.

On peut atteindre le Jardin zoologique Audubon en traversant à pied le parc Audubon et en longeant le golf (situé à main droite lorsqu'on fait face au parc sur l'avenue Saint-Charles). Prévoyez de 45 min à une heure de marche. Il y a aussi la possibilité d'utiliser le service de navette faisant le trajet depuis l'avenue Saint-Charles jusqu'au Jardin zoologique.

Le **Jardin zoologique Audubon** *(9$; attention, les derniers billets sont vendus 1 heure avant la fermeture, soit à 16h; sam-dim 8h30 à 18h)* a déjà été considéré comme l'un des plus infâmes du genre aux États-Unis. Les conditions déplorables dans lesquelles vivaient ses pensionnaires suscitaient des tollés de protestations auprès des amis des bêtes. Heureusement, cette situation a radicalement changé, et aujourd'hui le Jardin zoologique jouit d'une excellente réputation. Le zoo privilégie l'habitat naturel des animaux, ce qui favorise autant leur reproduction. Plus de 1 800 espèces différentes peuvent être observées, dont des alligators albinos (blancs) dans une aire nommée «Marécage Louisianais» (Louisiana Swamp). D'autres lieux reproduisent l'environnement d'un bayou cadien avec sa flore et sa faune. Dans cet aménagement, on apprend entre autres comment la fameuse mousse espagnole est récoltée et utilisée comme matériau de rembourrage pour les meubles; on y trouve aussi un camp

de pêche reconstitué et équipé de filets à crevettes et de pièges à écrevisses, ainsi qu'un dragueur servant à la cueillette des huîtres dans le golfe du Mexique. Plus loin, si le cœur vous en dit, c'est le monde merveilleux des reptiles qui convie le visiteur. Au Reptile Encounter se laissent admirer les plus grandes espèces de serpents au monde, du cobra géant qui peut atteindre jusqu'à 6 m de long à l'anaconda vert mesurant parfois jusqu'à 12 m. Une toute nouvelle exposition intitulée *Butterflies in Flight* présente un vidéo sur la métamorphose et les migrations des papillons. Ensuite, on pénètre dans une serre humide (ou volière) accueillant des milliers de papillons exotiques qui volent en toute liberté. À proximité de la serre, à l'ombre des arbres séculaires, la statue de Jean-Jacques Audubon veille sur ses amis du monde animalier et sur les visiteurs.

Récemment le Jardin zoologique Audubon a aménagé un espace aquatique absolument magnifique. Le **Marécage du zoo Audubon** (Audubon Zoo Swamp), une réplique naturelle de ces marais que l'on peut voir du côté du bucolique pays cadien, est une réalisation tellement bien réussie que l'endroit nous fait presque

Attraits touristiques

oublier la proximité urbaine. Une particularité de ce marais est d'accueillir des alligators «blancs» ou albinos. Ces lieux évoquent donc la quiétude de l'Acadie louisianaise avec sa faune et sa flore particulières. Il est possible de casser la croûte, convenablement, sur place et de goûter à la fameuse cuisine cadienne et créole.

Autre surprise du Jardin zoologique Audubon, sa récente **Tanière des Dragons**

Le «dragon dégustateur» de Komodo

Parmi les intéressantes anecdotes qui nous sont racontées à la Tanière des Dragons du Jardin zoologique Audubon, il y a celle de ce varan Komodo de 40,5 kilos ayant dévoré à lui seul un porc de 45,5 kilos dans un temps record de 20 minutes. Imaginez, pour qu'un humain pesant approximativement 50 kilos puisse battre cette performance, il lui faudrait avaler quelque 320 hamburgers d'un quart de livre ou de 125 grammes en l'espace de 20 minutes. Voulez-vous tentez l'expérience?

abrite des espèces rares de reptiles dont le varan de Komodo (*Varanus komodœnsis*). Ce varan carnassier des îles indonésiennes impressionne le visiteur autant par sa taille que par sa véracité. Le mastodonte aux mâchoires fortement armées de dents, dont on dit être aussi tranchantes que celles du requin, mesure facilement de deux à trois mètres et son poids peut atteindre jusqu'à 90 kg. Le plus grand varan répertorié à ce jour avait une longueur de 3,5 m et pesait pas moins de 175 kg.

La **Jungle du Jaguar** (The Jaguar Jungle) est une autre belle réalisation du Jardin zoologique Audubon. Afin de donner plus d'authenticité à l'habitat du jaguar d'Amérique, que le zoo accueille depuis peu, on a créé une forêt tropicale centraméricaine. Dans cette mini-jungle ont été placées des répliques de sculptures mayas trouvées dans les régions de Copán et de Chichén Itzá ainsi que dans d'autres sites archéologiques d'Amérique centrale.

L'**Insectarium du Jardin zoologique Audubon – Musée Audubon des sciences naturelles** (Audubon Living Science Museum) est le seul existant en Amérique avec celui du Jardin botanique de Montréal, le plus important. L'endroit, qui a une superficie de 27 000 m^2, se veut fort instructif pour les grands comme pour les petits intéressés à approfondir leurs connaissances sur les insectes nuisibles et utiles qui peuplent tous les recoins de notre planète. Cet apprentissage scientifique nous fait remonter à quelque 350 millions d'années et nous amène ensuite à la découverte des bestioles propres à la Louisiane. Ce sujet est fort intéressant puisque, dès le début de la colonisation française, la présence de certains insectes et moustiques indigènes, occasionnant souvent à cette époque des épidémies de paludisme et de fièvre jaune, a eu un impact important sur le développement de la Louisiane.

Mid-City

Au nord du Vieux-Carré Français et du quartier des Affaires, se trouve le quartier Mid-City, qui s'étend, d'est en ouest, entre le parc de la Ville et le cimetière de Métairie, d'où l'on accède à la banlieue du même nom.

Le **Musée afro-américain de La Nouvelle-Orléans** (New Orleans African-American Museum) *(mar-sam 10h à 17h; 1418 rue Gov. Nicholls, ☎527-0989, www.treme.com)* est voué à la préservation de l'art et de la culture de la communauté noire de La Nouvelle-Orléans. Le musée loge dans la **maison Meilleur Goldwaite** (1828-1829), une belle villa créole, à proximité du Vieux-Carré Français et du parc Louis-Armstrong, dans le Faubourg Tremé. Vous pouvez voir des œuvres d'artistes afro-américains au restaurant Dooky Chase (voir p 279).

Sun Oak ★ *(5$; sur rendez-vous; 2020 rue de Bourgogne, ☎945-0322)*, dans le faubourg historique Marigny. Cottage créole avec ornementation néo-classique. Belle collection de meubles français, créoles et cadiens. Arts décoratifs. Grand parc, hébergement.

L'Arrondissement et district historique de l'Esplanade – Région du bayou Saint-Jean et Lakefront ★★★. Si la Cité-Jardin de l'avenue Saint-Charles est l'expression architecturale des Néo-Orléanais d'origine américaine, le quartier qui va du Vieux-Carré Français au bayou Saint-Jean (ou St. John) est en grande partie constitué des superbes résidences des vieilles familles françaises. Au 2306 de l'avenue de l'Esplanade, on voit ce qui fut, pour une brève période de l'hiver 1872, la résidence du peintre impressionniste Edgar Degas, venu rendre visite à ses frères financiers de La Nouvelle-Orléans.

Le Musée des beaux-arts de La Nouvelle-Orléans ★★★ (New Orleans Museum of Art) *(6 $; mar-dim 10h à 17h; 1 avenue Lelong, parc de la Ville, ☎488-2631)*. Le Musée des beaux-arts de La Nouvelle-Orléans doit son ouverture à un généreux mécène. Fils d'une riche famille de planteurs de la Jamaïque, Isaac Delgado, né en 1837, quitte son île à l'âge de 14 ans. Il vient rejoindre à La Nouvelle-Orléans son oncle Samuel, qui fait fortune dans l'industrie sucrière. Devenu riche à son tour, Isaac Delgado se montre prodigue envers sa ville adoptive. Au début du XX^e siècle, il multiplie les dons aux organismes de bienfaisance et, en 1905, il remet 180 000$ à l'hôpital de la Charité. Véritable dilettante des arts, Delgado remet en 1910 une somme de 150 000$ afin que soit construit au parc de la Ville (City Park) un musée des beaux-arts digne de la cité qu'il affectionne tant.

L'imposant bâtiment, dont le hall laisse pénétrer amplement la lumière du jour, est l'œuvre de l'architecte Samuel A. Marx. Ce dernier dit avoir donné à sa construction, dont l'architrave est supportée par quatre immenses colonnes, un style grec tout en l'adaptant au climat subtropical. Quant à la collection, elle se répartit par thèmes dans les nombreuses salles des deux niveaux. Le musée regorge de trésors de toutes les époques et de tous les continents dont une riche collection d'art de la Renaissance obtenue en octobre 1952 grâce à une donation de la Fondation Samuel H. Kress.

Parmi les pièces que peuvent admirer les visiteurs du musée, figurent de splendides sculptures précolombiennes, une riche collection de verres et de faïences ainsi que des céramiques de factures européennes, américaines et chinoises, de remarquables tableaux du XVIIe siècle provenant de la fameuse école péruvienne de Cuzco, plusieurs œuvres de grands maîtres flamands, hollandais, italiens et français, de même que de la peinture américaine contemporaine, des toiles peintes par Edgar Degas durant son séjour à La Nouvelle-Orléans chez son oncle maternel Michel Musson, des bronzes de ce même artiste et de Rodin, des meubles des XVIIIe et XIXe siècles, etc. Un coin du musée a été aménagé en boutique.

Le parc de la Ville ★★★ (City Park). Ce parc de 750 ha s'étend depuis l'avenue de l'Esplanade, au nord du Vieux-Carré Français, jusqu'au lac Pontchartrain. Ce

0 1 2km
0 0,5 1mi

Lac Pontchartrain

N

ATTRAITS

1. Bucktown
2. Campus de l'Université de La Nouvelle-Orléans
3. Cimetières Greenwood, Saint-Patrick et Métairie
4. Jardin botanique de La Nouvelle-Orléans
5. Lakeshore Drive
6. Maison Blanc
7. Maison Ducayet – Maison Pitot
8. Maison Longue-Vue et ses jardins
9. Maison Musson
10. Musée afro-américain de La Nouvelle-Orléans (New Orleans African American Museum)
11. Musée des beaux-arts de La Nouvelle-Orléans (NOMA)
12. Parc de la Ville
13. Rue Fairway
14. Southern Yacht Club
15. Université Dillard
16. Xavier University of Louisiana

©ULYSSE

Attraits touristiques

domaine appartenait autrefois à la plantation Louis Allard. C'est un endroit de choix pour tous les sports de plein air. Des chênes vieux de 800 ans entourent des lagons où l'on peut s'adonner au plaisir de la pêche. Autres activités sportives : randonnée équestre et golf.

La **route panoramique du lac Pontchartrain** ★★ (Lakeshore Drive) longe le grand lac de La Nouvelle-Orléans : le lac Pontchartrain fait 60 km de longueur et

40 km de largeur. On le traverse en empruntant le **pont-chaussée du lac Pontchartrain** (Lake Pontchartrain Causeway) ★.

L'**Hippodrome de La Nouvelle-Orléans** (Fair Grounds) *(droit d'entrée; nov à avr mer-dim; 1751 boulevard de Gentilly, ☎944-5515)* est ouvert depuis 1872, ce qui le consacre comme l'un des plus anciens aux États-Unis. Son entrée est l'œuvre de l'architecte James Gallier, élaborée en 1859 à l'intention d'une foire agricole. C'est ici que se déroule le derby de la Louisiane. On parie sur des pur-sang lors de courses à l'hippodrome ou à d'autres qui y sont diffusées simultanément. Enfants de moins de six ans non admis.

La maison Longue Vue et ses jardins ★★ *(7$; lun-sam 10h à 16h, dernière visite guidée 15h45; dim 13h à 16h15, dernière visite guidée 16h15; 7 chemin du Bambou, ☎488-5488 ou 486-7015)*. Construite en 1942 par le riche Néo-Orléanais Edgar Stern, cette demeure de style néoclassique dispose d'un patio à l'espagnole entouré de jardins à l'anglaise, témoignant à sa façon du parcours historique de la ville. Elle rassemble une belle collection de meubles français et anglais des XVIIIe et XIXe siècles.

La Nouvelle-Orléans Est

La Nouvelle-Orléans Est, davantage un secteur de la ville qu'un quartier proprement dit, se trouve à quelques minutes au nord-est du centre-ville et du Vieux-Carré Français. Cette banlieue occupe un emplacement qui s'étend depuis l'autoroute du Chef Menteur jusqu'au lac Pontchartrain entre les autoroutes I-10 et I-510. C'est dans ce quartier que se trouve l'aéroport régional New Orleans Lakefront, qu'il ne faut pas confondre avec l'aéroport international de La Nouvelle-Orléans (Moisant), sis plus à l'ouest.

La Nouvelle-Orléans Est abrite depuis le printemps 2000 le parc thématique Jazzland.

Parc thématique Jazzland de La Nouvelle-Orléans

Le **parc thématique Jazzland de La Nouvelle-Orléans** ★★ (Jazzland Theme Park – New Orleans) *(adulte et enfant de plus de 1,20 mètre/ 4 pieds (eh oui!) 31$, enfant moins de 1,20 mètre 26$, moins de 2 ans gratuit, aîné de plus de 60 ans 15$; station-*

nement payant : 5$ pour la journée; 12301 boulevard de la Forêt-du-Lac/Lake Forest Boulevard East, ☎242-0202 ou ☎253-8100). Depuis le 20 mai 2000, La Nouvelle-Orléans possède son méga-parc thématique. Celui-ci rivalise avec les grands parcs d'attractions existant un peu partout aux États-Unis et à travers le monde. S'étendant sur 56ha, Jazz-land est un endroit récréatif tout à fait indiqué pour amuser autant les enfants et les adolescents que les adultes. En effet, on trouve de tout pour se distraire dans les différentes sections thématiques du Jazzland, qui s'arpente avec un enthousiasme tout juvénile, de la place du Jazz à la Campagne cadienne, de la plage Pontchartrain à la place du Mardi-Gras et du Carnaval des enfants au jardins du Bon Temps.

Les 31 manèges du Jazzland sont à la fine pointe de la technologie. Leurs concepteurs n'ont rien ménagé pour procurer aux visiteurs tous les effets euphoriques et étourdissants souhaités ainsi que des sensations fortes.

Les sections thématiques de Jazzland

Il est facile de se balader à travers les circuits du parc Jazzland sans se perdre. Les indications ainsi que les directions à prendre sont claires et le parc thématique se divise en six sections, chacune portant un nom spécifique évoquant les diverses composantes culturelles de la Louisiane. Comme le démontre la description qui suit ci-dessous, une promenade à travers les sentiers du parc permet de traverser chacun des sites en y découvrant ses manèges et ses particularités spécifiques : musique, cuisine, artisanat, boutiques, etc. Partout sur le site, il y a des amuseurs publics et il y règne une folle ambiance de fête.

La place du Jazz (Jazz Plaza)

L'architecture de cette vaste place, qui se situe tout de suite à droite après l'entrée du parc, évoque le Vieux-Carré Français. Cet espace se veut une agora, un lieu de rassemblement pour les visiteurs. S'y succèdent tout au long de la journée et en soirée diverses manifestations; l'animation est continue et ces divertissements s'adressent à toutes les catégories d'âges. Sur la place du Jazz débute la visite du parc; on se dirige alors vers la gauche, en direction de la Campagne cadienne.

Attraits touristiques

La Campagne cadienne
(Cajun Country)

Les promoteurs du Jazzland ont voulu donner un peu d'ambiance cadienne à cette partie du parc. C'est sans doute la partie la plus vivante. En effet, dans ce décor bucolique et champêtre, c'est un vrai plaisir que d'écouter tous ces groupes de chanteurs et de musiciens venus de l'Acadie louisianaise, de danser sur leurs rythmes endiablés et de déguster sur place les meilleurs plats du riche répertoire culinaire cadien : étouffée d'écrevisses, gombo, boudin, friture de poisson-chat et *jambalaya*. Un marché permet de faire des achats de denrées typiquement cadiennes ainsi que de jolies pièces de talentueux artisans. Pour mieux évoquer les paysages du sud de l'État, de cette «campagne cadienne» au cœur des bayous et des marécages du vaste bassin de l'Atchafalaya, les manèges de la Campagne cadienne sont aquatiques.

La plage Ponchartrain
(Pontchartrain Beach)

Ce secteur du parc, en bordure du pittoresque lac Jazz, abrite une grande roue qui, de bas en haut de son cercle, mesure 27 m (90 pieds). Une ascension au sommet de la roue permet d'avoir une belle vue d'ensemble du parc. L'endroit réserve d'autres belles surprises, puisque l'on peut y admirer des chorégraphies aquatiques inédites exécutées par des jets impressionnants lancés à partir de gigantesques fontaines d'eau.

La place du Mardi-Gras
(Mardi Gras)

La plupart des secteurs du parc Jazzland ont leurs propres manèges. C'est sur la place du Mardi-Gras que l'engouement tant recherché par certains pour les sensations fortes atteint son comble. Dans les virages accidentés et les pentes vertigineuses des imposantes montagnes russes, considérées par plusieurs amateurs comme les plus excitantes que l'on puisse trouver sur la planète, toutes les attentes sont comblées. En effet, la gigantesque charpente de ces montagnes russes se déploie sur 4 000 pieds (1,2km) de longueur, tandis que le sommet de ses rampes arc-boutées culminent parfois à plus de 110 pieds (33 mètres) du sol. Les «wagons-cabines» s'élancent dans ces pentes en furie et dévalent une à une toutes ces spirales métalliques à une vitesse vertigineuse de 60 mph (96 km/h).

La nuit venue, il règne dans cette partie du parc une folle ambiance de Mardi gras. Il y a bien sûr de véritables défilés du Mardi gras, tout à fait identiques à ceux de La Nouvelle-Orléans et, comme le veut la tradition, les participants haut perchés sur leurs chars allégoriques lancent sur une foule enthousiaste des chapelets de perles et de doublons.

Le Carnaval des enfants (Kid's Carnival)

Cet autre secteur du parc est un véritable royaume pour les lilliputiens. Au Carnaval des enfants, quantité de manèges ont été spécifiquement aménagés pour les petits. Le magnifique carrousel est sans doute celui qui obtient le plus de succès auprès de cette jeune clientèle. On peut pique-niquer dans l'aire de restauration qui se trouve sur le site; le choix des denrées a vraiment été pensé en fonction du goût de ces jeunes pour des mets simples, leur permettant ainsi de manger rapidement afin qu'ils puissent poursuivre leurs autres explorations du parc, histoire de profiter au maximum des précieux instants que leur offre cette journée récréative.

Aux jardins du Bon Temps (Goodtime Gardens)

«Laisser le bon temps rouler» proclament les Cadiens pour savourer chaque moment de la vie. Aux jardins du Bon Temps, l'emplacement en est un de verdure pour qui veut pique-niquer et casser la croûte tout en se prélassant sur l'herbe. L'endroit est suffisamment vaste pour accueillir d'importants groupes de visiteurs qui, bien sûr, auront pris la peine d'annoncer leur venue à l'avance.

★★★

Le tramway de l'avenue Saint-Charles

À la suite de la vente de la Louisiane en 1803, plusieurs habitants de la ville n'ont guère apprécié la venue massive de ces «Américains». Les habitants du Vieux-Carré Français gardaient jalousement l'exclusivité de leur quartier à leurs pairs – ces mêmes Créoles avaient pourtant cohabité avec les Espagnols – en élargissant même leur territoire vers le Faubourg Marigny. Les Américains se sont donc installés dans le Faubourg Sainte-Marie, aujourd'hui le Central Busi-

Attraits touristiques

ness District (CBD). Les nouveaux venus se sont enrichis dans le quartier des Affaires pour ensuite développer les secteurs résidentiels d'Uptown et de la Cité-Jardin (Garden District). Ces riches marchands ont fait construire leurs cossues maisons non pas en bordure de la rue comme celles du Vieux-Carré Français, mais plutôt en retrait, permettant ainsi l'aménagement de magnifiques jardins, tant à l'avant qu'à l'arrière de leur résidence.

L'une des meilleures façons d'avoir un bon aperçu de la Basse Cité-Jardin (Lower Garden District), de la Cité-Jardin (Garden District) et du quartier Uptown est certes de prendre le tramway de l'avenue Saint-Charles depuis la rue du Canal (à l'angle de la rue Common). Le coût modique à 1,25$, le trajet et la vitesse réduite du tramway permettent en moins de deux heures de découvrir quelque peu cette merveilleuse partie de la ville. Pour une visite plus élaborée, nous vous suggérons une visite à pied (voir p 195). L'existence de ce tramway datant

Gallier Hall

de 1835 (se mouvant à l'électricité depuis 1893) a certes contribué à l'essor de ce secteur de la ville, plus particulièrement à l'expansion de l'avenue Saint-Charles.

Le terminus du tramway se situe à l'extrémité ouest du Vieux-Carré Français, à l'intersection des rues Common et Royale. Des travaux sont en cours afin de prolonger la ligne de la rue du Canal jusqu'au parc de la Ville (City Park). L'itinéraire du circuit débute dans le quartier des Affaires. Quelques immeubles en hauteur s'élèvent tout le long du parcours de la rue de Poydras. La perspective de cette rue offre une vue intéressante avec le Superdôme pour toile de fond.

Après l'intersection avec la rue de Poydras, on aperçoit sur la droite un grand édifice de style néoclassique au portique de marbre blanc. C'est le **Gallier Hall** *(545 avenue Saint-Charles),* une des premières constructions du genre aux États-Unis, considéré comme l'un des plus remarquables chefs-d'œuvre de l'architecte James Gallier. L'immeuble, ancien hôtel de ville de La Nouvelle-

Orléans, abrite aujourd'hui un théâtre ainsi qu'une salle de réception pour les activités sociales et culturelles de la municipalité.

Sur le **square Lafayette**, en face, sont incorporées au jardin les statues de Henry Clay, président du Congrès de 1810 à 1820, de Benjamin Franklin, entre autres l'un des pères de la République américaine, créateur du paratonnerre et prestigieux ambassadeur des États-Unis en France, ainsi que du notable John McDonogh, à qui l'on doit plusieurs mesures pour l'avancement de l'éducation à La Nouvelle-Orléans.

Deux rues plus loin, dans la rue Julia et du côté sud de l'avenue Saint-Charles, se trouve **Julia Row** *(600 à 648 rue Julia)*. Les 13 maisons identiques, en brique, ont été érigées en 1833. Le 604 abrite le Centre de sauvegarde et de conservation du patrimoine de La Nouvelle-Orléans (Preservation Resource Center) (☎581-7032).

La **Basse Cité-Jardin** (Lower Garden District) commence au Lee Circle. Un monument en l'honneur du général Robert E. Lee, chef des armées sudistes lors de la guerre de Sécession, y a été dressé au centre du rond-point. On note à gauche l'**église luthérienne Zion** *(1924 avenue Saint-Charles)*, cons-

truite en bois et date de 1871. À droite, la K&B Plaza abrite la Collection de la Fondation Virlane (voir p 143).

L'**Hôtel Pontchartrain** *(2031 avenue Saint-Charles)*, un grand hôtel réputé de La Nouvelle-Orléans, bâti en 1927, se trouve sur la droite.

L'avenue Jackson délimite la **Cité-Jardin** (Garden District), qui s'étend jusqu'à la rue de la Louisiane à l'ouest et à la rue Magazine au sud, côté fleuve.

Quelques rues plus loin, à l'angle de la 4e Rue, sur la droite, se trouve la **cathédrale Christ Church** *(2919 avenue Saint-Charles)*. Le tombeau du révérend Léonidas Polk, premier évêque épiscopal de la Louisiane qui fut aussi général des États Confédérés, a été placé dans la crypte de cette église édifiée en 1886.

La Maison Elms *(3029 avenue Saint-Charles)*, située après la cathédrale épiscopalienne, a été érigée vers 1869. Le consulat général d'Allemagne y était établi de 1931 à 1941. John Elms a acquis cette propriété en 1951.

À gauche, près de la rue de la Louisiane, la résidence funéraire **Bultman** *(3338 avenue Saint-Charles)* fut le

Attraits touristiques

lieu du déroulement de la pièce de Tennesse Williams *Soudain l'été dernier*.

Passé la rue de la Louisiane, sur la droite, s'élève le prestigieux **hôtel Columns** *(3811 avenue Saint-Charles)*. Érigé en 1883, il faisait alors office de résidence privée.

Sur la gauche, revêtue de brique rouge, l'**église méthodiste Rayne Memorial** *(3900 avenue Saint-Charles)* date de la fin du siècle dernier. Quelques rues plus loin, toujours à gauche, on aperçoit la synagogue **Touro** *(1501 rue du General Pershing)*, érigée en 1909.

L'intersection avec l'**avenue Napoléon** marque le point de départ de nombreux défilés du Mardi gras qui procéderont sur l'avenue Saint-Charles jusqu'à la rue du Canal.

L'Académie du Sacré-Cœur *(4521 avenue Saint-Charles)* est une école privée, fondée par la communauté des sœurs du Sacré-Cœur pour l'éducation des jeunes filles en 1899. Il s'agit de la plus ancienne école catholique privée de la ville. L'édifice dans sa forme actuelle fut terminé en 1913, alors qu'on lui ajouta l'étage supérieur. Le vaste bâtiment, avec ses ailes rehaussées de larges galeries entourent un jardin fleuri. On distingue en haut de la grille d'entrée, et modelé en fer forgé, l'inscription française «Sacré-Cœur». Ne manquez pas de jeter un coup d'œil derrière la grille pour voir la galerie à colonnade.

Après la rue Upperline se trouve, à gauche, la **bibliothèque Milton H. Latter Memorial** *(5120 avenue Saint-Charles)*, construite en 1906. est maintenant une succursale de la Bibliothèque publique de La Nouvelle-Orléans. Cette belle résidence fut construite en 1907 pour Marguerite Clark, une star du cinéma muet. On peut la visiter durant les heures d'ouverture et un stationnement se trouve à l'arrière. À découvrir : le plafond de la pièce avant importé de France et la murale d'influence hollandaise dans le salon bleu. On remarque son toit en tuiles d'inspiration néo-italienne.

Suit la **maison Benjamin** *(5500 avenue Saint-Charles, entre les rues Octavia et Joseph)*, entièrement bâtie en pierre à chaux, matériau inusité et très coûteux à La Nouvelle-Orléans.

Sur la droite on entrevoit les résidences du Parc Rosa qui sont parmi les plus admirées de La Nouvelle-Orléans, particulièrement la maison victorienne dite **Gâteau de Noce** *(Wedding Cake House)*.

À l'intersection avec la rue State, sur la gauche, l'**église presbytérienne Saint-Charles** *(1545 rue State)* a été érigée en 1930. Ses verrières ont été importées d'Allemagne.

Passé la rue State, la **maison Castle's**, à gauche, s'inspire quelque peu de la maison du Gâteau de Noce.

À droite, les bâtiments de brique rouge abritent l'**Université Loyola** (Loyola University of the South). Loyola a d'abord été un collège, fondé en 1904 par les jésuites. En 1911, le collège obtenait les accréditations nécessaires et devenait une université. Il s'agit de la plus importante université catholique du sud des États-Unis. L'église du campus, **Saint-Nom-de-Jésus**, datant de 1918, est la seule église catholique de l'avenue Saint-Charles.

S'étend par la suite sur 39 ha le campus de l'Université Tulane, fondée en 1883. Face aux deux campus, sur la gauche, se trouve le splendide **parc Audubon**. Après le parc se trouve le **Greenville Hall**, construit en 1882, aujourd'hui intégré au campus de l'Université Loyola.

La **place Audubon**, à droite, est certes l'une des rues qui regroupe le plus de richesses à La Nouvelle-Orléans. Une guérite de sécurité en limite d'ailleurs l'accès. L'une de ses résidences a d'ailleurs été habitée par Tom Cruise et Nicole Kidman alors qu'ils se trouvaient à La Nouvelle-Orléans pour le tournage d'un film.

La **maison Zemurray**, aujourd'hui la résidence du recteur de l'Université Tulane, a d'abord été la propriété de Sam Zemurray, président de l'entreprise United Fruit.

Sur la rue Broadway, à gauche, se dresse la **Faculté de droit de l'Université de Loyola.** D'inspiration italienne, cet édifice était la maison mère de la Congrégation des Sœurs dominicaines.

Le tramway poursuit son trajet sur la **rue Carrollton**, un secteur beaucoup plus modeste. Plusieurs résidences sont de style «dos-de-chameau» (*camelback*). On remarque aussi quelques autres maisons dites *shotgun* (voir «Architecture», p 32).

Le tramway s'arrête quelques rues plus loin. Il est préférable d'en descendre pour monter dans un autre tramway qui fera le chemin inverse. Si toutefois vous désirez vous balader dans le secteur, plusieurs cafés, des boutiques et des restaurants vous accueilleront.

Attraits touristiques

Au retour, pour faire la visite à pied, descendez à l'avenue de Washington.

Balade en voiture

Cette tournée peut être l'occasion de plusieurs balades à travers la ville. Si toutefois vous désirez l'accomplir en une seule fois, comptez au moins trois heures. Elle vous donnera un très bon aperçu des différents quartiers qui composent La Nouvelle-Orléans. La balade commence dans le Vieux-Carré Français et mène à l'ouest, en amont du Mississippi, dans les quartiers des Affaires et des Entrepôts, puis dans la Basse Cité-Jardin, la Cité-Jardin et Uptown, avant d'atteindre, après le parc Audubon, le Riverbend. Le tour se dirige ensuite vers le Lac Pontchartrain et le parc-de-la-Ville, pour revenir au Vieux-Carré par l'avenue de l'Esplanade.

La balade commence à l'angle des rues Peters Nord/N. Peters et du Canal.

Statue de Jean-Baptiste Le Moyne

423 rue du Canal – Maison de la Douane – Customs : sur le site du fort Saint-Louis (San Luis), la construction de cet édifice commença en 1848, mais ne fut terminé que 65 ans plus tard. Au moment des travaux, l'édifice de la douane donnait directement sur le Mississippi; le fleuve se situe maintenant quatre pâtés de maisons plus loin. Les niches que vous verrez depuis la rue de la Levée/Decatur ne logèrent jamais les statues que l'on projetait initialement d'y mettre.

À l'intersection avec la rue de la Levée/Decatur et Peters Nord se dresse le monument élevé en l'honneur de **Jean-Baptiste Le Moyne de Bienville** (voir «La statuaire de La Nouvelle-Orléans» p 124), fondateur de La Nouvelle-Orléans. Un peu plus loin sur la gauche se trouve le square Jackson (ancienne place d'Armes) et la cathédrale Saint-Louis-Roi-de-France.

Une levée de presque 200 km est érigée autour de La Nouvelle-Orléans afin de maintenir les eaux, car, en plus des crues du Mississippi, certaines parties de la ville sont 1,5 m (5 pi) au-dessous du niveau de la mer. La levée dans la partie historique est aménagée en parc : le **Woldenberg Riverfront Park** s'étire depuis l'Aquarium des Amériques pour rejoindre le **Moon Walk** devant le Vieux-Carré Français.

À droite se situe le **Café du Monde**, très couru pour ses beignets et son café au lait à base de chicorée; le **Marché Français**, qui l'inclut, s'étend sur quelques pâtés de maisons et regroupe une quantité de brocantes en plus d'un marché aux légumes. Sur la gauche, à l'intersection avec la rue Peters Nord, est érigée une statue à la mémoire de Jeanne d'Arc.

Continuez par Peters Nord jusqu'à l'avenue de l'Esplanade et tournez à gauche.

400 avenue de l'Esplanade – L'**Old US Mint** ★★, près du Marché Français, est l'un des cinq forts construits sous le régime français au XVIIIᵉ siècle pour protéger la ville; celui-ci portait le nom fort Saint-Charles (San Carlos). Le gouvernement américain acheta la propriété en 1815 et y entreprit la construction de l'Hôtel de la Monnaie en 1834-1835. L'œuvre de l'architecte William Strickland fut achevée en 1839. À la demande du général Beauregard, d'importants travaux de restauration furent ensuite effectués dans les années 1850.

L'Hôtel de la Monnaie fut en activité de 1838 à 1862 et de 1879 à 1910. Sa production atteignit un sommet en produisant des pièces d'une valeur totale de 5 000 000$. Aujourd'hui sous tutelle du Musée de l'État de la Louisiane (Louisiana State Museum), il présente une exposition permanente consacrée au jazz. À l'étage sont préservées des cartes anciennes de la domination française et espagnole.

Remontez l'avenue de l'Esplanade jusqu'à la rue de Chartres (la deuxième rue), tournez à droite et rendez-vous jusqu'à l'avenue des Champs-Élysées/Elysian Fields; tournez à gauche puis encore à gauche à la prochaine, la rue Royale. Continuez jusqu'à l'avenue de l'Esplanade, tournez à droite et marchez jusqu'au 704 avenue de l'Esplanade.

Vous venez de passer au cœur du **Faubourg Marigny**. À l'angle de la rue Frenchmen, le restaurant-boutique **Praline Connexion** offre une bonne cuisine créole (voir «Restaurants» p 254???) ainsi que de savoureuses pralines aux pacanes. Le quartier est réputé pour ses boîtes de nuit (voir «Sorties» p 284).

704 avenue de l'Esplanade – La **maison Gauche** ★ (The Gauche House), érigée en 1856 par John Gauche, est la plus prétentieuse des résidences de la chic avenue de l'Esplanade. Les sin-

Attraits touristiques

guliers balcons en fer forgé qui entourent trois côtés de l'édifice sont agrémentés d'un joyeux *Cupidon Dansant*, fabriqué à Sarrebruck, en Allemagne. On raconte que cette sculpture s'inspire d'une gravure d'Albrecht Dürer (1471-1528).

Prenez la rue Dauphine à gauche en direction du Vieux-Carré Français jusqu'au numéro 716.

716 rue Dauphine – Résidence du Docteur Gardette – maison Le Prêtre. Ce spacieux hôtel particulier a été construit en 1835 au coin des rues Dauphine et d'Orléans à la demande du docteur Joseph Coulon Gardette, un dentiste originaire de Philadelphie qui s'installa à La Nouvelle-Orléans sous le régime espagnol. En juin 1861, à la suite de sa victoire de Fort Sumter, le général Pierre-Gustave Toutant Beauregard achemina quelques-uns des drapeaux pris aux adversaires nordistes à cette résidence, où ils furent cérémonieusement présentés aux Orleans Guards. En 1870, et pour un temps, la Citizen's Bank occupa les lieux. Enfin, en 1892, un Turc richissime devint maître de céans. On raconte que ce dernier aimait convier la société néo-orléanaise à de somptueuses réceptions. La rumeur de l'époque voulait aussi que sa fortune ainsi que les

● ATTRAITS

1. **Maison de la Douane - Customs**
2. **Statue à Jean-Baptiste Le Moyne, sieur de Bienville**
3. **Café du Monde, Marché Français**
4. **L'Old US Mint**
5. **Maison Gauche**
6. **Résidence du Docteur Gardette - Maison Le Prêtre**
7. **Chapelle des Sépultures**
8. **Église de l'Immaculée Conception**
9. **World Trade Center**
10. **Aquarium des amériques**
11. **Ernest N. Morial Convention Center**
12. **Square Lafayette**
13. **Lee Circle**
14. **Hôtel Columns**
15. **Académie du Sacré-Cœur**
16. **Bibliothèque Milton H. Latter Memorial**
17. **Maison de la Houssaye**
18. **Place Audubon**
19. **Saint Mary's Dominican College**
20. **Old Carrollton Court House**
21. **Séminaire Notre-Dame**
22. **Xavier University of Louisiana**
23. **Maison Longue-Vue et ses jardins**
24. **Rue Fairway**
25. **Cimetières Greenwood, Saint-Patrick et Métairie**
26. **Southern Yacht Club**
27. **Campus de l'Université de La Nouvelle-Orléans**
28. **Université Dillard**
29. **Jardin botanique de La Nouvelle-Orléans**
30. **Musée des beaux-arts de La Nouvelle-Orléans**
31. **Maison Ducayet – Maison Pitot**
32. **Maison Blanc**
33. **Maison Musson**
34. **Pointe d'Alger** *(Algiers Point)*

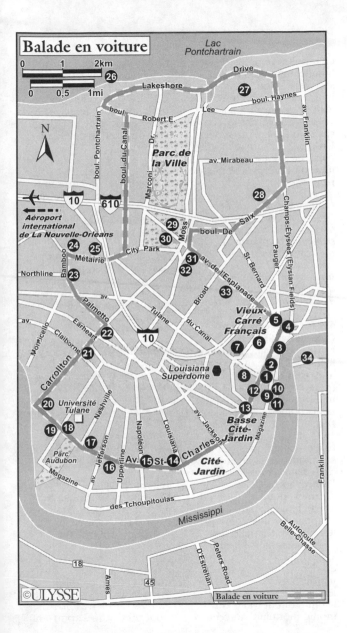

Balade en voiture

Lac Pontchartrain

Parc de la Ville

Aéroport international de La Nouvelle-Orléans

Vieux-Carré Français

Louisiana Superdome

Université Tulane

Parc Audubon

Basse Cité-Jardin

Cité-Jardin

Mississippi

©ULYSSE

Balade en voiture

cinq belles femmes de sa famille aient été ravies à son frère sultan. Puis un jour, après avoir été réveillés par des hurlements, les voisins trouvèrent le Turc et ses cinq beautés trucidés. Un serviteur turc avait disparu, de même que la fortune du controversé personnage.

Continuez par la rue Dauphine et tournez à droite dans la rue de Bienville, soit la troisième rue; allez jusqu'à la rue du Rempart Nord/N. Rampart, puis revenez à droite et arrêtez-vous au coin de la rue du Rempart et de Conti, au 411 rue du Rempart Nord.

411 rue du Rempart Nord – Chapelle des Sépultures ★ – Église Notre-Dame de Guadalupe (Our Lady of Guadalupe Church) : on fit construire cette chapelle à proximité des cimetières Saint-Louis numéro 1 et Saint-Louis numéro 2 en 1826-1827 afin d'accueillir les fidèles catholiques qui utilisaient jusque-là la cathédrale Saint-Louis-Roi-de-France, sur la place d'Armes, pour les funérailles de leurs disparus. La chapelle Saint-Antoine prit le nom de «chapelle des Sépultures» dans les années 1832-1833, durant la terrible épidémie de fièvre qui décima des milliers de Néo-Orléanais, alors que les autorités interdirent toute cérémonie mortuaire au cœur

de la cité; l'interdit se poursuivra jusqu'en 1860. Après la guerre de Sécession, la chapelle prend le vocable de la célèbre Vierge mexicaine et devient alors l'église Notre-Dame-de-Guadalupe.

Anecdote amusante, l'église abrite la statue d'un saint inexistant. On raconte que la caisse destinée à la chapelle de La Nouvelle-Orléans, renfermant la fameuse statue, ne portait que comme seule inscription *Expedite* (expédié). Les destinataires ne se tracassèrent nullement de l'impair de l'expéditeur et inscrivirent, au bas de la statue, «saint Expédit»!

Continuez par la rue du Rempart jusqu'après le parc Louis Armstrong et prenez à droite la rue Saint-Philippe/St. Philip. Passez une rue et prenez à droite la rue Dauphine; traversez le Vieux-Carré Français et continuez après la rue du Canal/Canal St. : la rue Dauphine devient la rue Baronne.

130 rue Baronne – L'église de l'Immaculée Conception ★★ a été érigée en 1929 sur le site de l'ancienne église des Jésuites, dont on en a conservé les bancs et les colonnes en fonte. Trois arches mauresques marquent la façade de briques brunes; les arcs sont entrecoupés de pierres blanches, celui du centre s'appuyant sur deux larges colonnes. À l'étage au-dessus, une suite d'arches sur des colonnettes sculptées en se croisant forment les arcs-boutants d'étroites fenêtres. La façade se complète par une rose et deux tours octogonales constituées de huit arches maintenant une coupole. On entre par de lourdes portes en bronze. La signature intérieure est tout aussi marquée par le style, mais en plus éclatant; sous la haute voûte, la nef, menant à un chœur magnifiquement décoré, s'insère entre deux rangées de colonnes, torses cette fois, et soutenant les arcades de la galerie supérieure.

Continuez jusqu'à la rue Poydras.

Avant de tourner, vous verrez, à droite, le **Superdôme de la Louisiane** ★★ (*6$; visites guidées 10h, midi, 14h, et 16h*). Terminé en 1975, il peut accueillir 80 000 spectateurs. À gauche se trouve l'hôtel Pavillon, certainement l'un des plus luxueux de La Nouvelle-Orléans en ce qui a trait à la décoration et à l'aménagement.

Continuez jusqu'au boulevard Convention Center et tournez à droite.

Aux confins des rues Poydras et du Canal, le **World Trade Center** loge la plupart

des sièges sociaux des compagnies maritimes de la ville ainsi que les consulats de La Nouvelle-Orléans. Le sommet de sa tour d'observation offre une vue imprenable sur la ville et le port de La Nouvelle-Orléans; un ascenseur panoramique (vitré), sis à l'extérieur, y donne accès. Au sommet de la tour d'observation se trouve un bar-salon rotatif. Au pied de la tour, côté fleuve, s'étend la **Plaza de España**.

L'**Aquarium des Amériques** ★★★, qui abrite 7 500 espèces marines, utilise pas moins de 4 500 000 litres d'eau douce et salée pour la survie de ses protégés. L'Aquarium est également un important centre de conservation et de recherche environnemental. Des programmes éducationnels autant qu'éducatifs sont offerts au public (voir p 138).

Continuez par le boulevard Convention Center.

900 boulevard Convention Center – L'**Ernest N. Morial Convention Center** fut le site d'une exposition mondiale en 1984. On transforma les lieux l'année suivante en centre de congrès. Les récents travaux d'agrandissement ont permis au hall d'accroître sa surface d'exposition de 110 000 m² (1 100 000 pi²) pour un

total de 310 000 m^2
(3 100 000 pi^2) d'espace.

*Allez jusqu'au bout du boule-
vard et prenez à gauche;
contournez le centre des congrès et revenez en longeant le
fleuve jusqu'à la rue Julia.*

Cet espace près du fleuve
est réservé aux bateaux de
croisière. La Nouvelle-Orléans est le point de départ
des bateaux de croisière qui
vont dans la mer des Antilles, d'autres navires ou bateaux à vapeur comme le
Delta Queen ★★★, le **Mississippi Queen** ★★★ et l'**American Queen** ★★★ (Voir «Bateaux à vapeur et excur-
sions», p 204).

Remontez la rue Julia.

Le **quartier des Entrepôts** se
déploie à gauche et à
droite, depuis les ponts
(Greater New Orleans
Bridge 1 et 2, on ne fait rien
à moitié à La Nouvelle-Orléans) jusqu'aux rues Poydras et Magazine. La rue
Julia est maintenant prisée
pour ses **galeries d'art**.

420 rue Julia – Le **Musée louisianais des enfants** (Louisiana
Children's Museum) pré-
sente une exposition inte-
ractive; il s'étend sur plus
de 4 500 m^2 (voir p 144).

*Continuez jusqu'à la rue du
Camp.*

Du côté gauche de la rue
du Camp, se situe la **Julia
Row**, une rangée de 13 maisons identiques érigées en
1833, exemple de l'archi-
tecture anglo-américaine.
Chacune comprenait, à
l'arrière, une annexe pour
loger les esclaves. Vous
pouvez les apercevoir de-
puis les rues du Camp et
Julia. Des galeries d'art re-
donnent peu à peu à la
rangée son lustre, mais du
chemin reste à faire car un
atelier de réparation de
voitures occupe l'une des
maisons.

*Tournez à droite dans la rue
du Camp.*

724 rue du Camp – L'**église
Saint-Patrick**, construction
qui demeura longtemps la
plus haute du quartier Uptown, est aussi la deuxième
plus vieille église paroissiale
de La Nouvelle-Orléans
(1838). Son architecture
s'inspire de celle de York-
minster, en Angleterre.

*Rendez-vous jusqu'à la rue
Maestri Sud et tournez à
gauche.*

500 rue du Camp – Le **square
Lafayette** : après l'achat de la
Louisiane en 1803, les Américains s'amenèrent nom-
breux à La Nouvelle-Or-
léans. La population créole,
hostile à la vente de la
Louisiane, se refusait à co-
habiter avec les nouveaux
arrivants. Cela obligea les

Américains à construire en quelque sorte leur propre ville hors des murs du Vieux-Carré Français. Le centre-ville de la nouvelle agglomération se situait au square Lafayette, ainsi nommé en l'honneur du marquis de Lafayette, l'un des grand héros de la Révolution américaine.

Prenez l'avenue Saint-Charles.

524 avenue Saint-Charles – le **Gallier Hall** : terminé en 1850, ce chef-d'œuvre du créateur James Gallier père est considéré comme le plus bel édifice de style néoclassique. Avant de porter le nom de son architecte, l'immeuble abritait l'hôtel de ville.

Prenez l'avenue Saint-Charles à gauche, direction Uptown.

1000 avenue Saint-Charles – **Lee Circle**. Ce rond-point porte le nom du fameux héros de la guerre de Sécession : le général Robert E. Lee. Son bronze, pesant plus de 3 000 kg, est l'œuvre du New-Yorkais Alexander Doyle. Le sculpteur a placé symboliquement le général Lee face au nord.

Continuez par l'avenue Saint-Charles : après l'autoroute, à la rue Clio commence la Basse–Cité-Jardin.

Points de vue

La tour d'observation du **World Trade Center** *(adulte 2$, 6-12 ans 1$; tlj 9h à 17h; 2 rue du Canal, ☎535-2851)* permet d'embrasser du regard la ville et son port; la tour abrite un bar rotatif. D'autres endroits où admirer la ville : la terrasse de l'hôtel **Omni Royal Orléans** *(535 rue Gravier, à l'intersection avec la rue du Camp)*; le restaurant **Top of the Dome Steakhouse** de l'hôtel **Hyatt Regency** *(Poydras et Loyola)*, situé au 32ᵉ étage; le **Riverview Room**, au 41ᵉ étage de l'hôtel **Marriot**; les café-restaurants de la **Jackson Brewery** et du **Milhouse**, dans le Vieux-Carré Français.

Le traversier de la rue du Canal *(gratuit pour les piétons, auto 1 $; 6 h à 24 h, départ aux 30 min)* offre un point d'observation unique avec, en plus, le plaisir de voguer sur le Mississippi.

La Cité-Jardin ★★. Ses rues sont baptisées du nom des muses de la mythologie grecque : Clio, Érato, Tha-

Attraits touristiques

lie, Melpomène, Terpsichore, Euterpe, Polymnie et Uranie. La Cité-Jardin englobe, au sud, la rue du Camp et le square Coliseum, et est délimitée par les avenues Jackson et de la Louisiane/Louisiana et l'avenue Saint-Charles, enfin plus loin par la rue Magazine, où sont regroupés quelques galeries alternatives, des boutiques et des cafés.

Son origine remonte aux années 1840-1850, alors que de fortunés commerçants américains ne trouvant à se construire ni chez les Créoles ni chez les Anglo-Américains occupèrent cette ancienne plantation, aux abords de Lafayette, qui était alors un port prospère. Aucun endroit à La Nouvelle-Orléans ne peut se vanter de tant d'opulence, autant du côté de l'architecture que de la richesse des jardins. Curieusement, la Cité-Jardin est bordée au-delà de l'avenue Saint-Charles et la rue Magazine par des quartiers d'une pauvreté désarmante.

Dans la Cité-Jardin, soyez très attentif à la signalisation à sens unique. De plus, la rue Prytania et l'avenue Saint-Charles sont très fréquentées. Et prenez garde aux tramways!

Descendez l'avenue Jackson à gauche puis la première à droite, soit Prytania.

2343 rue Prytania – La **maison Johnson** est mieux connue sous le nom de Louise S. McGehee School for Girls depuis que l'école y est installée en 1929. À l'origine, elle fut l'hôtel particulier d'un riche planteur de canne à sucre, Bradish Johnson, qui la fit construire en 1872, une œuvre majeure attribuée à l'architecte Lewis E. Raynolds. Le portique, aussi terrasse, est soutenu par quatre paires de colonnes corinthiennes cannelées se terminant de deux rangs de feuilles d'acanthe. Son toit à mansardes ouvragées, rehaussées de lucarne ronde, est ceinturé d'un parapet en fer forgé. L'intérieur recèle un imposant escalier en colimaçon en marbre surmonté d'un dôme vitré.

Prenez la 1re Rue (First Street.) à gauche et dépassez la rue Coliseum. Regardez du côté gauche.

1331 1re Rue – La **maison Morris** a été érigée en 1869 et entièrement rénovée depuis peu. Cette maison compte parmi les plus beaux exemples d'architecture de la Cité-Jardin. Une vaste véranda en fer forgé couvre toute la façade et l'arrière est prolongé de chaque côté par des ailes octogonales.

L'église Saint-Alphonse des pères rédemptoristes (1855),
rue Constance, au sud de la Cité-Jardin. - *Roch Nadeau*

Jeunes musiciens, dans la rue Johnson interprétant des airs de jazz pour le plaisir des passants.
- *Roch Nadeau*

Soir de Noël devant l'imposante église gothique Saint-Nom-de-Jésus, sur le campus de l'université Loyola.
- *Roch Nadeau*

Passez un pâté de maisons (entre les rues Chestnut et du Camp).

1239 1ʳᵉ Rue – La **maison Brevard** : les grilles en fer forgé aux motifs de roses de cette maison, construite pour Albert Hamilton Brevard en 1857, sont un autre bel exemple de ferronnerie d'art ayant atteint ici un perfectionnisme sans pareil. *Passez un autre pâté de maisons (entre les rues du Camp et Magazine).*

1134 1ʳᵉ Rue – La **maison Payne** : le juge Jacob U. Payne fit construire cette résidence par des esclaves en 1849-1850. En ces lieux décédait, le 6 décembre 1889, Jefferson Davis, ancien officier de l'armée des États-Unis, sénateur, ministre et président des États confédérés.

À l'intersection suivante, rue Magazine, tournez à droite, remontez la prochaine (2ᵉ Rue/Second Street.) et roulez jusqu'à la rue Prytania; tournez à gauche et prenez la 3ᵉ Rue/Third Street à gauche (entre les rues Chestnut et Coliseum).

1415 3ᵉ Rue – La **maison Robinson** l'une des plus vastes demeures de la Cité-Jardin, fut construite en 1859 pour Walter Robinson, qui l'habita jusqu'en 1865. Cette résidence aurait été la première de La Nouvelle-Orléans à être dotée d'une plomberie moderne.

Passez un pâté de maisons (entre les rues Coliseum et Prytania).

1331 3ᵉ Rue – La **maison Musson** : les balcons en fer forgé finement ouvragés de cette maison sont absolument remarquables. Michel Musson, oncle maternel du célèbre peintre impressionniste Edgar Degas, se la fit construire en 1850.

Prenez la prochaine rue à droite pour rejoindre la 4ᵉ Rue/Fourth Street, et suivez cette rue jusqu'après la rue Chestnut (entre les rues Coliseum et Prytania).

1448 4ᵉ Rue (Fourth Street) – **La villa du Colonel Robert H. Short** (Short House) possède une superbe clôture en fer forgé aux motifs d'épis de maïs et de belles-de-jour. L'imposante résidence, avec ses beaux balcons en fer forgé aux formes dentelées, fut construite en 1859 pour le colonel kentuckien Robert H. Short. Quatre années plus tard, en pleine guerre de Sécession, la maison fut saisie par les forces fédérales en l'absence du propriétaire rebelle. L'histoire raconte que les épis de maïs ornant la clôture furent un cadeau du colonel à sa femme (car elle s'ennuyait de son Kentucky natal), afin de lui rappeler les champs de maïs de son coin de pays. Fabriqués à Philadelphie, à la fonderie Wood & Perot, les ouvrages en fer forgé sont similaires à ceux ornant le Cornstalk Hotel, au 915 de la rue Royale, dans le Vieux-Carré.

Prenez à gauche la rue Prytania et roulez jusqu'à la prochaine intersection, l'avenue Washington.

En face, enfant chéri des Néo-Orléanais, le restaurant **Commander's Palace** occupe un cottage victorien et la maison voisine. Des terrasses réunissent les deux constructions sous les branches d'un immense chêne vert classé qui serait l'un des plus âgés des États-Unis. (Voir «Restaurants» p 245).

Regagnez l'avenue Saint-Charles.

Le quartier **Uptown** débute ici et s'étend vers le fleuve jusqu'après la rue Magazine. Moins riche que la Cité-Jardin, mais tout aussi fleuri et surtout plus animé, il a été désigné par une revue américaine comme étant l'un des quartiers les plus agréables où vivre aux États-Unis. Il vaut bien une incursion si vous en avez l'occasion. Le tronçon entre les avenues de la Louisiane et Napoléon était jadis connu sous le nom de Faubourg Bouligny. Plusieurs

belles maisons bordent l'avenue Saint-Charles.

3811 avenue Saint-Charles – l'**hôtel Columns** a été construit en 1883 dans un style italianisant, mais les colonnes doriques ne furent ajoutées qu'en 1950, lors de sa transformation en hôtel. Il a été le site du tournage du film de Louis Malle, *Pretty Baby*, au milieu des années soixante-dix.

L'avenue **Napoléon**, artère principale du Faubourg Bouligny, doit son appellation à un officier de son armée, Charles Benjamin Buisson; on lui attribue également le choix des noms des rues avoisinantes : Austerlitz, Bordeaux, Constantinople, Cadiz, Marengo, Milan et Valence.

4521 avenue Saint-Charles – L'Académie du Sacré-Cœur Voir p 170.

5100 avenue Saint-Charles – La bibliothèque Milton H. Latter Memorial. Voir p 170.

5829 avenue Saint-Charles – La **maison de la Houssaye**, dite «Gâteau de noce» (Wedding Cake House), de style anglais d'inspiration classique, a été érigée en 1896. Elle est remarquable pour l'excentricité de sa décoration; une imposante galerie à colonnade supporte la terrasse supérieure dont les montants se terminent par des urnes.

6823 et 6363 avenue Saint-Charles – L'université Tulane et l'université Loyola : Tulane fut inauguré par les jésuites en 1834 à titre de collège médical de la Louisiane; l'institution offre aujourd'hui diverses autres disciplines telles que le génie, les sciences sociales, l'art, l'architecture, les hautes études commerciales (à ce titre la plus ancienne faculté des États-Unis) ainsi que le droit, avec spécialisation en Code civil ou Code Napoléon, toujours en vigueur en Louisiane. En 1840, les jésuites ouvrent leur collège de l'Immaculée Conception au centre-ville et, en 1904, une académie sur le site actuel : le collège Loyola. En 1911, les collèges Loyola et de l'Immaculée Conception fusionnent pour former l'Université Loyola, qui demeure la plus importante université catholique de tout le sud des États-Unis.

Le **parc Audubon**, de 160 ha, fut nommé ainsi en hommage au grand naturaliste et peintre Jean-Jacques Audubon, qui entreprit ses œuvres les plus marquantes en Louisiane. Ce parc abrite un terrain de golf, le Jardin zoologique et des courts de tennis. On peut y pique-niquer, faire de l'équitation et du vélo (location de chevaux et de vélos sur place),

suivre les sentiers aménagés pour une simple marche ou faire son jogging matinal. Un mini-train propose une randonnée en ces lieux. Les véhicules sont autorisés, et du parc on peut également atteindre le Jardin zoologique, sis sur la rue Magazine (rue parallèle à Saint-Charles, plus au sud). À l'arrière du parc, vous trouverez un pavillon offrant une vue panoramique sur le fleuve.

La **place Audubon** est une enclave protégée tracée dès 1894 pour y accueillir une clientèle bien nantie. Arrêtez-vous devant l'entrée pour jeter un coup d'œil, mais on n'entre pas à moins d'être invité.

7214 avenue saint-Charles – Le **Saint Mary's Dominican College**, fondé pour l'éducation des jeunes filles dans les années 1860, a fermé ses portes en 1985. La partie victorienne de ce bel édifice en bois et au toit d'ardoises a été érigée en 1872.

Prenez la prochaine à droite (Broadway ou Pine) et continuez jusqu'à la rue Maple; tournez à gauche.

La **rue Maple** est au cœur du **quartier Riverbend**; boutiques, épiceries, restaurants et bars s'y succèdent pour en faire une artère des plus animées.

Attraits touristiques

Jean-Jacques Audubon (1785-1851)

Le nom du célèbre naturaliste Jean-Jacques Audubon a maintes fois été honoré lors des attributions toponymiques de la Louisiane. Né en 1785 à Saint-Domingue, aujourd'hui Haïti et la République Dominicaine, il est donc d'origine française. Audubon, après des études en France, fait un premier séjour en Amérique en 1805. L'année suivante, il revient aux États-Unis, épouse l'Américaine Lucy Bakewell, dont il avait fait la connaissance en Pennsylvanie lors de son premier voyage, et se fait naturaliser Américain. Audubon s'installe en Louisiane en 1821, d'abord à La Nouvelle-Orléans, puis à Saint-Francisville, à la plantation Oakley, qu'il habite quatre mois comme tuteur des trois sœurs de Mme Percy, veuve d'un officier naval. Jean-Jacques Audubon y a dessiné 82 des 435 planches de ses fameux «oiseaux d'Amérique». Il réalisa ses planches en parcourant un immense territoire, de la Floride (il s'achète une maison à Key West et y réside à partir de 1832) au Québec. Il réalisa de nombreux dessins, croquis et peintures tout au long de sa vie. Son œuvre la plus célèbre, *Les Oiseaux d'Amérique*, en quatre volumes regroupant 435 planches, est très certainement l'ouvrage le plus cher du monde puisque l'ensemble fut adjugé pour plusieurs millions de dollars (ou livres) à Londres.

Rendez-vous jusqu'à l'avenue Carrollton Sud/South Carrollton. Regardez à droite.

719 avenue Carrollton Sud – L'**Old Carrollton Court House** : l'école Lusher, construite en 1855, fut autrefois le centre administratif de la ville de Carrollton ainsi que de la paroisse de Jefferson. Carrollton a été annexée à La Nouvelle-Orléans en 1874.

Traversez l'avenue Carrollton Sud et tournez à droite dans la rue Dublin ou Dante; continuez jusqu'à la rue Oak.

La **rue Oak** est la deuxième artère en importance du quartier. Ici se situe le fameux **Maple Leaf Bar** (voir «Sorties» p 291); on y présente du bon blues. À noter le nombre impressionnant de maisons *shotgun*, simples ou doubles, qui se profilent dans le secteur. Chaque côté de l'avenue Carrollton Sud est résidentiel : beaucoup d'arbres, des maisons coquettes, chacune avec son jardin.

Reprenez l'avenue Carrollton Sud jusqu'au 2901 (entre les rue Apricot et Pritchard).

2901 avenue Carrollton Sud – Le **Séminaire Notre-Dame**, une institution qui a pour vocation la formation de prêtres, est aussi le siège épiscopal de l'archevêché de La Nouvelle-Orléans.

Poursuivez jusqu'après la rue Palmetto.

7325 rue Palmetto – La **Xavier University of Louisiana** un collège classique comptant 3 400 étudiants, a été fondé en 1975 par la bienheureuse Katherine Drexel et les sœurs du Saint-Sacrement : c'est la seule université catholique noire des États-Unis. Déménagé à cette adresse en 1929, l'ancien campus, situé au 5116 de la rue Magazine, abrite maintenant le Xavier Pret. L'université afro-américaine est réputée pour sa formation en médecine et en pharmacie; 25% des pharmaciens noirs des États-Unis sont d'anciens élèves de Xavier. Plus de 40% de ses diplômés y poursuivent leurs études supérieures puisque Xavier offre pas moins de 36 spécialisations.

*Passez l'autoroute et faites demi-tour à la prochaine occasion, à un ou deux pâtés de maisons; des voies réservées à cet effet sont prévues avant certaines intersections. Regagnez la rue Palmetto, prenez à droite et longez le **canal d'évacuation des eaux** jusqu'au chemin du Bambou (Bamboo Road).*

7 chemin du Bambou (Bamboo Road) – La **maison Longue Vue et ses jardins** (Longue Vue House and Gardens) ★★ *(7$; lun-ven 10h à 16h30, dim 13h à 17h; ☎488-5488 ou 486-7015)*, l'un des domaines privés les plus prestigieux des États-Unis, était la riche propriété d'Edgar B. Stern et de son épouse. L'hôtel particulier de style néoclassique, empreint de détails palladiens, fut construit entre 1939 et 1942. L'ameublement français et anglais date des XVIIIᵉ et XIXᵉ siècles. Les jardins à l'anglaise et à l'espagnole s'étendent sur plus de 3 ha.

Continuez sur Bamboo Road jusqu'au chemin Métairie/Metairie Road, que vous pren-

Attraits touristiques

drez à droite jusqu'à la deuxième rue, soit la rue Bellaire, où vous tournerez à gauche; poursuivez jusqu'à la voie ferrée puis revenez par la rue Fairway.

Le long du cimetière, la **rue Fairway** ★ est bordée de chaque côté et sur toute sa longueur de somptueux chênes verts.

Reprenez le chemin Métairie à gauche.

Chemin faisant, on croise les **cimetières Greenwood**, **Saint-Patrick** et **Métairie** ★★

Tournez à gauche dans la rue du Canal/Canal Street et poursuivez jusqu'au boulevard Robert E. Lee, à un peu plus de 3 km; prenez à gauche puis à droite Lakeshore Drive.

Le **Southern Yacht Club (West End Lakefront)** est le deuxième plus vieux club de navigation de plaisance des États-Unis (1849).

Le **Lakeshore Drive** ★★ est un boulevard panoramique longeant le lac Pontchartrain, qui fait 60 km de long et 40 km de large; on peut franchir le lac en empruntant le plus long pont à travées multiples du monde (38,4 km) : le **pont-chaussée du lac Pontchartrain** ★ (Lake Pontchartrain Causeway). Chemin faisant, vous verrez à droite la **fontaine du Mardi-**

Gras, qui s'illumine la nuit venue.

Si vous le désirez, vous pouvez couper court à la balade en prenant, avant le pont, la rue Beauregard pour descendre directement jusqu'au Parc de la Ville par le boulevard Wisner; sinon continuez sur Lakeshore Drive jusqu'à l'avenue des Champs-Élysées/Elysian Fields.

À l'approche du rond-point de l'avenue des Champs-Élysées/ Elysian Fields, vous apercevrez à votre droite le campus de l'Université de La Nouvelle-Orléans; prenez à droite cette avenue jusqu'au boulevard Gentilly (3 km environ) et tournez à droite; poursuivez jusqu'à la rue de Saix.

2601 boulevard de Gentilly – L'**Université Dillard** : en 1835, l'Université de La Nouvelle-Orléans, fondée en 1869, s'est jumelée avec une autre institution, la Straight University, pour créer sous une seule entité l'Université Dillard. Ce campus s'étendant sur quelque 300 ha est l'un des plus beaux du Sud étasunien.

Prenez à droite la rue de Saix, traversez le pont du bayou Saint-Jean et engagez-vous dans le parc de la ville à gauche; poursuivez jusqu'à Freidrichs Drive et prenez à droite.

Le parc de la Ville (City Park). Une partie de ce parc était à l'origine occupée par le domaine du riche planteur créole Louis Allard. Entre le XVIIIe siècle et la première moitié du XIXe se disputèrent en ces lieux de nombreux duels, assez fréquents à l'époque. Ces duels se déroulaient à l'ombre des chênes verts séculaires que l'on peut toujours voir à gauche (côté sud) du musée. Les 750 ha du parc servent aux activités de plein air telles que la navigation de plaisance, le tennis, le cyclisme et l'équitation. On peut aussi y pratiquer la pêche dans l'une des belles lagunes du parc ou simplement y piqueniquer. Le «Jardin des Néo-Orléanais» comprend également un parcours de golf à 18 trous, une magnifique roseraie et, pour les enfants, des carrousels, un train miniature ainsi que différents jeux.

Le **Jardin botanique de La Nouvelle-Orléans** *(3$; mar-dim 10h à 16h30, visite guidée sur réservation; 1 Palm Dr., ☎483-9386)* se pare de statues et de fontaines rappelant l'époque Art déco. Au détour des chênes verts et des magnolias, le parc abrite de splendides jardins d'azalées et de camélias ainsi qu'un étang pour les plantes aquatiques.

Dirigez-vous vers le Musée des beaux-arts (New Orleans Museum of Arts).

Le **Musée des beaux-arts de La Nouvelle-Orléans** (New Orleans Museum of Arts) *(6$; mar-dim 10h à 17h; 1 Collins Diboll Circle, ☎488-2631)* : une majestueuse allée de chênes et de magnolias du parc de la Ville mène directement au musée. La collection du musée regorge d'importantes œuvres d'art précolombien et de peintres impressionnistes et contemporains (voir aussi «Musée des beaux-arts», p 162).

Suivez Lelong Drive pour quitter le parc et engagez-vous sur l'avenue de l'Esplanade, qui se trouve derrière la statue équestre du général Paul Gustave Toutant Beauregard (général de l'armée des Confédérés né à Saint-Bernard, en banlieue de La Nouvelle-Orléans). Traversez le pont et prenez immédiatement à droite la rue Moss; longez le bayou Saint-Jean/Bayou St. John.

Le bayou Saint-Jean fut une nouvelle porte d'entrée pour La Nouvelle-Orléans, lorsque l'on découvrit, grâce aux Indiens chocktaw, un raccourci par le lac Borgne et le lac Pontchartrain. Le bayou permettait d'atteindre le Mississippi après un court portage et évitait qu'on zigzague inutilement dans les méandres du fleuve depuis son embouchure. Navigable par le canal Garondelet jusqu'à la rue du Bassin et au Vieux-Carré Français, il connut un trafic intense jusqu'à sa fermeture, dans les années vingt.

1440 rue Moss – La **maison Ducayet** – La **maison Pitot** *(3$; mer-sam 10h à 15h;* ☎*482-0312)*, maison de planteur au style colonial antillais, fut construite vers 1800 par l'aristocratique famille Ducayet. La propriété fut ensuite acquise par le deuxième maire de La Nouvelle-Orléans, James Pitot. La maison est entièrement restaurée et remeublée.

1342 rue Moss – La **maison Blanc**, autre maison de plantation, modifiée dans un style d'inspiration néoclassique, fut érigée en 1834 par Évariste Blanc. Elle sert maintenant de rectorat à l'école Notre-Dame-du-Très-Saint-Rosaire.

Suivez la rue Moss jusqu'à la grand route St. John et prenez à gauche pour rejoindre l'avenue de l'Esplanade.

La grand-route St. John délimitait le Faubourg Pontchartrain (côté lac) du Faubourg Saint-Jean (côté fleuve ou sur la droite), tous deux fondés en 1809.

Descendez l'avenue de l'Esplanade en direction du Vieux-Carré Français. Vous traversez ainsi Mid-City et les faubourgs Tremé et Marigny. Tous les styles ou architectures typiques de la Louisiane s'accordent pour faire de cette artère l'une des plus belles de La Nouvelle-Orléans.

2306 rue de l'Esplanade – La **maison Musson** (Musson House) : on voit ce qui fut, pour une brève période de l'hiver 1872, la **résidence du peintre impressionniste Edgar Degas**, venu visiter son frère vivant à La Nouvelle-Orléans (Voir aussi «L'arrondissement et district historique de l'Esplanade», p 161).

Ici se termine notre balade en voiture à La Nouvelle-Orléans. À vous maintenant de faire vos propres découvertes dans les rues et sur les avenues et boulevards de la fabuleuse Cité du Croissant. Mais une autre surprise vous attend en prenant le traversier pour vous rendre sur l'autre rive du Mississippi.

Le **traversier de la rue du Canal** (Canal Street Ferry) *(gratuit pour les piétons, voiture 1$; 6h à minuit, départ aux 30 min)*. Administré par le ministère des Transports de la Louisiane, ce bac transporte les piétons et les automobilistes vers la rive occidentale du Mississippi jusqu'à la pointe d'Alger (Algiers Point). Il assure un service ininterrompu depuis 1827.

Rendez-vous de l'autre côté du Mississippi.

La pointe d'Alger (Algiers Point). En 1719, Bienville, le fondateur de La Nouvelle-Orléans, s'était vu remettre ce fief qui fait face au Vieux-Carré Français, sur l'autre rive du Mississippi. La pointe d'Alger était à l'origine le lieu de débarquement des esclaves arrivant d'Afrique. Un faubourg y fut construit entre 1840 et 1900, et son cachet particulier vaut à la pointe d'Alger d'être classée depuis 1978 comme patrimoine historique américain. On trouve sur place des renseignements touristiques additionnels. On peut y faire des randonnées pédestres particulièrement intéressantes.

Excursions autour de La Nouvelle-Orléans

Métairie

Le parc Lafrenière ★★ *(entrée libre; tlj 6h au crépuscule; 3000 boulevard Downs, ☎838-4389).* Ce parc de 62 ha s'adresse aussi bien à l'amateur des beautés de la nature qu'au sportif. Ses jardins paysagers et la richesse de sa flore locale séduiront le botaniste. Le fervent de plein air pourra y louer bateaux, vélos ou pédalos, profiter des sentiers de jogging, des aires de pique-nique et pratiquer la pêche.

Toujours au bord du lac Pontchartrain, en continuant par le boulevard Robert E. Lee, on se retrouve au beau milieu de la ville de **Bucktown** ★★, quartier de pêcheurs. Aujourd'hui intégrée à la municipalité de Métairie, Bucktown, qui fut pendant longtemps la station balnéaire des Néo-Orléanais, joue de contrastes entre ses airs champêtres et ses immeubles en hauteur. On y trouve des restaurants de fruits de mer.

Kenner

Le Musée louisianais des trains miniatures ★ (Louisiana Toy Train Museum) *(3$; mar-sam 9h à 17h; 519 boulevard Williams, ☎468-7223).* Trains miniatures du début du XIXe siècle; expositions avec objets que les enfants peuvent toucher; vidéos.

L'Hippodrome Jefferson Downs *(avr à mi-nov dès 18h30; 1300 boulevard Sunset, ☎466-8521).* Courses de pur-sang. Les enfants de moins de 12 ans ne sont pas admis et les 12 à 17 ans

Attraits touristiques

doivent être accompagnés d'un adulte. L'ancienne voie ferroviaire longeant l'hippodrome a été reconvertie en une piste dcyclable que les piétons peuvent emprunter et qui est bordée d'espaces verts.

Le **Musée de la faune et de la pêche de la Louisiane** ★★ (Louisiana Wildlife and Fisheries Museum) *(3 $; mar-sam 9h à 17h, dim 13h à 17h; 303 boulevard Williams, ☎468-7232).* C'est une réserve de 700 espèces d'oiseaux, de reptiles et d'autres animaux propres à la région. Aquarium de 56 775 litres peuplé de poissons des eaux louisianaises.

Chalmette

Jackson Barracks, musée d'histoire militaire ★★ *(entrée libre; lun-ven 7h30 à 16h, sam 10 h à 16 h; 6400 avenue Saint-Claude, ☎278-8242).* Ce musée installé dans une ancienne poudrière (1837) possède une importante collection d'armes, de drapeaux et de souvenirs.

Le parc de la Bataille de La Nouvelle-Orléans ★★ *(Chalmette, ☎ 589-4430).*

Fort Pike

Fort Pike State Commemorative Area ★★ *(adulte 2$, moins de 12 ans gratuit; tlj 9 h à 17 h sauf fêtes légales; route US 90/Old Spanish Trail, ☎662-5703).* Fort construit en 1827 au chenal des Rigolets, entre le lac Pontchartrain et le lac Borgne, pour la défense de la ville. Musée et centre d'interprétation de la nature, aire de pique-nique, toilettes.

Visites de plantations

La Louisiane est vaste et les distances sont assez longues. Aussi les plantations les plus intéressantes ne sont malheureusement pas toutes situées à proximité de La Nouvelle-Orléans et il faudra parfois rouler durant quelques heures avant d'y arriver. Néanmoins, voici tout de même trois plantations fort intéressantes et facilement accessibles en voiture. On trouvera une liste exhaustive des grandes plantations du Sud louisianais, dont la célèbre Oak Alley, dans le guide *Louisiane*, publié par les Guides de voyage Ulysse.

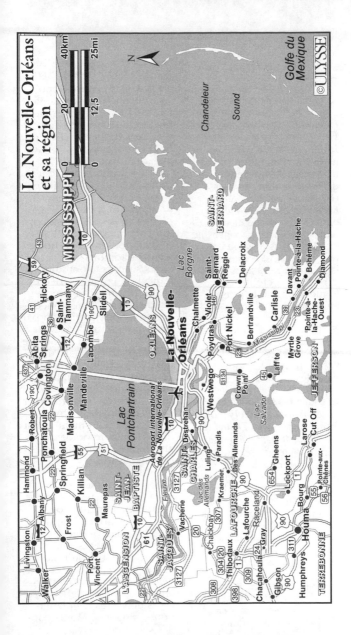

La Nouvelle-Orléans
et sa région

Destrehan

La **plantation Destrehan** ★★
*(7$, tlj 9h30 à 16h, sauf jours
fériés; C.P. 9999, chemin du
Fleuve/River Road, Destrehan,
LA 70047,* ☎ *764-9315)* se
trouve à seulement 16 km
de l'aéroport international
de La Nouvelle-Orléans
(Moisant), sur la route
LA 48 (chemin du Fleuve),
entre Sainte-Rose et Destrehan. La demeure, construite
en 1787 dans le style colonial français et remodelée à
la manière néoclassique
vers 1830, a été homo-
loguée comme la plus
ancienne

résidence de la vallée inférieure du Mississippi. De
grands chênes la bordent et
l'on y trouve de beaux
meubles anciens.

La **plantation Ormond** ★ *(7$;
tlj 10h à 16h; 8407 chemin du
Fleuve/River Road, Destrehan,
LA 70047,* ☎ *764-9854)*. Maison de plantation construite
vers 1790 dans le style colonial, avec des murs en bou-
sillage, et meublée à l'ancienne. On y expose des
collections de poupées, de
cannes et de fusils.

Vacherie

La **plantation Laura** ★★★
*(7$; tlj 9h à 17h; visites guidées
en français; fermé à l'Action
de grâce, à Noël et au jour de*

*l'An; chemin du Fleuve/River
Road, LA 70090,* ☎ *265-7690)*.
Pour vous y rendre depuis
La Nouvelle-Orléans (à 35
min de l'aéroport international Moisant), prenez l'autoroute I-10 en direction de
Bâton-Rouge, puis la I-310
jusqu'à la route LA3127
(après le pont), ensuite la
route LA20 jusqu'au Mississippi, où vous tournerez à
droite par la route 18. La
«Belle Créole» du Mississippi
fut malheureusement laissée
à l'abandon en 1984; fidèles
à leurs traditions, ses occupants successifs ont fait du
français la langue parlée de
la plantation jusqu'à leur
départ, cette même année
de 1984. Son acquisition par
un groupe féru d'histoire
dont fait partie un architecte
et l'historien Norman Mar-
million, lui-même descen-
dant d'une riche famille
d'aristocrates de la Louisiane, a permis de préserver
ce bel ensemble patrimo-
nial, lequel autrement aurait
disparu sous le poids des
ans et des inévitables actes
de vandalisme.

Après avoir été en partie
restaurée, la maison des
maîtres de la plantation
ouvrait ses portes au public
en 1994. Malgré que
d'autres bâtiments soient
encore en cours de réno-
vation, ces lieux demeurent
incontestablement les plus
chaleureux et les plus agréables de toutes les plantations existantes. Moins con-

Un marché-restaurant de poissons et de fruits de mer

Si vous voulez vous restaurer avant ou après votre visite de la plantation Laura ou de celle d'Oak Alley, une halte s'impose alors au sympathique commerce de la famille Breaux, dont les membres pratiquent la pêche sur les bayous et les lacs de la région. Au **B & C Seafood - Marché des Délices acadiens** *(au 2155 LA 18, sur le chemin du Fleuve- River Road, Vacherie, LA 70090, ☎265-8356),* on va choisir au comptoir son poisson et ses fruits de mer, qui une fois pesés, se préparent à la façon cadienne ou créole. Au menu : alligator, cuisses de grenouille, poisson-chat, crevettes, écrevisses, huîtres du golfe, tortue, palourdes, crabe, etc. La maison propose aussi une multitude d'autres produits tels que boudin cadien, saucisse fumée (andouille), tasso, pouding au pain, épices, gelées de mûres sauvages, gelées de piment, tartinade de figues et vinaigrettes.

nue que certaines autres «plantations-vedettes», la plantation Laura est tout de même la plus intéressante tant par son authentique cachet créole, dont une des particularités est d'être peinte de couleur vive, que par son histoire qui s'appuie sur de longues recherches. En effet, les passionnantes anecdotes qu'utilisent les guides pour la visite de la plantation s'appuient sur des documents anciens (5 000 pages de documents) consultés aux Archives nationales de Paris et d'après *Les Mémoires de Laura.* Ce journal ou mémoires de Laura Locoul, relatant la vie quotidienne de ceux et celles qui ont habité la plantation de canne à sucre durant près de deux siècles, a été retrouvé à Saint Louis (Missouri) en 1993. Le volet historique ne dissimule aucunement l'esclavage pratiqué à l'époque sur le domaine, et l'emplacement des anciennes «cases-nègres» de la plantation créole est un témoignage émou-

Attraits touristiques

vant des années difficiles que durent traverser les Afro-Américains.

La plantation Laura propose également à ceux qui en font la demande cinq différents circuits thématiques du domaine : 1- L'architecture créole; 2- La présence féminine et le matriarcat sur la plantation; 3- Les esclaves créoles : folklore et traditions artisanales; 4- Le quotidien des enfants sur une plantation créole; 5- Dégustation de vin chez Laura Locoul.

Visites guidées

En autobus

Parmi les nombreux tours de ville organisés, **Les Tours par Isabelle** ★ ★ ★ *(38$; durée 3 heures; tlj 9h à midi et 14h à 17h; ☎391-3544 ou 877-665-8687, www.toursbyisabelle.com)* sont particulièrement intéressants. Des guides parlant français sont disponibles sur réservation, pour faciliter aux visiteurs francophones la compréhension de certains récits anecdotiques. Dans un minibus d'une dizaine de sièges, le tour de trois heures couvre tout le Vieux-Carré Français, les cimetières Saint-Louis numéro 2 et de Métairie, le quartier du bayou Saint-Jean, le parc de la Ville, les

abords du lac Pontchartrain, les universités Tulane et Loyola, l'avenue Saint-Charles, la Cité-Jardin et le Superdôme.Non seulement les sites historiques importants sont-ils bien couverts, mais les guides commentent la ville avec enthousiasme et un vif intérêt. Pour 5$ de plus, vous pourrez visiter la magnifique résidence de Longue-Vue et ses fabuleux jardins. Le minibus vient vous chercher à votre hôtel et vous y ramène. Des visites de plantations ou des excursions sur les bayous sont également proposées; certains tours durent jusqu'à huit heures et incluent le repas de midi.

Ob's Tours & Heritage Service *(9h à 17h, 4635 rue Touro, contactez Lucille Le'Obia au ☎288-3478)* propose des tours thématiques soulignant l'apport des communautés qui habitent La Nouvelle-Orléans (Français, Espagnols, Allemands, Italiens, Amérindiens, Afro-Américains, Cadiens et Américains). Ces visites se déroulent dans toutes les parties de la ville. Des tours thématiques sur le jazz, le vaudou et la vie nocturne sont également organisés.

La compagnie **Gray Lines** *(☎569-1401 ou 800-535-7786, ≠587-0742)* fait des excursions qui vous donneront une vue d'ensemble de la ville et de ses environs, surtout lors d'une première visite. Les tours oragnisés sont les suivant : **A Stroll Through Elegance, visite de la Cité-Jardin** *(18$; 10h et 13h)*; **Super City Tour, la tournée de la ville** (Super City Tour) *(22$; 9h, 10h, 11h, midi et 14h30)*, **Secrets of the Vieux Carré, la visite du Vieux-Carré Français** *(15$; durée 1 heure)*; **Swamp and Bayou**, une excursion sur les bayous et marais *(38$; 9h, 11h, 13h)*, **Crescent City Nights, la ville la nuit**, incluant un repas au restaurant Tujague's, une visite dans une boîte de jazz et des beignets au Café du Monde *(63$; mar-dim 18h)*; un tour est offert en français avec magnétophone et écouteurs *(22$;mar, jeu et sam 10h; durée 2 heures)*.

D'autres compagnie offrent les mêmes services; communiquez avec : **New Orleans Tours** *(☎592-0560 ou 800-543-6332)*; **A Touch of Class Tour** *(tours en limousine et minibus, ☎522-7565)*.

À cheval

Pour une tournée du Vieux-Carré Français en **voiture à cheval**, rendez-vous dans la rue de la Levée face au square Jackson *(8$ dans une grande voiture et un minimum de 40$ pour une plus petite pouvant accueillir de une à quatre personnes; tôt le matin jusqu'à minuit)*.

À pied

Pour les visites guidées à pied, on se procure les billets le jour même à partir de 9h *(tlj sauf jours fériés; 9h à 17h; 419 rue de la Levée, ☎589-2636)*. Il est préférable de s'informer au préalable des conditions météorologiques à venir, car les orages sont particulièrement fréquents en saison estivale.

L'Histoire de La Nouvelle-Orléans et promenade dans le Vieux-Carré Français *(10h30; durée 90 min, dont une heure de marche)*. Un regard sur les événements historiques et la diversité culturelle dont la conjugaison a donné naissance à La Nouvelle-Orléans.

Le Tour du Jour *(9h30, 11h30 et 13h30; durée 30 min)*. Plus spécialisée que la promenade «Histoire de La Nouvelle-Orléans», cette visite met en vedette un sujet historique et culturel différent tous les jours. Renseignez-vous lors de votre visite puisque les sorties sont conditionnelles à la disponibilité du personnel.

Promenade au Faubourg (Garden District Tour) *(14h30; durée 90 min; réservation exigée)*. Départ au croisement de la 1re Rue et de l'avenue Saint-Charles, dans le quartier de la Cité-Jardin.

Attraits touristiques

Cette tournée propose le circuit des «Américains des beaux quartiers», particulièrement dans le quartier Uptown.

L'Exploration du Delta *(15h; durée 45 min)*. Au centre d'interprétation, il y a une présentation des différents aspects de la vie environnementale du delta du Mississippi avec diverses projections de diapositives ou de films et des promenades récréatives aux thèmes variés.

Une promenade dans le Vieux-Carré Français avec **Les Amis du Cabildo** ★★★ (The Friends of the Cabildo) *(10$; lun13h30, mar-dim 10h et 13h30; durée 2 heures; départ au 523 de la rue Sainte-Anne, maison 1850 Vieux-Carré Français, ☎523-3939)* met en évidence l'aspect historique et architectural autant que pittoresque de l'un des plus anciens quartiers urbains protégés d'Amérique du Nord. L'organisme à but non lucratif se voue à la préservation des musées d'État de la Louisiane.

La Nouvelle-Orléans se prête à toutes les excentricités; elle est aussi le lieu de nombreux récits fantastiques dont ceux d'Anne Rice, la célèbre écrivaine qui y vit. **Histoires de Fantômes dans le Vieux-Carré Français et la Cité-Jardin** (Haunted History/French Quarter & Garden District Tours) *(15$; tlj 11h et 13h30, durée 2 heures; les tours débutent au 2203 de l'avenue Saint-Charles, à l'angle de la rue Jackson, ☎861-2727)* propose des tours guidés gravitant autour de sujets tels que les maisons hantées et le vaudou; on fait la visite des cimetières historiques du Vieux-Carré Français et de la Cité-Jardin.

Le Théâtre de rue du Vampire ★★ (Vampire Street Theatre) *(13$; départ à 20h30; 941 rue Bourbon, La Forge des frères Lafitte/Laffitte' Blacksmith Shop, contactez Chaz de Restless Spirit Tours; ☎895-0895)*. Rien de plus amusant que de se faire les heureux complices de cette visite à pieds avec le talentueux comédien ambulant Chaz, qui anime ce théâtre de rue. La sortie s'effectue de nuit afin d'ajouter une touche mystérieuse au décor naturel du Vieux-Carré Français, où, dit-on, de nombreux revenants retournent hanter les lieux dès la tombée du jour. Non sans ironie et humour, le comédien-dramaturge Chaz fait revivre de façon théâtrale les légendes de vampires et de fantômes à travers l'histoire de La Nouvelle-Orléans. Des excursions dans la Cité-Jardin et dans les cimetières sont aussi disponibles *(tlj 10h30 et 13h30, départ chez Igor's*

Lounge, 2133 avenue Saint-Charles).

Plusieurs organismes effectuent des visites dans le cimetière Saint-Louis numéro 1, voici les principaux :

Historic New Orleans *(lun-sam 10h et 13h; 334-B rue Royale, ☎947-2120).*

Save our Cemetery *(8$; 10h dim, sur réservation; départ au 623 de la rue Royale, ☎588-9357 ou 525-3377)* offre également une visite du cimetière Lafayette.

Le **Cimetière de Métairie** distribue une brochure gratuite comprenant une visite guidée *(8h30 à 16h30; 4100 boulevard Pontchartrain, ☎486-6331).*

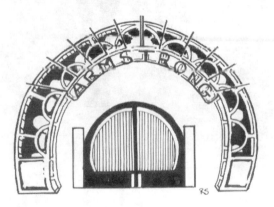

Jeán Baptiste Le Moyne
du BIENVILLE

Comme toutes les grandes villes, La Nouvelle-Orléans propose des activités de plein air aux citadins ou aux visiteurs désireux de pratiquer leur sport préféré. À chacun de choisir les activités de plein air de son choix.

Activités de plein air

Vélo

Les rues de La Nouvelle-Orléans étant fort achalandées, faire du vélo devient particulièrement agréable dans le parc Audubon, dans le parc de la Ville ainsi qu'aux abords du lac Pontchartrain. Le **New Orleans Bicycle Club** (☎276-2601) donne de l'information sur les activités cyclistes.

Randonnées en vélo de la Louisiane francophone - The French Louisiana Bike Tours
995$-1 300$ pour 4 à 7 jours; vélo 109$
Communiquez avec Michael Hamner
☎488-9844
☎800-346-7989
www.flbt.com
Cette entreprise récréo-touristique propose des sorties

accompagnées sur la route des plantations ou dans la région de Lafayette et le Pays Cadien. Visite des principaux attraits, excursions sur les bayous et spectacles de musique cadienne ou de zarico sont au programme, mais le plus important pour la partie de l'Acadie louisianaise, c'est d'y rencontrer les gens.

Canot

Dans le **parc de la Ville** (City Park) *(5$ l'heure;* ☎*482-4888)*, on peut louer un canot pour explorer les lagunes et la faune subtropicale.

Pêche

Le **parc de la Ville** (City Park) *(adulte 2$, moins de 16 ans 1$;* ☎*482-4888)* offre aussi la possibilité de pêcher la perche et le poisson-chat dans les cours d'eau qui le sillonnent. On achète sur place le permis de pêche obligatoire.

Pour obtenir des renseignements sur les droits de pêche à La Nouvelle-Orléans (incluant le lac Pontchartrain), adressez-vous au **Service de la Faune et de la Pêche de la Louisiane** *(25$ trois jours, 67$ pour la saison; lun-ven 8h15 à 16h15; Wildlife and Fisheries Department, 1600 rue du Canal,* ☎*568-5636)*.

Des excursions de pêche sont possibles près de La Nouvelle-Orléans; appelez **Bourgeois Charters** *(*☎*341-5614)*. Théophile Bourgeois organise des expéditions sur les bayous et marécages au sud de La Nouvelle-Orléans, et même en eau salée. Il est possible de louer un chalet et un canot à proximité en s'adressant à l'Auberge Jean-Lafitte - **Jean Lafitte Inn** *(rte 1, P.B. 311-A, Hwy. 45,* ☎*689-3271)*.

Baignade

Le golfe du Mexique se situe à une centaine de kilomètres de La Nouvelle-Orléans, qui n'est donc pas une station balnéaire. En outre, la mince couche de terre recouvrant le sol de la Louisiane méridionale ne permet guère la construction de piscines. Et pourtant certains hôtels possèdent leurs piscines, modestes lorsqu'elles sont aménagées dans les cours de ces établissements et de plus grandes dimensions lorsqu'elles sont érigées aux étages supérieurs des grands hôtels, voire aux sommets ou sur les toits. Pour se rafraîchir les jours de canicule ou de grande humidité, ou pour les nageurs voulant entretenir la forme, mieux vaut donc choisir un établissement hôtelier avec piscine puisque les piscines publiques à La Nouvelle-Orléans sont quasi inexistantes.

Écureuil

Il faut se rendre à l'extérieur de La Nouvelle-Orléans pour trouver une piscine publique. La piscine à vagues du **Bayou Segnette State Park** *(adulte 8$, moins de 12 ans 6$; 7777 West-Bank Expressway, Westwego, ☎736-7140)* attire les foules. Sur place, on trouve des tables de pique-nique ainsi qu'un terrain de jeu.

Le **St. Bernard State Park** *(2$; Hwy. Saint Bernard, LA 39 Sud, Poydras, ☎682-2101)* s'étend sur plus de 180 ha et propose, en plus de sa piscine, des tables de pique-nique, des sentiers pédestres et un terrain de camping.

Pour des baignades en mer, il faut se rendre dans l'État du Mississippi voisin pour profiter des plages de sable aux alentours de Gulfport ou de Biloxi, sur le golfe du Mexique, à une centaine de kilomètres de La Nouvelle-Orléans. En Louisiane, les eaux du delta du Mississippi troublent un peu les eaux du golfe, mais on trouvera tout de même des plages assez convenables à Grand'Île.

Randonnée pédestre

La plupart des parcs publics de La Nouvelle-Orléans comptent de beaux sentiers pédestres. La marche est une activité recommandée pour visiter la ville et ses environs. Le **Vieux-Carré Français**, la **Cité-Jardin** (Garden District) et la **pointe d'Alger** *(Algiers Point)* sont autant d'endroits où marcher tout en découvrant les multiples facettes de la cité historique. Pour vos randonnées pédestres, n'oubliez jamais de faire provision de bouteilles d'eau ou d'autres rafraîchissements.

À une heure de route de La Nouvelle-Orléans, le **parc Jean-Lafitte** *(☎689-2002 ou 589-2330)* compte plusieurs

Plein air

circuits de randonnée pé-
destre. Quelques sentiers
sillonnent des marécages et
des sites archéologiques.

Tennis

Les adeptes du tennis trouveront des courts de tennis
au **parc Audubon** (*6400-6900
av. Saint-Charles*) ainsi qu'au
parc de la Ville (City Park)
(☎*482-4888*).

Golf

Le public est admis aux
terrains de golf suivants.

Parc Audubon
*9$ en semaine, 12$ en fin de
semaine, voiturette 16$ pour 2
pers., aîné et étudiant 14$, 11$
pour 1 pers., aîné et étudiant
10$; 6h à 18h30, fermé les jours
fériés; 18 trous, par 68; boutique
de pro et casse-croûte.*
473 rue Walnut,
à 8 km du centre-ville
☎865-8260

Bayou Oaks Golf Course
*9$ à 17$; voiturette 18$ plus 10$
de dépôt; 5h30 à 18h30, 18h en
fin de semaine; quatre parcours
à 18 trous, par 68.*
1040 av. Filmore,
à 6,4 km du centre-ville
☎483-9397

Bretchtel Golf Club
*7,75$ en semaine, 10$ en fin de
semaine; voiturette 14$ pour 18
trous et 8$ pour 9 trous; 6h30 à
17h; par 70.*
3700 Behrman Pl.,
Westbank (à 16 km du centre-ville)
☎362-4761

Bayou Barriere Golf Club
*29$ en semaine, 40$ en fin de
semaine, voiturette incluse; 6h à
18h; par 71.*
7427 nationale 27,
Belle-Chasse (à 16 km du centre-ville)
☎394-9500

English Turn Golf & Co. Club
*150$ incluant voiturette; 7h30 à
18h; par 72; golf semi-privé,
adressez-vous au concierge pour
les réservations.*
1 Clubhouse Dr.
☎392-2200 ou 391-8019

Excursions

Vous aimeriez admirer la
fabuleuse Cité du Croissant
du haut des airs? Passer
quelques heures sur le
cours tranquille d'un bayou
ou d'un marécage? Il est en
effet possible de survoler La
Nouvelle-Orléans et
d'envisager une journée
d'excursion à moins d'une
heure de la trépidante ville.
La plupart des hôtels de La
Nouvelle-Orléans possèdent
une bonne documentation
sur ces excursions «air-
terre».

En avion

Air Reldan
à compter de 25$/pers.
Aéroport Lakefront,
8227 Lloyd Steaman Dr.
Bureau 120
☎*241-9400*
Air Reldan offre un survol
de La Nouvelle-Orléans de
jour ou de nuit. À défaut de
pouvoir s'offrir les plages
de la Louisiane, la com-
pagnie pro-pose même des
vols nolisés vers les plages
ensoleillées de l'État voisin,
le Mississippi, et de sa côte
donnant sur le golfe du
Mexique.

Air Tours on the Bayou - Southern Seaplane
tlj
1 Coquille Dr.
Belle-Chasse,
au sud de La Nouvelle-Orléans
☎*394-5633*
L'Air Tours on the Bayou,
qui porte aussi le nom de
Southern Seaplane, survole
la ville et les marécages des
environs. L'avion se pose au
milieu des marais ou sur un
bayou, pour permettre de
mieux admirer la faune et la
flore de ces lieux aquatiques.

Alligator

Excursions dans les bayous et marécages

Plusieurs petites ou grandes
entreprises proposent des
excursions sur les bayous
pour y admirer l'alligator ou
le cyprès. Il n'y a que
l'embarras du choix. Les
tours de bateaux, qui ont
comme capitaine un au-
thentique Cadien, se font en
français.

Dr. Wagner's Honey Island Swamp Tour
*8h30 et 13h30; communiquer
avec Sue ou Paul Wagner*
Crawford Landing,
sur la rivière West Pearl,
Slidell
☎*641-1769 ou 242-5877*
Les excursions se font en
compagnie d'un guide
naturaliste d'expérience sur
un marécage de 36 000 ha
où l'on rencontre ibis,
aigrettes des neiges, hiboux
et dindons sauvages.

Cypress Swamp Tours
*adulte 20$; 9h30, 11h30,
13h30 et 15h30*
501 rue Laroussini
Westwewego
☎*581-4501*
Cypress Swamp Tours
propose des excursions
de deux heures sur le
bayou Segnette, situé à
quelques kilomètres de
La Nouvelle-Orléans.

Plein air

Airboat Adventures
☎*885-7325 ou 888-GO-SWAMP*
www.airboatadventures.com
Airboat Adventures propose
des excursions à bord d'un
hydroglisseur plus apte à
l'exploration des marais. Les
sorties se font au coucher
de soleil ou la nuit, selon le
désir de chacun, et ont lieu
dans la région de Vacherie,
où se trouvent les magnifiques plantations Laura et
Oak Alley.

Adressez-vous à **Captain Ter-
ry's Swamp Tour** (☎*471-4933*)
ou à **Lil Cajun Swamp Tours**
(*adulte 16$, aîné 14$, enfant
12$, avec transport à l'hôtel
30$ et 15$; départs à 10h,
midi et 14h; Hwy. 301, Crown
Point,* ☎*689-3213 ou 800-
725-3213*), avec Cyrus Blan-
chard, dit «Cyrus le Cadien»,
capitaine à bord du *Wild
Turkey* et du *Moonlight Lady*,
un bateau pouvant accueillir 60 personnes. Les excursions se font sur les marécages du parc national Jean-
Lafitte et durent de deux à
quatre heures selon la demande.

Fun-Day Bayou Tours
*adulte 18$, moins de 12 ans 12$,
avec transport à l'hôtel 38$ et
18$ repas inclus*
*départ au quai à 9h30 et
13h30 sauf le dim matin*
☎*471-4900*
L'entreprise Fun-Day Bayou
Tours propose une balade
commentée sur le bayou
Segnette et les marécages
situés à 30 min de La

Nouvelle-Orléans. Un plat
traditionnel de riz aux haricots rouges, accompagné
de saucisses, est en outre
offert sur l'îlot de Miss Mary, laquelle nous convie à
visiter son jardin.

Capitaine Nick's Wildlife Safaris
☎*361-3004*
☎*800-375-3474 des É.-U.*
Des excursions privées, des
expéditions de pêche en
haute mer et des safaris-
photos (appareils photo
inclus) sont organisés par
Capitaine Nick's Wildlife
Safaris à bord de petites
embarcations accueillant de
une à quatre personnes. On
vient vous chercher à
l'hôtel.

Bateaux à vapeur et excursions sur le Mississippi

Il existe plusieurs visites
fluviales guidées sur le
Mississippi ainsi que sur les
bayous environnant La
Nouvelle-Orléans.

Les premiers bateaux à aubes, apparus en 1812, firent
de La Nouvelle-Orléans le
premier centre de transit
pour le transport du coton.
Plus tard, ils servirent au
transport de biens (meu-
bles, vins de France, livres)
et de passagers célèbres :
artistes, chanteurs d'opéra
et comédiens.

Delta Queen Steamboat Co.
1380 place du Port de La Nouvelle-Orléans/Port of New Orleans Place
La Nouvelle-Orléans
LA 70130-1890
☎586-0631 ou 800-543-7637
⊷543-7637
www.deltaqueen.com
Aujourd'hui la Delta Queen Steamboat propose à bord du *Delta Queen*, du *Mississippi Queen* ou de l'*American Queen*, de février à décembre, des croisières de 3 à 14 jours sur le Mississippi et ses affluents. De La Nouvelle-Orléans jusqu'à Memphis (Tennessee), Saint-Louis (Missouri) puis Minneapolis/Saint-Paul, au Minnesota, les croisières sillonnent 12 États avec des escales dans les principales villes, afin d'y visiter les principaux attraits touristiques, ce qui inclut des visites de plantations.

RiverBarge Excursions Lines
201 avenue des Opelousas/Opelousas St.
La Nouvelle-Orléans
LA 70114
☎365-0022, 800-781-4158 ou 888-642-2743
www.riverbarge.com
La compagnie RiverBarge Excursions Lines offre à peu de chose près les mêmes croisières sur le Mississippi que la Delta Queen Steamboat. Elles durent de 4 à 10 jours à bord d'un hôtel flot-tant pouvant accueillir 198 personnes. Les prix varient selon la durée de la croisière, de la destination ou du genre d'excursion puisque quelques-unes gravitent autour de La Nouvelle-Orléans, Bâton-Rouge, les plantations, le bassin de l'Atchafalaya et de l'Acadie louisianaise ou en Pays Cadien.

Bateau à aubes

R.V. River Charters
2 775$ a 3 650$ pour deux personnes
10 à 12 jours
☎800-256-6100
La compagnie R.V. River Charters propose des croisières en barge aux touristes désireux d'utiliser leur véhicule récréatif aux escales. Cette formule est de plus en plus populaire. On monte à bord avec son véhicule pour se promener nonchalamment sur la grande voie fluviale du Mississippi et ses nombreux bayous. La croisière traverse entre autres le bassin de l'Atchafalaya et l'Acadie louisianaise, s'arrêtant aux

points les plus intéressants pour y faire le plein de culture régionale : danse, musique, cuisine et autres attraits touristiques.

Cajun Queen

tarifs : *adulte 10$*
horaire : *11h30, 13h, 14h30 et 16h*
durée : *1 heure*
☎*524-0814*

Le *Cajun Queen*, réplique exacte d'un bateau à aubes du XIXe siècle, quitte le quai de l'Aquarium des Amériques pour une croisière de 12 km au cours de laquelle on visite le Vieux-Carré Français et le site de la Bataille de La Nouvelle-Orléans, à Chalmette. La croisière du soir comprend le buffet et un spectacle de jazz *(adulte 45 $, 22$ pour la croisière seulement; 20h, durée 2 heures)*.

Creole Queen

tarifs : *adulte 15-21 avec lunch*
horaire : *10h30 et 14h*
durée : *2 heures*
☎*524-0814 ou 800-445-4109*

Le *Creole Queen* propose quotidiennement, au départ du quai de la rue du Canal, une visite commentée du site historique de la Bataille de La Nouvelle-Orléans, à Chalmette. Un buffet créole est offert à 19h ainsi qu'une croisière de deux heures avec spectacle de jazz *(adulte 45$)*.

Steamboat Natchez

tarifs : *le jour : adulte 15,75$, avec lunch 21,75$*
le soir : adulte 25,50$, avec repas 45,50$
départ : *au quai de la rue de Toulouse, derrière la Jax Brewery*
horaire : *11h30, 13h30 et 19h*
durée : *2 heures*

New Orleans Steamboat Company

2 rue du Canal, bureau 1300
☎*586-8777 ou 800-233-2628*

Le *Steamboat Natchez* anime le Vieux-Carré Français lorsque ses flûtes à vapeur se font entendre du haut de son pont supérieur. Le bateau à vapeur fait une tournée du port et, pour le plaisir des excursionnistes, flâne doucement devant le grouillant Vieux-Carré Français. Les spectacles de jazz sont animés par l'enthousiaste orchestre Dukes of Dixieland.

John James Audubon

tarifs :
aller-retour avec visite de l'aquarium et du zoo : adulte 28,25$
aller-retour et visite du zoo : 20,50$
aller-retour et visite de l'aquarium : 22,50$
croisière seulement : 14,50$
aller simple à partir de l'aquarium ou du zoo : 11,75$
départ : *au quai de l'Aquarium des Amériques*
horaire : *10h, midi, 14h et 16h*

départ : *au Jardin zoologique Audubon*
horaire : *11h, 13h, 15h et 17h*
New Orleans Steamboat Company
2 rue du Canal, bureau 1300
☎586-8777
Le *John James Audubon*, quant à lui, va de l'Aquarium des Amériques au Jardin zoologique Audu-
bon. La croisière de 12 km côtoie le Vieux-Carré ainsi que les faubourgs d'Uptown. L'accent est mis sur les activités portuaires de La Nouvelle-Orléans, dont le port est l'un des plus achalandés des États-Unis et le deuxième en importance.

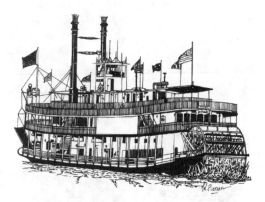

Hébergement

Que l'on soit à la recherche d'un simple pied-à-terre ou d'un endroit plus luxueux, La Nouvelle-Orléans offre tout un choix d'hôtels, de motels et de *bed and breakfasts* convenant à tous les budgets.

Bed & Breakfast 1981 est. Reservation Service (Service de réservation pour les *bed and breakfasts* 1981)
1021 rue Moss
La Nouvelle-Orléans
LA 70119
☎ *488-4640*
☎ *800-729-4640 des É.-U.*
⇌ *488-4639*

Pour la location d'une petite chambre toute simple, un cottage privé, ou pour séjourner dans un manoir classé historique, le Service de réservation pour les *bed and breakfasts* 1981 (Bed & Breakfast 1981 est. Reservation Service) peut fournir aux visiteurs tous les renseignements nécessaires et effectuer pour eux tous les types de réservations souhaitées.

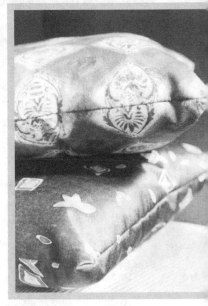

Bed & Breakfast Access, LLC Reservation Service
B.P. 1665
Métairie
LA 70004
☎ *834-7726*
☎ *888-766-6707 Amérique du Nord*
⇌ *834-2677*
www.bnbaccess.com
Bed & Breakfast Access peut réserver pour vous un

Les établissements qui se distinguent

Pour leur ambiance chaleureuse :
Le Méridien La Nouvelle-Orléans (p 230),
Le Richelieu (p 217), l'Hôtel Columns (p 237).

Pour leur architecture néo-orléanaise :
l'Hôtel Maison de Ville et le Cottage Audubon
(p 223), la Maison Soniat (p 219), le Rue Royale Inn
(p 216), l'Hôtel Columns (p 237), La Maison
Fairchild (p 236).

Pour leur beau décor :
les Cottages Chime (p 237), la Grenoble House
(p 216), l'Hôtel Dauphine Orléans (p 221),
l'Hôtel Maison de Ville et le Cottage Audubon
(p 223), la Maison Soniat (p 219), Le Pavillon Royal
Sonesta Marriott (p 231), le Windsor Court (p 229),
l'Hôtel Columns (p 237), le Monteleone (p 222),
l'Omni Royal Orléans (p 222), La Maison Fairchild
(p 236).

Pour leur belle cour intérieure :
les Cottages Chime (p 237), l'Hôtel de
la Poste (p 222), la Maison Dupuy (p 224),
la Maison Soniat (p 219), le Sainte-Anne-Marie-
Antoinette (p 222), l'Hôtel Saint-Louis (p 220).

Pour leur côté bon chic bon genre :
le Clairborne Mansion (p 221), l'Hôtel Bourbon-
Orléans (p 224), l'Hôtel Omni Royal Orléans
(p 222), l'Hôtel Pontchartrain (p 238), Le Méridien
La Nouvelle-Orléans (p 230), le Melrose Mansion
(p 225), le Monteleone (p 222), Le Pavillon Royal
Sonesta Marriott (p 231), le Windsor Court (p 229).

Pour leur mobilier d'époque :
la Grenoble House (p 216), l'Hôtel Cornstalk
(p 219), la Maison Girod (p 221), la Clairborne
Mansion (p 221), la Maison Le Duvigneaud (p 241),
la Maison Soniat (p 219), le Windsor Court (p 229),
Le Pavillon Royal Sonesta Marriott (p 231), l'Hôtel
Column (p 237).

Pour leurs petits prix :

le Comfort Inn/Downtown Superdome (p 226), les French Quartier Studios (p 218), le Nine-O-Five Royal Hotel (p 214), la Pension La Nouvelle-Orléans (p 218), le Prytania Inn I, II et III (p 233), le Bourgoyne Guest House (p 214), la St. Peter Guest House (p 213).

Pour le plus beau hall :

L'Hôtel Hyatt Regency (p 231), l'Hôtel Bourbon-Orléans (p 224), le Fairmont (p 228), le Windsor Court (p 229), l'Hôtel Columns (p 237).

Pour leur romantisme :

le Melrose Mansion (p 225), l'Hôtel Maison de Ville et le Cottage Audubon (p 223).

Pour leurs terrasses et balcons :

l'Hôtel de la Poste (p 222), l'Hôtel Omni Royal Orléans (p 222), la Maison Girod (p 221), la Maison Soniat (p 219) et le Rue Royal Inn (p 216), l'Hôtel Villa Convento (p 218), le Royal Sonesta Marriott (p 231), l'Hôtel Columns (p 237).

Pour le point de vue sur la ville et sur le Mississippi :

l'Hôtel Wyndham Canal Place (p 232), le Windsor Court (p 229), le Monteleone (p 222), l'Omni Royal Orleans (p 222), Le Pavillon Royal Sonesta Marriott (p 231).

studio avec entrée privée, un appartement meublé, voire une chambre dans une superbe maison de plantation.

Bed & Breakfast and Beyond - Reservation Service
3115 av. Napoléon
La Nouvelle-Orléans
LA 70125
☎896-9977
☎800-886-3709 des É.-U.
⇌896-2482
www.NolaBandB.com
Ce service vous propose de faire toutes vos réservations dans les *bed and breakfasts* de votre choix.

Corporate Apartments by Tonti Realty
4433 rue Conlin
Métairie
LA 70006-2123
☎889-6800
☎800-315-3365 des É.-U.
⇌455-9565
tontiapts@aol.com
Tony Realty loue des appartements meublés à la semaine ou au mois à La Nouvelle-Orléans, à Métairie ou à Kenner, dans la banlieue ouest.

New Orleans Bed & Breakfast and Accommodations
671 av. Rosa, bureau 208
Métairie
☎838-0071 ou 888-240-0070
⇌838-0140
Le New Orleans Bed & Breakfast and Accommodations offre un service de réservation de chambres,

d'appartements, de meublés et de pavillons.

Southern Comfort Reservation Service
8300 Sycanore Pl.
La Nouvelle-Orléans
☎861-0082 pour information
☎800-749-1928 pour réservation
⇌861-3087
Le Southern Comfort Reservation Service permet d'obtenir tous les renseignements sur les différents hôtels de la chaîne Southern Comfort dans la région métropolitaine de La Nouvelle-Orléans et d'y faire une réservation.

Le Vieux-Carré Français et le Faubourg Marigny

The Creole House Hotel (Maison Créole)
59$ et plus, pdj
bp, tv, ≡
1013 rue Sainte-Anne,
entre les rues du Rempart et de Bourgogne,
La Nouvelle-Orléans
☎524-8076
☎888-251-0197 des É.-U.
⇌581-3277
La Maison Créole offre 30 chambres modestes mais confortables dans un secteur tranquille du Vieux-Carré Français, à proximité du parc Louis-Armstrong, et suffisamment en retrait de la grouillante et peu reposante rue Bourbon, fort

animée une partie de la nuit.

Cramer House (Maison Cramer)
75$ et plus, pdj
≡, *bp, tv,* ℂ
1809 rue Dauphine,
Faubourg Marigny,
face au square Washington
☎943-6635
☎800-726-3322 *en Amérique du Nord*
⇌394-0331

Ce petit cottage créole, avec quartiers aux esclaves attenants, propose deux chambres, l'une avec deux lits doubles et l'autre avec lit simple. Chacune inclut une cuisinette et a accès à un patio, véritable havre de tranquillité.

Maison Dauphine
75$ et plus, pdj
≡, *bp, tvc,* ℝ, *micro-ondes*
1830 rue Dauphine,
Faubourg Marigny
☎940-0943
www.dauphinehouse.com

La Maison Dauphine offre ses trois coquettes chambres, un peu petites mais vraiment douillettes, dont deux peuvent éventuellement communiquer entre elles. Elles sont situées non loin du Vieux-Carré, face au square Washington, dans une maison créole typique à ce quartier.

The Frenchmen
75$ et plus, pdj
≡, *bp, tvc,* ⊗, ⊛, *S*
417 rue Frenchmen,
Faubourg Marigny
☎948-2166
☎888-365-2877 *des É.-U.*
⇌948-2258

The Frenchmen occupe deux maisons anciennes du Faubourg Marigny, tout près de l'ancien Hôtel de la Monnaie (Old US Mint) et du Marché Français. Les 25 chambres sont joliment meublées dans un style évoquant La Nouvelle-Orléans des années 1850; quelques-unes ont un balcon. Pour plus de sécurité, elles s'ouvrent à l'arrière seulement sur la jolie cour intérieure aménagée où se trouve une piscine.

St. Peter Guest House (Maison Saint-Pierre)
75$ et plus, pdj
≡, *bp, tvc*
1005 rue Saint-Pierre,
angle rue de Bourgogne
La Nouvelle-Orléans
LA 70116
☎524-9232
☎888-604-6300 *en Amérique du Nord*
⇌523-5198

Les balcons en fonte ouvragée de cette belle construction du XIXe siècle surplombent le Vieux-Carré Français. On y trouve 17 chambres et 11 studios meublés à l'ancienne. Des chambres donnent sur un petit patio.

Nine-O-Five Royal Hotel
75$ et plus
≡, *bp*, ℂ
905 rue Royale
La Nouvelle-Orléans
LA 70116
☎*523-0219*
≈*525-3905*
www.905royalhotel.com
Construit en 1890, le Nine-O-Five Royal Hotel est un des premiers petits hôtels du Vieux-Carré Français. On sera charmé par son cachet européen, sa cour intérieure et ses balcons donnant sur la rue Royale. La maison n'accepte aucune carte de crédit.

Bourgoyne Guest House (Pension Bourgoyne)
75$ et plus
bp, ℂ
839 rue de Bourbon
La Nouvelle-Orléans
LA 70116
☎*524-3621 ou 525-3983*
Ce beau manoir créole des années 1830 est situé au cœur du Vieux-Carré Français et compte trois chambres ainsi que deux studios donnant sur une coquette cour intérieure.

⬡ HÉBERGEMENT

1. Clairborne Mansion
2. French Quarter Studios
3. Grenoble House
4. Holiday Inn Château LeMoyne
5. Hôtel Bourbon-Orléans
6. Hôtel Chateau Dupré
7. Hôtel Cornstalk
8. Hôtel Dauphine-Orléans
9. Hôtel de la Poste
10. Hôtel Maison Bienville
11. Hôtel Maison de Ville et Cottages Audubon
12. Hôtel Olivier House
13. Hôtel Omni Royal Orléans
14. Hôtel Sainte-Anne - Marie Antoinette
15. Hôtel Sainte-Hélène
16. Hôtel Saint-Louis
17. Hôtel Provincial
18. Hôtel Saint-Pierre
19. Hôtel Villa Convento
20. Hôtel Westin Canal Place
21. Le Château Motor Hotel
22. Le Richelieu
23. Maison Cramer
24. Maison Créole - The Creole House Hotel
25. Maison Dauphine
26. Maison Dupuy
27. Maison Girod
28. Maison Lamothe
29. Maison Saint-Pierre *(St. Peter Guest House)*
30. Maison Soniat *(Soniat House)*
31. Monteleone
32. Melrose Mansion
33. Nine-O-Five Royal Hotel
34. Pension Bourgoyne *(Bourgoyne Guest House)*
35. Pension Nouvelle-Orléans *(New Orleans Guest House)*
36. Rue Royale Inn
37. The Frenchmen
38. The Historic French Market Inn
39. Royal Sonesta

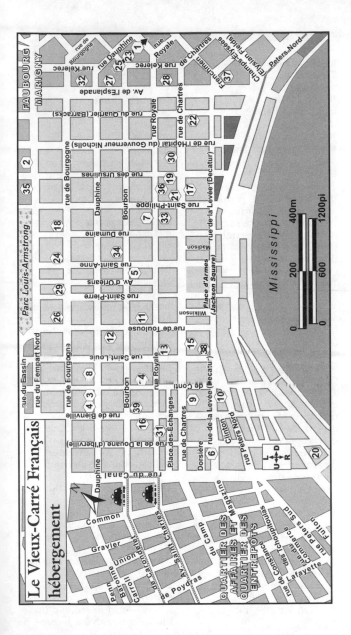

Le Vieux-Carré Français
hébergement

Rue Royale Inn
75-145 pdj
≡, *bp*, ℂ, ℝ, *S*
1006 rue Royale
La Nouvelle-Orléans
LA 70116
☎*524-3900*
☎*800-776-3901 en Amérique du Nord*
⇌*558-0566*

Très belle maison créole des années 1830 proposant de luxueux studios avec balcon doté de bassin à remous ou des chambres donnant sur la cour. Stationnement payant.

Grenoble House
75-195
≡, *bp*, *tv*, ≈, ℂ
329 rue Dauphine
La Nouvelle-Orléans
LA 70112
☎*522-1331 ou 800-722-1834*
⇌*524-4968*

Ce ravissant petit hôtel de 17 studios dévoile un décor enchanteur. Les appartements se répartissent dans les trois vieilles parties d'origine de la maison bourgeoise : la résidence des maîtres, l'aile et les chambres des serviteurs ainsi que le quartier des esclaves. Tous les studios possèdent, outre un lit, un sofa-lit. Les cuisinettes sont munies d'équipement moderne (four conventionnel ou à micro-ondes, poêle, réfrigérateur et lave-vaisselle). Les enfants de moins de 12 ans ne sont pas admis. On y parle français.

Château Motor Hotel
79-129 pdj
≡, *bp*, *tvc*, ≈, ℜ, *S*
1001 rue de Chartres
La Nouvelle-Orléans
LA 70116
☎*524-9636*
⇌*525-2989*

Cet établissement pittoresque se situe au cœur de l'historique Vieux-Carré Français.

Hôtel Chateau Dupré
89$ et plus, pdj
bp, *tvc*
131 rue de la Levée/Decatur, à l'angle de la rue Iberville
La Nouvelle-Orléans
☎*539-9000*
☎*800-256-0135 en Amérique du Nord*
www.nolacollection.com/chateau

Cette maison existe depuis 180 ans et a été successivement la propriété d'un homme d'État, d'un magnat de la finance et d'une matrone, ce qui est bien représentatif de la société néo-orléanaise. Les 54 chambres et studios (suites), au plafond haut, sont équipés d'un mobilier moderne.

The Historic French Market Inn
89$ et plus, pdj
bp, *tvc*, *S*
501 rue de la Levée/Decatur
La Nouvelle-Orléans
☎*539-9000*
☎*800-256-9970 en Amérique du Nord*
www.nolacollection.com/frenchmarket

L'hôtel se situe en face du monument élevé à la mémoire de Jean-Baptiste Le Moyne de Bienville, fondateur de La Nouvelle-Orléans, et de la rue de la Levée (Decatur), une voie passante du Vieux-Carré Français. On se réfugie à l'abri de la rue dans sa cour intérieure avec piscine. Les chambres sont coquettes et meublées dans un style moderne avec quelques répliques de beaux meubles anciens. Stationnement disponible avec voiturier.

Hôtel Saint-Pierre
89-129 pdj
≡, *bp*, ≈, *S*
911 rue de Bourgogne/Burgundy
La Nouvelle-Orléans
LA 70116
☎*524-4401*
☎*800-225-4040 en Amérique du Nord*
⇌*524-6800*

L'hôtel comprend deux cottages créoles du XVIIIe-siècle, aménagés dans une cour aussi paisible qu'ombragée.

Auberge Rathbone
90-145 pdj
≡, *bp*, ℂ, *tv*, *S*
1227 av. de l'Esplanade
La Nouvelle-Orléans
LA 70116
☎*947-2101*
☎*800-947-2101 des É.-U.*
⇌*947-7454*

L'Auberge Rathbone, aux allures de beau manoir, a été construite en 1850. Profitant d'un bel environnement dans l'historique Faubourg Marigny, l'auberge

propose huit chaleureuses chambres et deux magnifiques studios. Stationnement privé.

Maison Lamothe
90-195 pdj
bp, ⊛, ≈, *tvc*, *S*
621 av. de l'Esplanade
La Nouvelle-Orléans
LA 70116-2018
☎*947-1161*
☎*888-696-9577 des É.-U.*
⇌*943-6536*

Cet hôtel particulier, blotti sous les chênes, est agréablement bien située, à une rue du Vieux-Carré Français. Ses 11 chambres et neuf studios sont meublés à l'ancienne. Tout dans cette maison évoque le charme, beau mais un peu empesé, de l'ère victorienne.

Le Richelieu
95-150
≡, ⊗, *bp*, *tvc*, ℝ, ≈, ℜ, *S*
1234 rue de Chartres
La Nouvelle-Orléans
LA 70116
☎*529-2492*
☎*800-535-9653 des É.-U.*
⇌*524-8179*

Les auteurs de ce guide vous recommandent fortement ce merveilleux établissement coté 4 Diamants par le Club automobile AAA. Le Richelieu se situe non loin du couvent des Ursulines, du Marché Français, de l'élégante avenue de l'Esplanade et du Faubourg Marigny. Son charme romantique, son service exceptionnel et ses prix abordables pour le Vieux-Carré Français en ont fait une valeur sûre dans le circuit hôtelier de La Nouvelle-Orléans. Le bar de l'hôtel, qui sert aussi de salle à manger, donne sur une cour intérieure joliment fleurie, occupée en partie par la piscine. Le soir, ce sympathique endroit devient le lieu de rendez-vous préféré des gens du quartier. Tout le personnel brille ici d'une grande gentillesse. Service de bar ou de restauration à la chambre sur demande.

Hôtel Villa Convento
99-175 pdj
bp, tvc, ≡
616 rue des Ursulines
La Nouvelle-Orléans
LA 70116
☎*522-1793*
⇌*524-1902*
www.villaconvento.com
La villa occupe une ancienne maison créole construite en 1833. Ses grands balcons en fonte ouvragée, forme d'art typique à La Nouvelle-Orléans, donnent sur une rue tranquille. L'hôtel calme, est suffisamment éloigné de la fébrile rue Bourbon et des commerces du Vieux-Carré Français. Le seul commerce qui pourrait troubler la sérénité des lieux lui apporte au contraire beaucoup de charme... En effet, Le Croissant d'Or (voir «Restaurants», p 249) est un petit restaurant-pâtisserie où l'on fait de très bon croissants ainsi

que des brioches. La famille Campo, propriétaire de l'hôtel, offre à sa clientèle de pensionnaires un service des plus dévoués. Les chambres sont modestes, les plus grandes peuvent loger facilement quatre personnes. La maison projette d'entreprendre bientôt des travaux de rénovation afin de redonner à la maison son éclat d'origine.

Pension Nouvelle-Orléans (New Orleans Guest House)
100$ et plus, pdj
bp, S
1118 rue des Ursulines
La Nouvelle-Orléans
LA 70116-2306
☎*566-1177 ou 800-562-1177*
⇌*566-1179*
La Pension Nouvelle-Orléans est un cottage créole datant de 1848. La maison possède une belle cour intérieure où l'on sert les petits déjeuners. Les propriétaires y sont fort accueillants. Stationnement privé.

French Quarter Suites Hotel
100$ et plus, pdj
≡, *bp, tv,* ≈
1119 rue du Rempart Nord
La Nouvelle-Orléans
LA 70116
☎*524-7725*
☎*800-457-2253 des É.-U.*
⇌*522-9716*
www.2fun.com
Le French Quarter Suites Hotel, situé à proximité du Vieux-Carré Français, propose des chambres modes-

tes, mais tout aussi confortables les unes que les autres.

Hôtel Cornstalk
115-155 pdj
≡, *bp*
915 rue Royale
La Nouvelle-Orléans
LA 70116
☎*523-1515*
⇄*522-5558*

L'Hôtel Cornstalk est situé au cœur du Vieux-Carré Français. Cet élégant petit hôtel classé monument historique propose 14 chambres avec meubles d'époque, vitraux, foyers et lits à baldaquin. Un peu en retrait de la rue, derrière un joli jardin, l'hôtel est facilement reconnaissable à sa grille en fer ouvragé aux motifs d'épis de maïs.

Soniat House (Maison Soniat)
125$ et plus, pdj
bp, ≡, *tvc*
1133 rue de Chartres
La Nouvelle-Orléans
LA 70116
☎*522-0570*
☎*800-544-8808 des É.-U.*
⇄*522-7208*
www.soniathouse.com

Ce tranquille et luxueux hôtel, que les auteurs de ce guide vous recommandent avec enthousiasme, occupe la Maison Soniat du Fossat, dont on a conservé le cachet historique. Cet hôtel particulier fut construit en 1829 pour le planteur Joseph Soniat du Fossat,

membre de l'aristocratie néo-orléanaise. La Maison Soniat dispose de chambres ou de studios élégamment meublés d'antiquités provenant de France, de Grande-Bretagne et de Louisiane. On sera charmé par sa bucolique cour intérieure, où l'on sert le petit déjeuner, et par son balcon aux garnitures de fonte surplombant la rue de Chartres et duquel on aperçoit un chef-d'œuvre du patrimoine architectural néo-orléanais, le couvent des Ursulines, de l'autre côté de la rue. En face, une autre maison historique, ayant appartenu au fils de Joseph Soniat du Fossat, a également été reconvertie en hôtel par les mêmes propriétaires de l'établissement, l'endroit possède aussi une magnifique cour intérieure richement fleurie, elle aussi dotée d'une belle fontaine.

Hôtel Olivier House
125$ et plus
≡, *bp*, *tvc*, ≈, ℂ
828 rue de Toulouse
La Nouvelle-Orléans
LA 70112-3422
☎*525-8456*
⇄*529-2006*

Ce beau bâtiment construit en 1836 et inscrit au registre national historique propose aux visiteurs de grandes pièces, chacune bénéficiant de hauts plafonds et d'un mobilier ancien. L'hôtel donne sur une cour luxuriante.

Hôtel Sainte-Hélène
130-225 pdj
≡, *bp*, ≈, *tvc*, ℂ
508 rue de Chartres
La Nouvelle-Orléans
LA 70116
☎ *522-5014*
☎ *800-348-3888 en Amérique du Nord*
⇌ *523-7140*
www.stehelen.com

Le client appréciera au plus haut point le style XVIIIe siècle ainsi que les chambres luxueusement meublées de cet hôtel au registre des sites historiques.

Holiday Inn Château Le Moyne
139$ et plus
≡, *bp*, *tv*, ≈, ℜ
301 rue Dauphine
La Nouvelle-Orléans
LA 70112
☎ *581-1303 ou 800-447-2830*
☎ *800-747-7372 en Amérique du Nord*
⇌ *523-5709*

Situé à proximité des activités du Vieux-Carré Français, le Holiday Inn Château Le Moyne propose, outre ses chambres, quelques beaux studios aménagés dans des cottages créoles. Les chambres sont attrayantes et toutes sont décorées avec goût; certaines ont un mur de brique, un lit à baldaquin et un foyer. Les fenêtres des chambres font pleine hauteur sous plafond et se parent de tentures fleuries.

Hôtel Saint-Louis
139$ et plus
≡, *bp*, ⊛
730 rue de Bienville
La Nouvelle-Orléans
LA 70130
☎ *581-7300*
☎ *800-535-9111 en Amérique du Nord*
⇌ *524-8925*

Tout ici rappelle le charme de La Nouvelle-Orléans d'autrefois : son restaurant de style Louis XVI, ses fontaines, sa flore subtropicale, etc. Les clients peuvent utiliser la piscine de l'hôtel Sainte-Anne–Marie-Antoinette, un établissement voisin avec lequel il est jumelé.

Hôtel Provincial
145$ et plus
≡, *bp*, *tv*, ≈, ℜ, S
1024 rue de Chartres
La Nouvelle-Orléans
LA 70116
☎ *581-4995*
☎ *800-535-7922 en Amérique du Nord*
⇌ *581-1018*
www.hotelprovincial.com

La clientèle apprécie la tranquillité et le confort de cet hôtel du Vieux-Carré Français abritant une centaine de chambres pourvues de meubles antiques et décorées de façon différente. Les murs se parent d'une tapisserie sertie de doux motifs, et les grandes fenêtres sont agrémentées de belles étoffes imprimées ou unies.

🏚 Maison Girod
145-225 pdj
≡, *bp*, ℂ
835 av. de l'Esplanade
La Nouvelle-Orléans
LA 70116
☎*522-5214*
☎*800-544-8808 en Amérique du Nord*
⇄*522-7288*

La Maison Girod est une demeure créole fort bien conservée et joliment garnie de meubles d'époque. Ce petit hôtel particulier propose cinq chambres et six studios. Tous les studios comportent une chambre à coucher, un salon, un coin cuisine ainsi qu'une salle de bain. Les deux plus grands studios ont un balcon donnant soit sur l'élégante avenue de l'Esplanade ou sur le bucolique jardin intérieur. Les chambres et les studios combinent le confort créole et l'ameublement bourgeois du XIXe siècle.

🏚 Claiborne Mansion
150-250
≡, *bp*, *tv*, ≈
2111 rue Dauphine
La Nouvelle-Orléans
LA 70116
☎*949-7327*
☎*800-449-7327 en Amérique du Nord*
⇄*949-0388*

Le Clairborne Mansion, un *bed and breakfast* du Faubourg Marigny situé en face du square Washington, dispose de neuf chambres spacieuses. Toutes sont décorées avec sobriété mais beaucoup de goût, privilégiant les tons neutres. Certaines d'entre elles sont garnies de lits à baldaquin. Chacune des pièces créent un environnement aussi agréable qu'invitant.

🏚 Hôtel Dauphine Orléans
150$ et plus, pdj
≡, *bp*, *tv*, ⊘, ≈
415 rue Dauphine
La Nouvelle-Orléans
LA 70112
☎*586-1800*
☎*800-521-7111 en Amérique du Nord*
⇄*586-9630*
www.dauphineorleans.com

Dès leur arrivée, les visiteurs sont accueillis avec une consommation offerte par la maison. Un thé est servi tous les après-midi. L'hôtel compte 109 chambres. La partie «Dauphine» de l'hôtel, qui date du début du XIXe siècle, renferme 14 chambres magnifiques avec poutres d'origine apparentes au plafond et murs de brique. Les autres chambres, aux murs décorés de teintes pâles, au plancher revêtu de moquette beige et aux couvre-lits abondamment fleuris, ont aussi beaucoup de cachet. Les chambres offrent également toute une gamme de petits appareils tels que fer à repasser et séchoir à cheveux.

Hôtel de la Poste
150$ et plus
≡, *bp, tv,* ≈, ℜ
316 rue de Chartres
La Nouvelle-Orléans
LA 70130
☎*581-1200*
☎*800-448-4927 en Amérique du Nord*
⇌*523-2910*

Cet adorable Hôtel, dans la partie animée du Vieux-Carré, abrite une centaine de chambres avec balcon donnant sur la cour intérieure ou sur la rue. La décoration des chambres est simple mais chaleureuse, avec meubles de bois foncé. L'établissement peut s'enorgueillir d'abriter l'excellent restaurant Bacco, réputé pour sa fine cuisine italienne fortement imprégnée de saveurs créoles (voir p 258).

Monteleone
150$ et plus
≡, *bp, tvc,* ≈, ℝ, ☺, ℜ
214 rue Royale
La Nouvelle-Orléans
LA 70130
☎*523-3341*
☎*800-535-9595 en Amérique du Nord*
⇌*528-1019*
www.hotelmonteleone.com

Ici, on retrouve tous les avantages d'un hôtel de grand calibre, construit avec faste en 1886 dans un style méditerranéen. L'hôtel demeure encore aujourd'hui l'un des plus grands hôtels du Vieux-Carré. On y dénombre 500 chambres spacieuses, récemment rénovées. Les murs de couleur pâle s'harmonisent avec l'ameublement en bois d'œuvre de teinte plus foncée. Certaines chambres disposent de lits à baldaquin. La terrasse avec piscine, une oasis de fraîcheur et de détente, est située sur le toit de l'édifice.

Hôtel Saint-Anne – Marie-Antoinette
159-209 pdj
≡, *bp, tvc,* ≈, ℜ
717 rue Conti
La Nouvelle-Orléans
LA 70230
☎*581-7300*
☎*888-508-3980 en Amérique du Nord*
www.stannmarieantoinette.com

L'hôtel s'est jumelé avec son voisin de jardin, l'hôtel Saint-Louis. Le hall d'entrée ainsi que les 66 chambres ont été entièrement rénovés. L'accueil y est chaleureux et les clients peuvent profiter du restaurant Louis XVI de l'hôtel d'à côté (voir «Restaurants», p 262).

Hôtel Omni Royal Orléans
169$ et plus
≡, *bp, tvc,* ℂ, ☺, ≈, ℜ
621 rue Saint-Louis
La Nouvelle-Orléans
LA 70140
☎*529-5333*
☎*800-843-6664 en Amérique du Nord*
⇌*529-7089*
www.omnihotels.com

L'Hôtel Omni Royal Orléans demeure l'un des plus

beaux fleurons de la chaîne d'hôtels Omni à travers le monde. Ce titre convoité n'est pas dû seulement à sa magnifique architecture et à sa situation privilégiée dans le Vieux-Carré Français, mais aussi parce que cet hôtel est d'une splendeur éblouissante avec sa riche décoration qui donne l'impression de vivre comme dans un conte de fées. Les grands événements comme le Mardi gras se déroulent à ses pieds. De son toit, où se trouve une terrasse avec piscine, ou du haut de ses balcons ouvragés, la vue qu'on a sur le Vieux-Carré Français est tout simplement saisissante.

Hôtel Maison Bienville
175$ et plus
≡, *bp, tv,* ≈, ☺, ℜ, *S*
320 rue de la Levée/Decatur
La Nouvelle-Orléans
LA 70130
☎529-2345
☎800-535-7836 en Amérique du Nord
⇆525-6079

Ce charmant petit établissement propose quelques chambres avec balcon. Récemment, la maison et ses 83 chambres ont été entièrement rénovées. L'imprimé discret des couvre-lits et les rideaux fleuris aux tons rosés se jumellent aux meubles de bois d'œuvre foncé. Face à l'Aquarium des Amériques et du Riverfront, près de la rue Bourbon et de la place d'Armes, l'hôtel bénéficie d'un des endroits les mieux situés du Vieux-Carré Français.

Hôtel Maison de Ville et Cottages Audubon
180$ et plus, pdj
≡, ℂ, *bp,* ≈, ℜ, *S*
727 rue de Toulouse
La Nouvelle-Orléans
LA 70130
☎561-5858
☎800-634-1600 en Amérique du Nord
⇆528-9939
www.maisondeville.com

Situé au cœur du Vieux-Carré Français, cet hôtel est un immeuble d'une rare beauté architecturale comprenant 16 chambres et sept cottages. Cette maison fut à l'origine la résidence du naturaliste Jean-Jacques Audubon et de sa famille. C'est d'ailleurs en ces lieux qu'il devait nous léguer nombre de ses plus beaux croquis, dessins et toiles. La résidence principale et ses dépendances ont été soigneusement restaurées. L'aménagement des chambres – certaines rustiques, d'autres bourgeoises – reflète les différentes époques de la vie méridionale. Les enfants de moins de 12 ans ne sont pas admis.

Hébergement

Maison Dupuy
185$ et plus
≡, bp, tv, ☺, ≈, ℜ
1001 rue de Toulouse
La Nouvelle-Orléans
LA 70112
☎586-8000
☎800-535-9177 en Amérique du Nord
≈525-5334

Cet hôtel de 198 chambres et suites a été aménagée dans sept cottages datant du XIXe siècle, qui, malgré des travaux de rénovation récents, ont conservé tout leur cachet d'époque. Les chambres sont spacieuses et décorées dans un style européen. Les couvre-lits et rideaux fleuris agrémentent les murs aux couleurs pâles. Plusieurs chambres ont des portes-fenêtres qui donnent sur la piscine de la magnifique cour intérieure, dont le jardin abrite de beaux arbres fruitiers (bananiers décoratifs, orangers et pamplemoussiers). L'hôtel a son restaurant, Le Bon Créole, qui propose du jazz à ses brunchs du dimanche.

Hôtel Bourbon-Orléans
185-250
≡, bp, tv, ≈, ℜ
717 av. d'Orléans
La Nouvelle-Orléans
LA 70116
☎523-2222
☎800-996-3426 des É.-U.
≈571-4666
www.wyndham.com

L'Hôtel Bourbon-Orléans de la chaîne hôtelière Wynd-ham est un luxueux hôtel de style européen du XIXe siècle, avec ameublement d'époque de style Queen-Anne et salles de bain en marbre. Dans les chambres, de riches tissus couvrent les lits et habillent les fenêtres, alors que d'éclatantes moquettes s'harmonisent aux motifs fleuris des étoffes. Ne manquez pas d'aller visiter La Librairie Arcadia, de l'autre côté de la rue.

Royal Sonesta Hotel
225$-1 400$
bp, ≡, tvc, ≈, ℝ, ℜ
300 rue Bourbon
entre les rues de Conti et de Bienville
La Nouvelle-Orléans
☎586-0300
≈586-0335
www.royalsonestano.com

Le Royal Sonesta est facilement reconnaissable à sa vaste charpente de briques et à ses balcons qui, sur deux étages, surplombent la rue Bourbon à l'angle de la rue de Bienville. Le luxueux hôtel occupe presque entièrement le pâté de maisons s'étalant jusqu'à la rue Royale. Ses 500 chambres et studios sont disposés tout autour d'un vaste jardin tropical. Rien n'a été laissé au hasard afin de plaire à la clientèle, entre autres un étage entier réservé uniquement à des locataires privilégiés qui y accèdent par un ascenseur privé.

Melrose Mansion
250$ et plus, pdj
≡, *bp, tv,* ≈
937 av. de l'Esplanade
La Nouvelle-Orléans
LA 70116
☎944-2255
☎800-650-3323 des É.-U.
≈945-179
www.malrosemansion.com
Les magnifiques chambres
de cette élégante maison
historique sont richement
décorées. Les amoureux
argentés peuvent s'offrir
tout le romantisme de la
«Suite Donecio» pour la
modique somme de... 425$!
La maison offre un service
de transport de l'aéroport
au manoir et vice-versa.

Quartier des Affaires et quartier des Entrepôts

Hôtel international YMCA
29$ et plus
≡, *tvc, bp,* ℜ, ☺, ≈
920 av. Saint-Charles
La Nouvelle-Orléans
LA 70130
☎/≈568-9622
L'Hôtel international YMCA
est le rendez-vous préféré
des globe-trotters à petit
budget, des admirateurs de
Jack London ou de Jack
Kerouac, de même que de
tous ceux qui conservent
leur éternelle jeunesse.

Les Carillons
49$ pdj
≡, *bp, tvc*
842 rue Camp
La Nouvelle-Orléans
LA 70130
☎566-9200
☎877-224-4637 en Amérique du
Nord
www.artsbb.com
Les Carillons, entre les rues
Julia et Saint-Joseph, se
situe en plein cœur du
quartier des Affaires et du
quartier des Entrepôts, lequel dernier quartier, en
pleine restauration, reçoit
de plus en plus le nom de
Cité des Arts. Les chambres
de la maison principale et
de sa dépendance, à l'ar-
rière, s'ouvrent sur une cour
intérieure aménagée comme
un exotique jardin tropical.
L'hôtel particulier comprend
cinq chambres modestes
mais confortables. La dé-
pendance a été transformée
en un joli studio pouvant
accueillir jusqu'à six personnes. Ce studio bénéficie
d'une salle de séjour au rez-
de-chaussée ainsi que de
deux chambres à l'étage.

Roadway Hotel
65$ et plus, pdj
≡, *bp, tvc,* ≈, *S*
1725 av. Tulane
La Nouvelle-Orléans
☎529-5411
☎800-635-1976 des É.-U.
≈524-1059
Cet hôtel se trouve à la
sortie de l'autoroute, un
peu au nord du Vieux-Carré

Français. Bien que sans cachet particulier, les chambres de cette chaîne hôtelière américaine sont propres et confortables.

Comfort Inn Downtown Superdome
65-90
≡, *bp, tvc*, ℝ, ℜ
1315 rue Gravier
La Nouvelle-Orléans
LA 70112-2003
☎*586-0100*
☎*800-535-9141 en Amérique du Nord*
⇄*588-9230 ou 527-5263*
Cet établissement profite d'un emplacement de choix, à mi-chemin entre le Superdôme et le Vieux-Carré Français. Les chambres sont simples et accueillantes, dotées d'un ameublement contemporain. Chaque chambre dispose également de petis appareils utiles tels que fer à repasser et séchoir à cheveux, ainsi que d'un four à micro-ondes.

Days Inn – Canal Street
95-135
≡, *bp, tvc*, ≈, ℜ, S
1630 rue du Canal
La Nouvelle-Orléans
LA 70112
☎*586-0110*
☎*800-232-3297 en Amérique du Nord*
⇄*581-2253*
Situé à quelques minutes de marche du Vieux-Carré Français, tout près de

l'autoroute I-10 (sortie 235 B), cet hôtel de 211 chambres réparties sur huit étages comporte un ameublement classique. Les chambres régulières offrent un très grand lit *(king)* ou deux grands lits. Toutes les chambres sont confortables, garnies de moquette et de commodes, et équipées de petits appareils (séchoirs, cafetières, messageries vocales).

Comfort Suites Downtown
105$ et plus, pdj
≡, *bp*, ℜ, S
346 rue Baronne
La Nouvelle-Orléans
LA 70112-1627
☎*524-1140*
☎*800-524-1140 en Amérique du Nord*
⇄*523-4444*
sandipc@aol.com
L'endroit se trouve à trois pâtés de maisons du Vieux-Carré Français et toutes ses chambres-studios sont confortables et équipées des commodités pour un séjour plus ou moins prolongé : cafetière, séchoir à cheveux et journal livré à votre porte tous les matins. On peut aussi y cuisiner, en autant que l'on soit habile avec un micro-ondes. Le stationnement est gratuit, ce qui n'est pas a dédaigner dans ce quartier où les places de stationnement disponibles sont rarissimes.

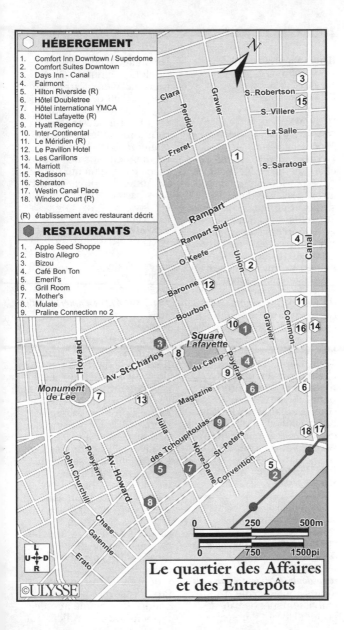

Clara
Gravier
S. Robertson
S. Villere
La Salle
S. Saratoga
Perdido
Freret
Rampart
Rampart Sud
Canal
O'Keefe
Union
Baronne
Common
Bourbon
Gravier
Square Lafayette
du Camp
Poydras
Av. St-Charles
Magazine
Howard
Monument de Lee
Julia
des Tchoupitoulas
Notre-Dame
St-Peters
Convention
Poeyfarre
John Churchill
Av.-Howard
Chase
Galennie
Erato

| 0 | 250 | 500m |
| 0 | 750 | 1500pi |

Le quartier des Affaires et des Entrepôts

©ULYSSE

Hôtel Lafayette
109$ et plus
≡, *bp, tvc,* ℝ
600 av. Saint-Charles
La Nouvelle-Orléans
☎*539-9000*
☎*800-270-7542 en Amérique du Nord*
La quasi-totalité du rez-de-chaussée de l'hôtel est occupé par le restaurant Ditka's, spécialisé dans les steaks et grillades, où les amateurs de cigares peuvent profiter d'un salon particulier uniquement réservé aux fumeurs. L'hôtel met en valeur ses belles boiseries, qui ajoutent beaucoup de charme au décor du hall d'entrée et à celui du restaurant, ce qui conserve à ce bel immeuble tout son cachet d'origine lors de son ouverture, en 1916. L'hôtel abrite 44 chambres avec mobilier d'époque ou moderne. Le parc Lafayette est juste à côté, en biais avec le majestueux Gallier Hall. Cet hôtel est accessible par le tramway; il y a un arrêt en face.

Hôtel Doubletree
129$ et plus
≡, *bp, tv,* ☉, ≈, ℜ
300 rue du Canal
La Nouvelle-Orléans
☎*581-1300*
☎*800-222-8733 en Amérique du Nord*
⇄*523-6536*
www.doubletreeneworleans.com
Moins coûteux que d'autres établissements de sa catégorie, l'Hôtel Doubletree a l'avantage d'être situé à quelques minutes seulement du Vieux-Carré Français. Le hall de cet hôtel de 363 chambres et 12 suites est plutôt modeste. Les chambres sont cependant chaleureuses, et leur ameublement en bois aux teintes pâles est agrémenté de rideaux et de couvre-lits aux tons pastel.

Fairmont
129$ et plus
≡, *bp, tvc,* ℝ, ☉, ≈, ℜ
123 rue Baronne
La Nouvelle-Orléans
LA 70112-2355
☎*529-7111*
☎*800-527-4727 en Amérique du Nord*
⇄*522-2303*
www.fairmont.com
Le Fairmont est un luxueux hôtel centenaire en bordure du Vieux-Carré Français. En y pénétrant, on est séduit par son luxe recherché. Le hall est un long passage menant à la rue voisine qui débouche sur la place de l'Université. Ce long couloir, dont l'allée se couvre de splendides tapis d'Orient, est bordé de colonnes dorées soutenant des solives et moulures sculptées à la façon d'un plafond à caissons au centre duquel sont suspendues de gigantesques candélabres aux cristaux étincelants. On y dénombre trois restaurants, et son bar, le *Sazerac*, a ainsi été nommé afin de rappeler qu'en ces lieux fut

créé en 1859 un fameux cocktail qui porte cette appellation. Le splendide hôtel a hébergé des personnages illustres, dont les présidents américains Eisenhower et Kennedy, ainsi que le Général de Gaulle lorsque celui-ci, lors d'une visite officielle aux États-Unis, séjourna à La Nouvelle-Orléans. L'extravagance de la décoration de l'hôtel et de ses restaurants a coûté plusieurs millions de dollars. Contrastant avec la richesse toute victorienne du hall d'entrée, les chambres sont d'une facture beaucoup plus moderne, autant par leur décor que par leur mobilier. Tout en haut de l'hôtel, où l'on découvre la ville, ont été installés des courts de tennis ainsi qu'une piscine. À ne pas manquer durant le temps des Fêtes : les magnifiques décorations qui ornent le hall de l'hôtel.

Le Pavillon Hotel
169$
≡, *bp*, *tvc*, ≈, ⊘, ℝ, ℜ
833 rue Poydras,
à l'intersection avec la rue Baronne
La Nouvelle-Orléans
LA 70112
☎581-3111
☎800-535-9095 des É.-U.
⇄522-5543
www.lepavillon.com

Ce splendide hôtel est surnommé depuis sa fondation en 1907 «La Belle de La Nouvelle-Orléans». Et pour cause! Bien qu'isolé des autres grands lieux d'hébergement, dans un quartier où les affaires priment d'abord et avant tout, «La Belle» se distingue d'entre tous, avec tout le faste de sa glorieuse époque au XIXe siècle. C'est avec un vif intérêt que l'on découvre ses élégantes colonnes en marbre, ses plafonds à caissons, ses murs aux panneaux de bois peints ainsi que l'agencement de ses chambres spacieuses recevant un mobilier qui épouse le style de chacune, car chaque chambre se démarque par son style particulier. Ses studios comptent parmi les plus beaux en ville et, nécessairement, parmi les plus chers aussi. Tout ici n'est que pur ravissement.

Windsor Court
175$-2 500$
≡, *bp*, *tvc*, ℝ, ℂ, ⊛, ⊘, ≈, ℜ
300 rue Gravier
La Nouvelle-Orléans
LA 70130
☎523-6000
☎888-596-0955 en Amérique du Nord
⇄596-4513
www.windsorcourt.com

Le complexe occupe un grand immeuble contemporain près du Riverwalk, au pied de la rue du Canal et tout près du traversier qui fait la navette entre La Nouvelle-Orléans et la pointe d'Alger (Algiers Point). Le Windsor Court fait partie de la prestigieuse chaîne d'hôtels Orient-Express. Depuis son hall cossu et spacieux jusqu'à la plus modeste de ses chambres, la décoration et l'aménagement y ont été faits avec goût, voire avec toute l'exubérance que le budget de la maison a pu se permettre. Quant au choix du mobilier, il se constitue essentiellement d'authentiques meubles de toutes les époques, du XVIe au XXe siècle. Les lecteurs du magazine américain *Condé Nast* ont déjà consacré le Windsor Court comme étant le meilleur établissement qui puisse exister au monde.

Méridien La Nouvelle-Orléans
185$ et plus
≡, *bp, tvc*, ≈, ℝ, ☺, ℜ, ✪
614 rue du Canal
La Nouvelle-Orléans
☎525-6500
☎800-543-4300 *en Amérique du Nord*
⇌525-1128
www.meridienneworleans.com
Ce luxueux hôtel haut de gamme propose 494 chambres spacieuses, élégantes et confortables. Une table de travail complète l'ameublement composé notamment d'un fauteuil et d'un canapé dont les couleurs se marient avec les tentures et le couvre-lit, combinant au luxe moderne tout le charme traditionnel du Sud. Les chambres situées aux niveaux supérieurs de cet immeuble de 30 étages

offrent une superbe vue sur la ville. Le personnel attentif de l'hôtel met tout en œuvre pour s'assurer du bien-être des visiteurs. La piscine extérieure et le relais santé sont situés au 8e étage. Le bistro **La Gauloise** (voir p 269) ainsi que de nombreuses salles de réunion offrant tous les services aux gens d'affaires sont également à la disposition de la clientèle. Le soir ainsi qu'au réputé brunch du dimanche, on présente des spectacles de jazz.

Hôtel Hilton Riverside
185$ et plus
≡, *bp, tvc*, ≈, ℝ, ☺, ℜ, ✪
2 rue de Poydras
La Nouvelle-Orléans
☎561-0500
☎800-445-8667 *en Amérique du Nord*
⇌556-3788
www.neworleanshilton.com
L'Hôtel Hilton Riverside est certes l'un des plus gros hôtels de la ville avec plus de 1 500 chambres. L'ameublement est contemporain, et le décor des chambres standards est sans grande originalité mais néanmoins confortable. Les chambres dites «du concierge» sont conçues spécialement pour les gens d'affaires. Des studios sont également disponibles, certains avec table de billard et terrasse privée. Autres installations et services offerts : bars, courts de tennis, relais santé et deux piscines.

Hôtel Hyatt Regency
185$ et plus
≡, *bp, tvc,* ≈, ℝ, ☺, ℜ, ✪
500 rue de Poydras,
angle rue Loyola
La Nouvelle-Orléans
☎*561-1234*
☎*800-233-1234 en Amérique du Nord*
⇄*523-0488*
www.hyatt.com
Ici, l'aménagement du hall et des aires de repos profite de grands espaces et d'une lumière généreuse tout en créant une ambiance de luxe et de confort. Les chambres sont spacieuses et toutes sont décorées avec goût. Certaines sont conçues spécialement pour les femmes et, politesse non négligeable, situées à proximité des ascenseurs. Autres services offerts : bars, relais santé et salon de beauté.

Hôtel Inter-Continental
185$ et plus
≡, *bp, tvc,* ≈, ℝ, ☺, ℜ, ✪
444 av. Saint-Charles
La Nouvelle-Orléans
☎*525-5566*
☎*800-445-6563 des É.-U.*
⇄*523-7310*
www.interconti.com
À quelques rues du Vieux-Carré Français, le confort et l'élégance qu'on y retrouve font la bonne réputation de cette chaîne internationale. Quelque 450 vastes chambres, au décor sobre et invitant, sont disponibles. Certaines d'entre elles conçues spécialement pour les personnes à mobilité réduite.

Tout le personnel de l'hôtel a le souci du bien-être des visiteurs. Autres installations et services offerts : bars, relais santé et salon de beauté.

Hôtel Marriott
185$ et plus
≡, *bp, tvc,* ≈, ℝ, ☺, ℜ
555 rue du Canal
La Nouvelle-Orléans
☎*581-1000*
☎*800-228-9290 en Amérique du Nord*
⇄*523-6755*
www.marriott.com
Cet hôtel moderne de 1 300 chambres et 54 studios est situé à quelques pas du Vieux-Carré Français. Le Marriott accueille régulièrement d'importants congrès. Les chambres sont confortables et fort bien aménagées. Celles sises aux étages supérieurs profitent d'une superbe vue sur la ville, le Vieux-Carré Français et le Mississippi. Le personnel est ici très courtois.

Hôtel Radisson
185$ et plus
≡, *bp, tvc,* ≈, ℝ, ☺, ℜ
1500 rue du Canal
La Nouvelle-Orléans
☎*522-4500*
☎*800-333-3333 en Amérique du Nord*
⇄*522-3627*
www.radisson.com/neworleansla
Cet autre grand établissement hôtelier, inscrit au Registre national des immeubles historiques, compte 759 chambres ré-

cemment rénovées. L'ambiance et la chaleur du Sud sont présentes dans chacune des spacieuses chambres élégamment décorées. La teinte foncée du mobilier de bois se marie harmonieusement aux jolis tissus fleuris. Le Radisson propose également plusieurs suites luxueuses ainsi que des chambres pour les personnes à mobilité restreinte. Le personnel parle ici plusieurs langues. Leur accueil et leur service se veulent des plus courtois. Un service de navette entre l'hôtel et le Vieux-Carré Français est offert gratuitement à la clientèle de l'hôtel.

Hôtel Sheraton
185$ et plus
≡, *bp, tvc*, ≈, ℝ, ☺, ℜ
500 rue du Canal
La Nouvelle-Orléans
☎525-2500
☎800-235-3396 *des É.-U.*
⇄561-0178
www.sheraton.com/neworleans
L'Hôtel Sheraton est un autre hôtel recherché pour la tenue de méga-congrès. Son vaste hall a d'ailleurs été conçu afin de permettre les allées et venues de milliers de personnes. Ses 1 100 confortables chambres ont été aménagées de façon fonctionnelle. Le personnel s'efforce de porter une attention particulière à chaque visiteur.

Wyndham New Orleans at Canal Place
185$ et plus
≡, *bp, tvc*, ⊛, ≈, ℝ, ☺, ℜ
100 rue d'Iberville
La Nouvelle-Orléans
☎566-7006
☎800-228-3000 *des É.-U.*
⇄553-5120
www.wyndham.com
Ici, les vastes chambres sont joliment décorées dans des teintes pastel; chacune a son foyer de marbre et profite d'une vaste salle de bain en marbre. La piscine extérieure, sise au 30ᵉ étage de l'immeuble, permet de contempler la ville de merveilleuse façon. Le restaurant Le Jardin assure le service aux chambres 24 heures sur 24. Tous les dimanches, un brunch avec jazz est servi à ce même restaurant. Parmi les autres services et installations qui y sont offerts, il y a une salle d'exercices ainsi que deux bars.

La Cité-Jardin et Uptown

Pension Longpré
12$ au dortoir, 35$ pour la chambre
bc, ℂ
1726 rue Prytania
La Nouvelle-Orléans
LA 70130
☎581-4540
Le Pension Longpré est située entre le Vieux-Carré Français et la Cité-Jardin

(Garden District) et se trouve à proximité du tramway de l'avenue Saint-Charles. La maison centenaire est quelque peu fatiguée et abrite actuellement une auberge de jeunesse. Ici s'offrent au choix, sans faste ni luxe, des lits dans quelques dortoirs ou dans une petite chambre privée.

Marquette House New Orleans International Hostel (Maison Marquette Inter Hostel)
15-70
2253 rue de Carondelet
La Nouvelle-Orléans
LA 70130
☎*523-3014*
La Maison Marquette Inter Hostel, membre affilié de la Fédération américaine des auberges de jeunesse, compte 160 lits, la plupart installés dans des dortoirs *(15-18; bc)* ou dans quelques chambres privées *(28-31; ≡, bp)*; on y trouve aussi des studios comprenant deux chambres avec salon et cuisinette *(40-70; ≡, bp, ℂ)*.

Prytania Inn I
49-59 pdj
bp, ⊛, ℂ
1415 rue Prytania
La Nouvelle-Orléans
LA 70130
☎*566-1515*
⇌*566-1518*
www.prytaniainns.com
Le Prytania Inn 1 est situé dans la Basse Cité-Jardin près du square Coliseum et à une quinzaine de pâtés de

maisons du Vieux-Carré. L'endroit est facilement accessible par le tramway de l'avenue Saint-Charles, la rue voisine. La maison propose 20 chambres qui, si elles sont modestes, sont convenables et confortables; quelques-unes sont munies d'une cuisinette, d'autres donnent sur la terrasse. La restauration de cette résidence des années 1850 a été entreprise en 1984, ce qui a valu à leurs auteurs une mention d'excellence. Les boiseries d'origine ainsi que les plâtres de cette belle maison ont été précieusement préservés.

Prytania Inn II
49-59 pdj
bp/bc, ⊗
2041 rue Prytania
La Nouvelle-Orléans
☎*566-1515*
⇌*566-1518*
www.prytaniainns.com
L'auberge est adjacente à la bucolique Cité-Jardin et à l'avenue Saint-Charles. Elle compte 15 chambres et deux studios avec deux chambres; ces studios sont parfaits pour loger une famille ou deux couples. John Hampden Randolph, l'architecte qui a dessiné entre autres les plans de la célèbre maison de la plantation Nottoway, a conçu aussi ceux de ce superbe hôtel particulier.

Prytania Inn III
49-59 pdj
bp, ⊗
2127 rue Prytania
La Nouvelle-Orléans
☎*566-1515*
≈*566-1518*
www.prytaniainns.com
La maison est reconnais-
sable à ses colonnes qui
soutiennent la toiture de
son impressionnante et élégante véranda. Elle date de
1858 et a été construite
dans un style rappelant celui d'une maison de plantation. On y dénombre 11
chambres avec salle de
bain.

Saint-Charles Inn
50-90 pdj
bp
3636 av. Saint-Charles,
dans la Cité-Jardin
La Nouvelle-Orléans
LA 70115
☎*899-8888*
☎*800-489-9908 en Amérique du Nord*
≈*899-8892*
Bien que l'entrée de ce petit
hôtel soit coincée entre un
restaurant et un café, on y
trouve, à l'intérieur, des
chambres accueillantes et
récemment rénovées.

Saint-Vincent Guest House
59-79 pdj
≡, bp, tvc, ≈, ℜ
1507 rue Magazine - Basse Cité-jardin
La Nouvelle-Orléans
☎*566-1515*
≈*566-1518*
www.prytaniainns.com
La Saint-Vincent Guest
House est une récente ac-
quisition des Prytania
Inns I, II et III. L'auberge de

○ HÉBERGEMENT	● RESTAURANTS
1. Avenue Plaza Hotel	1. Bluebird Cafe
2. Cottages Chime	2. Commander's Palace
3. Grand Boutique Hotel	3. Dick and Jenny
4. Hôtel Colomns	4. Kelsey's
5. Hôtel Pontchartrain	5. Kyoto
6. Maison Fairchild	6. La Crêpe Nanou
7. Maison Marquette Inter Hostel	7. Martinique Bistro
8. Maison Saint-Charles Quality Inn	8. Pascal Manale
9. Maison Terrell	9. Straya
10. Pension Longpré	10. Uglesich's
11. Prytania Inn I	11. Upperline
12. Prytania Inn II	
13. Prytania Inn III	
14. Saint-Charles Guesthouse	
15. Saint-Charles Inn	
16. Saint-Vincent Guest House	

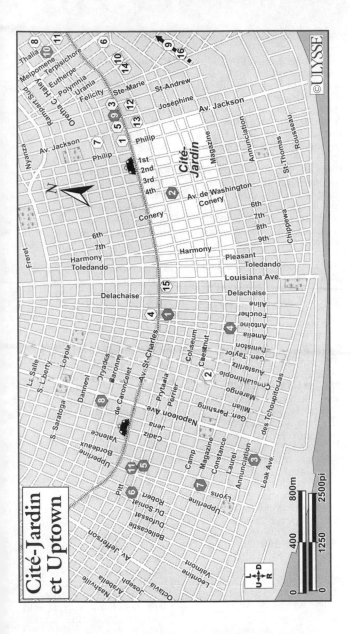

Cité-Jardin et Uptown

© ULYSSE

ville loge dans un orphelinat construit en 1861 pour les sœurs de la Charité. La large structure de briques rouges est ceinturée par trois balcons avec garde-fou en fer forgé; à l'intérieur, les moulures d'époque ont été préservées. Les 70 chambres et cinq studios ont leur propre salle de bain ainsi que le téléphone. La ligne d'autobus de la rue Magazine passe devant la porte pour se rendre au Vieux-Carré.

1890 Saint-Charles Guesthouse Bed & Breakfast
simple 45-65, double 65-85, pdj
≡, *bp/bc*, ≈
1748 rue Prytania
La Nouvelle-Orléans
LA 70130
☎ *523-6556*
≈ *522-6340*
www.stcharlesguesthouse.com
La 1890 Saint-Charles Guesthouse Bed & Breakfast est un petit hôtel sans prétention situé près de la Basse Cité-Jardin (Lower Garden District) et à proximité du tramway. Vieillot et sans grand confort, il est fréquenté par une clientèle assez jeune et à petit budget, un peu bohème parfois; c'est l'un des plus économiques endroits où se loger à La Nouvelle-Orléans. On y compte 26 chambres donnant sur une jolie cour intérieure ensoleillée avec piscine.

Maison Saint-Charles Quality Inn
65$ et plus pdj
≡, *bp, tvc*, ≈, ⊛
1319 av. Saint-Charles,
Basse Cité-Jardin
La Nouvelle-Orléans
LA 70130
☎ *522-0187*
☎ *800-831-1783 des É.-U.*
≈ *528-9993*
www.maisonstcharles.com
La Maison Saint-Charles Quality Inn bénéficie d'une charmante cour intérieure et regroupe un ensemble de six bâtiments historiques. Les chambres sont peintes de couleurs vives et brillent d'une propreté irréprochable. Le mobilier réunit un ensemble hétéroclite d'ancien et de moderne (tête de lit en bois ou en cuivre, fauteuils d'inspiration victorienne, etc.). Les pièces sont éclairées par des lustres en cristal.

Maison Fairchild
75-100 pdj
bp, tv, S
1518 rue Prytania
La Nouvelle-Orléans
LA 70130
☎ *524-0154*
☎ *800-256-8096 des É.-U.*
≈ *568-0063*
La Maison Fairchild est une magnifique résidence de style néoclassique construite vers 1841, située dans la basse Cité-Jardin (Garden District) et ne comptant que 14 chambres. L'aménagement des chambres rappelle l'époque victorienne. Le dé-

cor est chaleureux et invitant. Une charmante cour intérieure est à la disposition des visiteurs. Stationnement privé.

Hôtel Columns
75-175 pdj
≡, bp
3811 av. Saint-Charles
La Nouvelle-Orléans
LA 70115
☎899-9308
☎800-445-9308 en Amérique du Nord
≈899-8170

Ce bel hôtel, dont les immenses colonnes parent la devanture qui s'ouvre sur un porche spacieux menant à une jolie terrasse, est en partie voilé par un grand bosquet d'arbres. Cette belle construction est inscrite au registre historique national. Les boiseries, les plafonds ainsi que les murs en acajou sont remarquables et tous d'origine. C'est ce même grand escalier qui mène aux chambres que l'on a pu admirer dans le film de Louis Malle *La Petite* (*Pretty Baby*). Le mobilier en bois est de style américain du milieu du XXe siècle. Les mardis et les jeudis soirs (*20h à 23h*), le bar de l'hôtel, le Victorian Lounge, dévoilant de superbes boiseries, accueille un groupe de jazz. Il y a brunch à l'hôtel tous les jours (*7h à 15h*).

Cottages Chime
90-125 pdj
≡, bp
1146 rue de Constantinople
La Nouvelle-Orléans
☎899-2621
☎800-749-4640 des É.-U.

Les Cottages Chime sont de coquets studios pouvant accueillir jusqu'à six personnes, avec salle de bain. On fume à l'extérieur. Charles, le sympathique et chaleureux propriétaire d'origine libanaise, qui travaille également comme maître d'hôtel au restaurant Chez Arnaud, dans le Vieux-Carré Français (voir p 264), parle français et adore causer. C'est un charmant endroit où résider, grandement recommandé par les auteurs de ce guide, et facilement accessible par le tramway de l'avenue Saint-Charles, qui, en quelques minutes à peine, vous transporte jusqu'au cœur du Vieux-Carré Français.

Maison Terrell
100-125 pdj
≡, bp, tvc
1441 rue Magazine
La Nouvelle-Orléans
LA 70130
☎524-9859

La Maison Terrell, érigée en 1858, a été reconvertie en une pension de neuf chambres. La maison a préservé son cachet d'antan, et son ameublement se veut d'époque. Située dans le quartier résidentiel de la Basse Cité-Jardin, où se succèdent les boutiques d'anti-quaires et les galeries, elle possède un luxuriant jardin à l'anglaise où deux chiens font la garde. Sur demande, cet accueillant endroit fera même votre réservation de restaurant et de visites guidées de la ville.

Avenue Plaza Hotel
125$ et plus
≡, *bp, tv*, ☺, ≈, ℂ, ℜ
2111 av. Saint-Charles
La Nouvelle-Orléans
LA 70130
☎ *566-1212*
☎ *800-535-9575 en Amérique du Nord*
⇄ *679-7612*

Les spacieuses et accueillantes chambres de l'hôtel ont récemment été rénovées. Certaines sont garnies d'un beau mobilier Art déco.

Grand Boutique Hotel
129-199 pdj
≡, *bp, tvc*, ⊗, ℝ, *micro-ondes*
2001 av. Saint-Charles
La Nouvelle-Orléans
LA 70130
☎ *558-9966*
☎ *800-976-1755 en Amérique du Nord*
⇄ *571-6464*
boutiquehotel@mindspring.com

Le Grand Boutique a repris le style Art déco des belles années du XXᵉ siècle. Cet hôtel étant aménagé au-dessus de l'extravagant et moderne restaurant Straya, on ne pouvait trouver une meilleure harmonie du style hollywoodien pour le décor de ses 44 studios fort confortables, chacun ayant son espace salon et une table pour casser la croûte. Certaines chambres, plus grandes, sont équipées d'une baignoire à remous et ont accès au balcon de l'avenue Saint-Charles; ces studios ont là leur table réservée si l'idée venait à leurs pensionnaires de dîner sur la terrasse et y voir défiler les tramways bondés de Néo-Orléanais et de touristes. L'hôtel offre le service d'un voiturier pour garer sa voiture. Le petit déjeuner est servi dans la grande salle à manger du Straya ou à la chambre.

Hôtel Pontchartrain
150$ et plus
≡, *bp, tvc*, ℜ
2031 av. Saint-Charles
La Nouvelle-Orléans
LA 70140
☎ *524-0581*
☎ *800-777-6193 en Amérique du Nord*
⇄ *524-7828*
www.pontchartrainhotel.com

Ce luxueux hôtel de style européen se situe au cœur de la Cité-Jardin (Garden District). En plus de proposer des chambres standards, l'établissement compte quelques studios romantiques. L'un des studios du réputé hôtel a déjà accueilli le prince Aly Khan et l'actrice Rita Hayworth lors de leur lune de miel à La Nouvelle-Orléans.

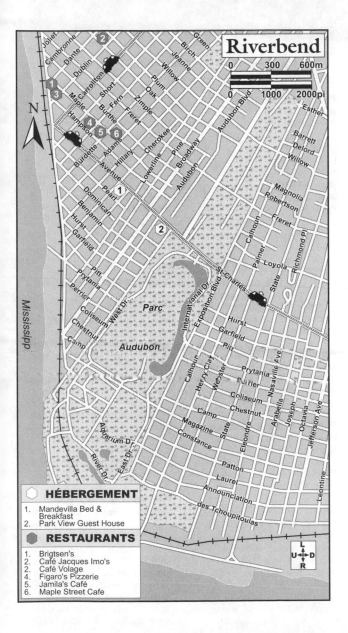

Riverbend

| 0 | 300 | 600m |
| 0 | 1000 | 2000pi |

HÉBERGEMENT

1. Mandevilla Bed & Breakfast
2. Park View Guest House

RESTAURANTS

1. Brigtsen's
2. Café Jacques Imo's
2. Café Volage
4. Figaro's Pizzerie
5. Jamila's Café
6. Maple Street Cafe

Riverbend

Park View Guest House
90-120 et plus
≡, *bp/bc, tvc*, ℜ
7004 av. Saint-Charles
La Nouvelle-Orléans
LA 70118
☎*861-7564*
☎*888-533-0746*
⇌*861-1225*

Située en bordure du parc Audubon, la Park View Guest House a été construite pour accueillir les visiteurs de l'Exposition internationale du coton en 1884. Certaines chambres de la coquette maison victorienne offrent une vue magnifique sur le parc. Les chambres donnant sur la rue Saint-Charles ont un ameublement d'époque. Les autres chambres ont moins de cachet mais une meilleure vue. Toutes sont propres et confortables.

Mandevilla Bed & Breakfast sur l'avenue Saint-Charles
moins de 75$ pdj
≡, *bp*
7716 av. Saint-Charles
La Nouvelle-Orléans
LA 70118
☎*862-6396*
☎*800-288-0484 des É.-U.*
⇌*866-4104*
marnie@mandevilla.com

Cette belle résidence de style néoclassique a été l'objet d'une restauration complète. Une double galerie bordée de superbes colonnes donne sur un grand jardin ombragé par d'immenses chênes verts. Le parc Audubon est situé juste à côté. Le studio et les quatre chambres sont meublés d'antiquités et éclairés à l'aide de lustres en cristal.

Mid-City

Quality Inn – Midtown
75$ et plus
≡, *bp, tv*, ≈, ℜ, *S*
3900 av. Tulane
La Nouvelle-Orléans
LA 70119
☎*486-5541*
☎*800-228-5151 en Amérique du Nord*
⇌*488-7440*

Les chambres sont confortables et les prix, des plus abordables. Les clients peuvent profiter d'une navette gratuite pour différents points du Vieux-Carré Français.

Avilla Bed and Breakfast New Orleans
79$ pdj
≡, *bp, tv*, ⊗, ℝ, *S*
3336 boul. Gentilly
La Nouvelle-Orléans
LA 70122
☎*945-4253 ou 800-973-1020*
www.neworleans-avilla-bnb.com

Dans un style pompeux qui se veut un peu kitsch voire néo-espagnol, cette grande villa se situe dans un quartier résidentiel aisé près de l'avenue des Champs-Élysées (Elysian Fields), par laquelle on accède facilement au Vieux-Carré Français. La maison propose deux chambres en plus d'un magnifique jardin fleuri et verdoyant.

🏠 Edgar Degas House B & B (Maison Edgar Degas)
79$ et plus, pdj
≡, *bp, tvc*
2306 av. de l'Esplanade
La Nouvelle-Orléans
☎*821-5009 ou 800-755-6730*
⇋*821-0870*
www.degashouse.com

Bâtie en 1854, la Maison Edgar Degas est inscrit au registre historique national. Le peintre Edgar Degas, en visite dans sa famille maternelle, y a résidé au cours de l'année 1873. C'est d'ailleurs pendant son séjour à La Nouvelle-Orléans que Degas a peint sa toile *Le Portrait d'Estelle* (propriété du Musée des Beaux-Arts de La Nouvelle-Orléans, ainsi que *Le Bureau de coton de La Nouvelle-Orléans*. La maison a été rénovée tout en conservant son caractère original. Les chambres du premier étage sont spacieuses et garnies de meubles d'époque; l'une d'entre elles possède un grand balcon privé. Si les chambres du deuxième étage ont un petit côté «sous les combles», elles ont tout de même l'avantage de coûter moins cher. Un jardin clôturé est situé à l'arrière.

Mentone B & B
125$ et plus, pdj
≡, *bp*, ℂ
1437 rue de Pauger
La Nouvelle-Orléans
LA 70116
☎*943-3019*

Situé à cinq rues du Vieux-Carré Français, on y propose un studio avec entrée privée et salon particulier. Petite cuisine mais complète. Les planchers sont recouverts de tapis orientaux et les meubles sont d'époque, mais le tout forme un endroit agréable à habiter. Les enfants de moins de 12 ans ne sont pas admis. On fume à l'extérieur.

Pension Mechling
125$ et plus, pdj
≡, *bp*
2023 av. de l'Esplanade
La Nouvelle-Orléans
LA 70116
☎*943-4131*
☎*800-725-4131 des É.-U.*

Ce manoir historique des années 1860 recrée l'ambiance de l'époque victorienne et se trouve à proximité du Vieux-Carré Français.

Maison Le Duvigneaud
135$ pdj
bp, tvc, ℂ, S
2857 ½ Grand'route Saint-Jean,
près du bayou Saint-Jean
LA 70116
☎*821-5009*
⇋*948-3313*

La Maison Le Duvigneaud est une résidence de plantation construite en 1834. Entièrement restaurée, elle renferme des studios pour quatre personnes. Ces studios aux murs élevés et aux planchers de bois sont vastes et aménagés de façon à se sentir chez soi. Des meubles antiques garnissent les pièces, et les visiteurs ont accès à une jolie cour privée. Tous les services et installations pour un séjour prolongé sont disponibles sur place ou tout près (laverie, service ménager, épicerie à quelques rues). La maison se situe à proximité de l'avenue de l'Esplanade et du parc de la Ville (City Park).

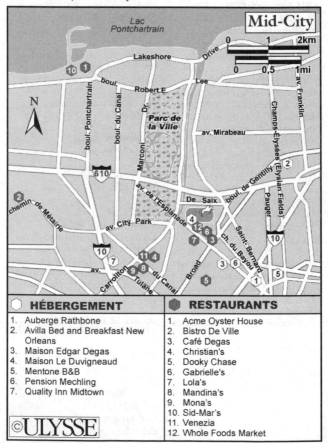

HÉBERGEMENT	RESTAURANTS
1. Auberge Rathbone	1. Acme Oyster House
2. Avilla Bed and Breakfast New Orleans	2. Bistro De Ville
3. Maison Edgar Degas	3. Café Degas
4. Maison Le Duvigneaud	4. Christian's
5. Mentone B&B	5. Dooky Chase
6. Pension Mechling	6. Gabrielle's
7. Quality Inn Midtown	7. Lola's
	8. Mandina's
	9. Mona's
	10. Sid-Mar's
	11. Venezia
	12. Whole Foods Market

©ULYSSE

La Nouvelle-Orléans Est

Holiday Inn Express
69$ et plus, pdj
≡, *bp, tvc,* ℝ, ≈, ⊘, *S*
10020 autoroute 1-10,
sortie 244 - boul. Read
☎*244-9115*
☎*800-821-4009 des É.-U.*
=244-9150

La Nouvelle-Orléans étant une destination recherchée par les touristes et les congressistes du monde entier, il arrive que les hôtels du centre-ville soient complets. Rien ne va plus lorsque s'ajoutent les nombreuses manifestations culturelles, les festivals, le Mardi gras et la fameuse finale de football du Sugar Bowl... Il faut alors s'éloigner un peu à l'extérieur du centre-ville pour trouver à se loger. Le Holiday Inn Express n'a rien du charme des prestigieux hôtels et maisons huppées de La Nouvelle-Orléans, mais, depuis le Vieux-Carré Français, on y accède facilement par l'autoroute en moins d'une vingtaine de minutes selon l'heure et le trafic; de plus, l'autobus Express 64 s'arrête devant sa porte. Ce complexe tout neuf offre tous les avantages des grands hôtels modernes ou ceux d'un *bed and breakfast*. Les chambres, disposées sur deux étages, encadrent presque entièrement un

stationnement au centre duquel a été aménagé un espace fleuri avec piscine. N'entre pas qui veut, car un gardien de sécurité veille nuit et jour à la sécurité des clients. Le petit déjeuner est servi dans une salle attenante au hall d'accueil. Tout près, à l'église Saint-Étienne - Greater Saint Stephen (5600 boulevard Broad), vous pourrez assister à une cérémonie gospel réputée (voir «Sorties» p 299), considérée comme la plus éclatante manifestation religieuse du genre, non seulement à La Nouvelle-Orléans mais de tout le sud des États-Unis.

Campings

Métairie

KOA New Orleans West (KOA La Nouvelle-Orléans Ouest)
21$ pour les tentes, 27$ pour les véhicules récréatifs

≈
11129 Jefferson Hwy.,
prendre la sortie 223 A - Williams de l'autoroute I-10 et descendre le boulevard Williams en direction sud jusqu'à Jefferson Hwy., qu'il faut suivre en direction est
☎*467-1792*

Le KOA La Nouvelle-Orléans Ouest (KOA New Orleans West) est ouvert toute l'année. Le terrain est situé en bordure du Mississippi (96 emplacements, douches, toilettes, laverie, terrain de jeu, épicerie). Plusieurs emplacements ombragés sur terrain asphalté, protégés du soleil et bordés de pelouse. On y propose des visites guidées de La Nouvelle-Orléans. Transports en commun à proximité.

Près du centre-ville

Mardi Gras Campground
15-25

≈

6050 Chef Menteur Hwy.,
sortie 240 B de l'autoroute I-1
☎*243-0085*

Tout près du centre-ville se trouve le Mardi Gras Campground. Ce camping classé AAA compte 200 emplacements pour tentes (surveillance assurée, douches, laverie, transports en commun pour le centre-ville).

Jude Travel Park & Guest House
19$ et plus

≈, ❀
7400 Chef Menteur Hwy.,
sortie 240 B de l'autoroute I-1
☎*241-0632*
☎*800-523-2196 en Amérique du Nord*
⇌*245-8070*

Ce camping «Good Sam» dispose de 43 emplace-

ments ombragés pour véhicules récréatifs (douches, toilettes, laverie). Le terrain est situé près des lignes d'autobus, et l'on trouve une agence de location de voitures sur place. Navette pour le Vieux-Carré Français et service de surveillance.

Parc d'Orléans Numéro 1
50$ et moins

≈

7676 Chef Menteur Hwy.,
sortie 240 B de l'autoroute I-1
LA 70126
☎*241-3167*
☎*800-535-2598 des É.-U.*

Le Parc d'Orléans Numéro 1 est un camping de 74 emplacements avec douches, toilettes et laverie. On propose des visites guidées et navette pour le Vieux-Carré Français.

Parc d'Orléans Numéro 2
50$ et moins

≈

10910 Chef Menteur Hwy.,
sortie 240 B de l'autoroute I-10
☎*242-6176*
☎*800-535-2598 des É.-U.*

Le Parc d'Orléans Numéro 2, ouvert toute l'année, compte 125 emplacements, avec douches, toilettes et laverie. Visites guidées et navette pour le Vieux-Carré Français.

Restaurants

À l'intérieur et à l'extérieur du Vieux-Carré Français, on ne compte plus les délicieux endroits servant une cuisine créole, française, afro-américaine *(soul cuisine)* ou cadienne.

La Nouvelle-Orléans est une ville propice à la gourmandise. Sauf mention, les principales cartes de crédit y sont acceptées.

Les prix mentionnés dans ce guide s'appliquent pour un repas pour une personne, excluant le service, la taxe et les boissons.

$	moins de 10$
$$	de 10$ à 20$
$$$	de 20$ à 30$
$$$$	30$ et plus

Le Vieux-Carré Français et le Faubourg Marigny

🦞 Café Du Monde
$
24 heures sur 24
800 rue de la Levée/Decatur, Marché Français
☎ *581-2914*
Mondialement connu, cet établissement est situé à l'extrémité du Marché Français, près de la promenade longeant le Mississippi, et existe depuis 1860. Son café au lait et sa chicorée s'accompagnent de savoureux beignets. On y mange pour pas trop cher, soit à compter de 5$ le midi comme le soir.

Restaurants par types de cuisine

Les établissements qui se distinguent

Pour leur côté à la mode :
L'Emeril's (p 269), le Palace Café (p 260), le Peristyle (p 266), le Straya (p 273), Dickie Brennan's Steakhouse (p 259), Café Jacques Imo's (p 272).

Pour leur ambiance chaleureuse :
Bacco (p 258), le Bayona (p 255), le Café Degas (p 278), le Martinique Bistro (p 274), l'Upperline (p 275).

Pour leur balcon :
Le K-Paul's (p 262), Ristorante di Carmelo (p 257), Café Royal (p 256).

Pour leur belle cour intérieure :
Le Bayona (p 255), le Bistro à la Maison de Ville (p 263), le Café Volage (p 272), Chez Broussard (p 263), Chez Brennan (p 265), le G & E Courtyard (p 261), La Cour des Deux Sœurs (p 260).

Pour leur beau décor :
L'Upperline (p 275), Louis XVI - Restaurant Français (p 262), Nola (p 262), Chez Broussard (p 263), Chez Brennan (p 265).

Pour leur côté bon chic bon genre :
Chez Brennan (p 265), Chez Antoine (p 264), le Commander's Place (p 276), le Galatoire's (p 261), la Cour des Deux Sœurs (p 260), Dickie Brennan's Steakhouse (p 259), Emeril's (p 269), Mike Ditka's (p 269).

Pour le service :
Le Christian's (p 280), l'Emeril's (p 269), le G & E Courtyard (p 261), le K-Paul's (p 262), le Praline Connexion (p 254), l'Upperline (p 275).

Pour leurs dîners-concerts :
Le Bistro La Gauloise—Le Méridien (jazz) (p 269), Chez Mulate (musique cadienne) (p 268), et le Praline Connexion N° 2 (gospel) (p 268), La Cour des Deux Sœurs (p 260), Chez Arnaud (p 264), Crescent City Brewhouse (p 254), Storyville (p 257).

Pour leur romantisme :

Le Bayona (p 255), le Bella Luna (p 255), Chez Arnaud (p 264), Bistro De Ville (p 282), l'Upperline (p 275), Bistro à la Maison de Ville (p 263).

Pour la meilleure cuisine française :

Bistro De Ville (p 282), Chez Antoine (p 264), Café Degas (p 278), La Gauloise (p 269), Chez Broussard (p 263), Louis XVI - Restaurant Français (p 262).

Pour leur menu santé :

Le Bella Luna (p 255), le Croissant d'Or (p 249), le Kim Son (p 282), le Mr. B's Bistro (p 256), Apple Seed Shope, Whole Foods Market (p 279).

Pour leur point de vue sur le Mississippi :

Le Bella Luna (p 255), Grill Room (p 270).

Pour leur aspect typique à La Nouvelle-Orléans :

L'Acme Oyster House (p 252, 281), Felix's Restaurant & Oysters (p 254), Storyville (p 257), Brennan, Sid-Mar's (p 281), le Café du Monde (p 245), le Coops (p 246), le Galatoire's (p 261), le Mother's (p 267), la Maison Napoléon (p 253), le Chez Uglesich (p 267).

Pour leurs desserts :

Windsor Court (p 277), Chez Brennan (p 265).

Pour leur petit déjeuner :

Le Richelieu (p 253), Mother's (p 267), Chez Brennan (p 265), Bluebird Cafe (p 270).

Coops

$

1109 rue de la Levée/Decatur

☎525-9053

Ce petit resto sans décor, propose un bon gombo et de délicieux «po'boys».

Croissant d'Or

$

tlj 7h à 17h

615-617 rue des Ursulines

☎524-4663

La pâtisserie Croissant d'Or propose le midi un menu du jour comprenant, par exemple, une délicieuse soupe aux pois verts, avec un sandwich jambon-fromage accompagné d'une salade. Évitez les sandwichs chauffés au four à micro-ondes. Le café est quelconque, mais les croissants et les brioches préparés par Maurice Delechelle sont remarquables pour La Nouvelle-Orléans. Une jolie cour intérieure, avec fontaine, permet de s'y restaurer quand la température le permet; à éviter par jour de grande humidité. Au-dessus de son commerce, Maurice Delechelle dispose de deux studios joliment meublés qu'il se fait un plaisir de louer à quelques privilégiés triés sur le volet.

La Marquise
$
tlj 7h à 17h
625 rue de Chartres
☎*524-0420*

Une pâtisserie tenue par Maurice Delechelle, le même qui a ouvert le Croissant d'Or (voir p 261). Ses croissants et brioches sont fameux et l'on peut les déguster dans le joli jardin-terrasse situé à l'arrière. Des repas légers sont aussi offerts et les mets se choisissent au comptoir. Au choix : potage du jour, sandwichs, salades. Et, pour terminer, il faut goûter sa délicieuse tartelette aux noix de pacane.

◣ **RESTAURANTS**

1. Acme Oyster House	23. Dickie Brennan's Steakhouse
2. Bacco	24. Felix's Restaurant & Oysters
3. Bar-restaurant du Marché Français	Bar
4. Bayona	25. G & E Courtyard
5. Bella Luna	26. K-Paul's - Cuisine de la
6. Bistro à la Maison De Ville	Louisiane
7. Café Beignet	27. La Marquise
8. Café Du Monde	28. La Cour des Deux Sœurs
9. Café La Madeleine	29. Le Richelieu
10. Café Marigny	30. Louis XVI - Restaurant
11. Café Royal - Royal Café	Français
12. Chez Alex Patout	31. Maison Napoléon
13. Chez Antoine	32. Mr. Gyros
14. Chez Arnaud	33. Mr. B's Bistro
15. Chez Brennan	34. Nola
16. Chez Broussard	35. Palace Café
17. Chez Galatoire's	36. Pasta E Vino
18. Chez Tujague (Tujague's)	37. Pelican Club
19. Coops	38. Peristyle
20. Crescent City Brewhouse	39. Praline Connexion
21. Croissant d'Or	40. Red Fish Grill
22. Di Piazza	41. Ristorante di Carmelo
	42. Storyville

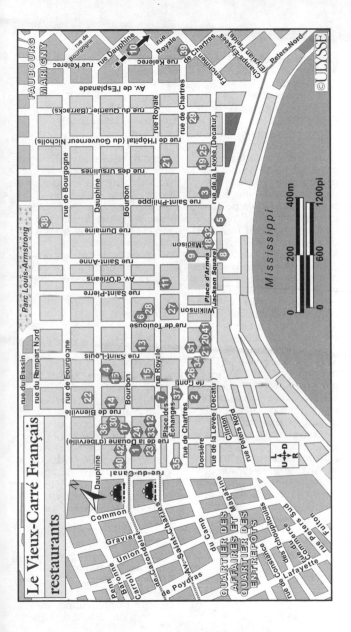

Le Vieux-Carré Français
restaurants

© ULYSSE

Acme Oyster House
$-$$
tlj 11h à 22h
724 rue de la Douane/d'Iberville,
entre les rues Bourbon et Royale
☎522-5973

Des générations de Néo-Orléanais se sont attablées dans l'une ou l'autre des salles de l'Acme, où d'étroites tables recouvertes d'un ciré fleuri noir et blanc peuvent accueillir de quatre à six personnes. Il règne une ambiance du tonnerre dans cet endroit bruyant où la promiscuité est de mise, mais ce populaire resto demeure un incontournable. Il y a trois comptoirs, dont un réservé aux amateurs d'huîtres, derrière lequel s'activent des maîtres ouvreurs de coquillages. Aux deux autres comptoirs sont apprêtés les «po'boys» (huîtres frites et crabe à carapace molle assaisonnés en sandwich avec condiments) ou le gombo traditionnel (soupe épaisse au roux brun avec riz et crevettes). Le gombo goûté ce jour-là était un peu trop salé. Le service est ultra-rapide et d'une grande gentillesse. Il est recommandé d'avoir un peu de patience... Sur le trottoir de la rue de la Douanc, on fait la queue patiemment en attendant qu'une table se libère.

Bar-restaurant du Marché Français
$-$$
lun-jeu 11h à minuit,
ven-dim 11h à 1h
1001 rue de la Levée Decatur
☎525-7879

Le Bar-restaurant du Marché Français est fréquenté autant par les résidants du quartier que par les touristes. Selon la saison, on y prépare le crabe ou l'écrevisse au court-bouillon pimenté, un fameux po'boy ou un *muffaletta*, des plats de pâtes et des mets créoles. C'est l'endroit tout indiqué pour déguster des huîtres.

Café Beignet
$-$$
tlj 7h à 17h
334B rue Royale
☎524-5530

Le Café Beignet sert les meilleurs cafés ainsi que le petit déjeuner : les traditionnels beignets de La Nouvelle-Orléans (qui se dégustent avec un bol de café au lait), des sandwichs, des salades et des plats du jour. L'endroit est chaleureux, l'addition honnête, et l'on peut même y trouver de la documentation touristique.

Café La Madeleine
$-$$
tlj, du matin au soir
547 rue Sainte-Anne
☎568-9950

Le Café La Madeleine se trouve à proximité de l'ancienne place d'Armes, aujourd'hui le square Jackson. L'ambiance et le petit déjeuner y sont français. Le café-bistro, qui fait aussi office de boulangerie, propose ses exquises fournées à la clientèle. Les pains sont cuits sur place au four à bois. Calculez environ 5$ pour le petit déjeuner.

Maison Napoléon
$-$$
lun-jeu 11h à 1h, ven-sam 11h à 2h, dim 11h à 19h
500 rue de Chartres
☎*524-9752*

On raconte que cette demeure datant de 1791 avait été réservée pour l'empereur Napoléon Bonaparte, au cas où celui-ci viendrait se réfugier en Louisiane. Il faut prendre l'apéritif dans l'attachante cour arrière. Sur fond de musique classique, on y déguste de bons sandwichs; un petit menu pas cher *(5$)* est également proposé.

Le Richelieu
$-$$
tlj 7h à 21h
1234 rue de Chartres,
☎*529-2492*
www.neworleansonline.com/richelieu.htm

Au café-terrasse de l'hôtel Le Richelieu, on sert de bons petits déjeuners même le soir. À sa terrasse donnant sur une jolie cour intérieure avec piscine, l'ambiance se veut aussi agré-able que décontractée. Une clientèle néo-orléanaise d'habitués fréquente son bar. On prépare des sandwichs et des steaks. Tout le monde ici est fort sympathique, du grand patron Frank S. Rochefort à la directrice Joanne Kirkpatrick, du barman Armand au serveur Michael (un as du petit déjeuner), en passant par Lester, qui prend la relève du service du soir.

Mr. Gyros
$-$$
tlj 1h à 23h
819 rue de la Levée/Decatur
☎*523-0214*

Un rare restaurant grec à s'être implanté à La Nouvelle-Orléans, Mr. Gyros œuvre dans le Vieux-Carré Français dans la plus pure tradition hellénique. La décoration ici est usuelle, comme on la retrouve dans n'importe quel restaurant grec à travers le monde : nappes à carreaux, reliques de pêche, accessoires de bateau, mur en stuc, le tout dans les tons bleu et blanc des couleurs nationales. La cuisine est simple et les prix sont abordables. On y retrouve les grands classiques grecs comme les dolmas (feuilles de vignes farcies), les feuilletés aux épinards, la salade grecque, le poisson grillé, la moussaka, l'assiette de souvlaki, le gigot d'agneau et les baklavas.

Café Marigny
$-$$$
tlj 11h à 22h,
jusqu'à 23h ven-sam
1918 rue Royale, Faubourg Marigny
☎*945-4472*

Le Café Marigny offre des
repas complets ainsi qu'un
bon choix de sandwichs et
de salades. Dans ce café-
restaurant, les mets s'im-
prègnent de diverses influ-
ences culinaires, passant de
l'italien au chinois, du cré-
ole au cadien, du califor-
nien au mexicain, du fran-
çais au belge, de l'indien au
thaïlandais... Ainsi se ser-
vent, à toutes les façons et
selon toutes les inspirations,
les hors-d'œuvre, sand-
wichs, salades et, cuisinés à
toutes les sauces exotiques
imaginables, le bœuf, le ca-
nard, l'agneau, les fruits de
mer et le poisson. Les tables
sont bien mises, les assiettes
bien présentées, et l'on
peut y manger à bon prix.

Crescent City Brewhouse
$$
lun-jeu 11h à 22h,
ven-sam 11h à minuit
527 rue de la Levée/Decatur
☎*522-0571*

Tous les accessoires aux
cuivres reluisants servant à
la fabrication des quatre
bières maison font partie du
décor. On mange en salle,
en terrasse ou au balcon,
une simple salade avec
quelques entrées ou des
plats créoles néo-orléanais
accompagnés d'une bonne
bière artisanale. Les con-

certs de jazz s'y succèdent
et, même si la brasserie est
un peu bruyante, y règne
une bonne ambiance.

Felix's Restaurant & Oysters Bar
$$
*lun-jeu 10h à minuit, ven-sam
10h à 1h30, dim 10h à 22h*
739 rue de la Douane d'Iberville
☎*522-4440*

Un peu plus chic que l'Ac-
me Oyster House, du moins
dans la décoration, Felix
propose également des huî-
tres en coquille, des spécia-
lités cadiennes et créoles
ainsi qu'un choix de plats
de pâtes. La salle à manger
donne sur la rue Bourbon,
tandis que le comptoir fait
face à son concurrent de la
rue de la Douane/'Iberville.
Quand la ligne d'attente est
trop longue à l'un des deux
restaurants, on va à l'autre.
Au menu : huîtres en co-
quille; soupe aux huîtres;
gombo aux fruits de mer;
«po'boys», sandwichs ou
hamburgers; fruits de mer;
poissons; poulet grillé ou
frit; pouding au pain sauce
au rhum.

Praline Connection
$$
dim-jeu 11h à 22h30,
ven-sam 16h à minuit
542 rue Frenchmen,
à l'angle de la rue de Chartres,
Faubourg Marigny
☎*943-3934*
www.prolineconnection.com

On y prépare des plats fa-
miliaux typiques de la Loui-

siane du Sud et des spécialités créoles. Les cuisines créole et afro-américaine *(soul)* y sont bonnes, l'ambiance s'avère décontractée et l'addition ne se révèle jamais élevée. Parmi les plats servis : gombo, crabe farci à la créole, poivrons farcis, étouffée d'écrevisses, poulet grillé, jambalaya, riz aux fèves de Lima, pouding au pain avec sauce aux pralines, tarte aux patates douces. Le resto possède également une confiserie-pâtisserie où le client peut se procurer des biscuits et les plus fameuses pralines aux pacanes de toute la Louisiane (une ancienne recette dont l'origine remonte à l'époque coloniale française).

Bayona

$$-$$$
lun-ven 11h30 à 21h
sam-dim 11h30 à 23h
réservation obligatoire
430 rue Dauphine
☎525-4455
www.bayona.com

Au Bayona officie une femme-chef de talent. Susan Spicer prépare de façon exquise autant les viandes que les poissons. Ses plats s'inspirent des primeurs et se veulent judicieusement relevés et parfumés. On mange dans la coquette salle à manger ou sur la terrasse du superbe jardin fleuri de la cour intérieure où murmure le bruit d'une fontaine. En table d'hôte du soir : aiguillettes de lapin en croûte de noix de pacanes avec sauce demi-glace moutardée, feuilles de bette à carde et de moutarde à l'étuvée; velouté de lapereau aux champignons «Portobello»; limande-sole aux haricots rouges épicés et au pesto de coriandre fraîche à la «salsa» d'avocat; gâteau à la rhubarbe et au gingembre à la crème pâtissière, aux mûres fraîches et à la crème fraîche. D'excellent vins californiens sont proposés au verre. Bon rapport qualité/prix.

Bella Luna

$$-$$$
tlj 18h à 22h30,
dim jusqu'à 21h30
réservation recommandée
914 rue Saint-Pierre Nord
☎529-1583
www.bellelunarestaurant.com

Le Bella Luna se situe à l'arrière du Marché Français. Ce chic endroit, aux tables joliment dressées et au personnel stylé, offre une vue imprenable sur le Mississippi. La cuisine du chef Horst Pleifer révèle des saveurs créoles et européennes. Plats dégustés : soupe aux crevettes garnie de julienne de carotte, moules, ail rôti, basilic et aneth frais; sorbet aux pêches, fraises et mûres fraîches; filet de sébaste en croûte de noix de cajou au beurre blanc et à l'orange sanguine; crème brûlée à la vanille tahitienne avec biscuit à la banane et glace au chocolat. Bon rapport qualité/prix.

Royal Café (Café Royal)
$$-$$$
lun-ven 11h à 16h et 17h30 à 22h, brunch sam-dim 10h à 15h
700 rue Royale
☎ *528-9086*

Le Café Royal a l'avantage d'avoir pratiquement les plus beaux balcons en fer forgé du Vieux-Carré Français. Les tables drapées de nappes immaculées permettent de jeter un coup d'œil sur l'animation de la rue. On vient y déguster une fameuse soupe aux huîtres et aux artichauts, et bien d'autres plats créoles. Les desserts sont tous faits maison et l'addition est tout à fait honnête pour le quartier.

Di Piazza's
$$-$$$
déjeuner 10-15$ pers., dîner 15-20
mar-jeu 11h30 à 22h30, ven 11h30 à 23h, sam 17h à 23h, fermé dim
réservation obligatoire
337 rue Dauphine
☎ *525-3335*

Voilà une trattoria italienne établie depuis quelques années dans le Vieux-Carré Français, et qui a conservé une clientèle d'habitués. D'autres sont allés à la recherche de nouveautés. Ses spécialités : gâteau de crabe, beurre blanc; cailles grillées et œufs, vinaigrette

au sirop de canne, côtelette de veau farcie au *prosciùtto* et au mozzarella, huîtres pochées à l'huile d'olive, etc. Le menu réserve de bien belles et savoureuses découvertes.

Mr. B's Bistro
$$-$$$
tlj midi et soir
11h30 à 15h et 17h30 à 22h30, brunch le dim 11h à 15h
201 rue Royale
☎ *523-2078*
www.mrbsbistro.com

Avec ses tables de marbre réparties dans une vaste salle, l'établissement, qui accueille le midi une clientèle de bureaucrates et de gens d'affaires, reflète une chaude ambiance de bistro parisien. Les garçons portent la tenue vestimentaire d'usage : veste noire, chemise blanche, nœud papillon noir et long tablier blanc. Les compositions de Michelle McRaney, la talentueuse femme-chef qui renouvelle son menu au gré des saisons, ne manquent pas d'arômes ni de saveurs et s'inspirent des héritages culinaires créole et français de La Nouvelle-Orléans. Plats dégustés : crème d'écrevisses et de chou-fleur; «pasta jambalaya» avec fettuccine et épinards, tomates fraîches, crevettes du golfe, andouille (saucisse fumée), canard, bœuf et poulet; pouding au pain, sauce au whiskey. La maison propose quelques bons vins du vignoble louisianais. Le service est rapide et se fait avec gentillesse. Le dimanche, on y joue du jazz pendant le brunch.

Pasta E Vino
$$-$$$
mar-dim 17h à minuit et demi
réservation recommandée
240 rue Bourbon
☎*523-3181*
La légende veut que la splendide maison construite en 1807 et mieux connue sous le nom de Maison de la Vieille Absinthe (Old Absinthe House), qu'occupe maintenant le restaurant, ait été fréquentée par le célèbre pirate-patriote Jean Lafitte. Les pâtes sont faites sur place, et l'on y propose tous les grands classiques de la cuisine italienne. Sa carte des vins jouit d'une excellente réputation.

Ristorante di Carmelo
$$-$$$
déjeuner 5-10 pers., dîner 15-20
réservation recommandée
541 rue de la Levée Decatur
☎*586-1414*
www.ristorantecarmelo.com
Plafond avec poutres de cyprès équarries à la main par des artisans, superbes carreaux de céramique ita-liens et luxueux appliqués en acajou constituent le décor exceptionnel de ce restaurant. On peut dîner sur son balcon. Parmi les spécialités, il faut goûter le saumon grillé ou sauté et l'*antipasto fredo*; le veau sous toutes ses formes y est préparé de façon exquise ainsi que les pâtes. Langues parlées : italien, français, espagnol, allemand et sué-dois.

Storyville
$$-$$$
tlj 17h à 22h
125 rue Bourbon
☎*410-1000*
L'appellation de ce commerce rappelle la légende de ce quadrilatère du Vieux-Carré Français où la prostitution était légalisée sinon permise et où la musique se développait sans réserve; c'est dans ce même quartier de Storyville qu'on assista en 1898 à la naissance du jazz. Le bar-restaurant est réparti dans trois salles et tente un rapprochement avec le style de l'époque. Il y a des spectacles de jazz tous les soirs. Au menu, des spécialités essentiellement néo-orléanaises : huîtres en coquille ou frites, «po'boys», *muffaletta*, gombo au poulet et andouille, étouffée de crevettes ou d'écrevisses, poitrine de poulet boucanée (ou noircie) à la cadienne, pouding au pain sauce pralinée.

Tujague's (Chez Tujague)
$$-$$$
tlj 11h à 15h et 17h à 22h30
823 rue de la Levée/Decatur
☎525-8676

En 1856, le Français Guillaume Tujague, originaire de Mazzeroles, se fait construire ce restaurant juste en face du Marché Français. La famille Tujague ne tarde pas à faire de leur établissement un endroit couru et à la mode. Les Néo-Orléanais de l'époque apprécient les plats généreux et délicieux des Tujague. Le succès est immédiat et une joyeuse clientèle de bouchers, de débardeurs et de marins en vient à fréquenter assidûment la populaire maison du marché. Depuis ce temps, on ne compte plus les personnalités qui se sont attablées en ces lieux devenus historiques : les présidents américains Roosevelt, Truman, Eisenhower, le président français Charles De Gaulle, et de nombreux acteurs, écrivains et journalistes réputés. Un balcon orne de fer forgé offre une vue imprenable sur l'activité quotidienne du Marché Français. Parmi les spécialités de Chez Tujague, il faut goûter l'entrée de crevettes rémoulade *(shrimp remoulade)* et le fameux bœuf braisé *(bisket of beef)*, une recette ancienne que l'on sert avec une savoureuse sauce créole.

Bacco
$$-$$$$
petit déjeuner 5-10 pers.,
déjeuner 10-15,
dîner 15-25
lun-sam 7h à 10h, 11h30 à 15h et 17h30 à 22h30, brunch dim 10h30 à 15h
réservation recommandée
310 rue de Chartres
☎*522-CIAO ou 522-2426*
www.bacco.com

Le Bacco est sis juste à côté de l'Hôtel de la Poste. Arches gothiques, lustres vénitiens et murales de style baroque se mêlent à un décor hétéroclite et flamboyant. L'endroit est néanmoins agréable; le service est courtois et attentif envers une clientèle décontractée et de tout âge. Ici, on fait de la cuisine créole à l'italienne, à moins que ce ne soit de la cuisine italienne à la créole. Peu importe la qualification, la présentation des plats est recherchée, et vous ne serez pas déçu par la cuisine. Quelques spécialités : crevettes au *prosciùtto* et au fromage de chèvre; crabe mariné avec aïoli au safran; ravioli de homard et crevettes au beurre de champagne garni de caviar; poulet rôti sur lit de haricots blancs; saucisse italienne, escarole et romarin. On se charge de garer votre voiture. Langues parlées : italien et espagnol.

Dickie Brennan's Steakhouse
$$-$$$$
*lun-ven 11h30 à 14h30, tlj
17h30 à 22h*
716 rue de la Douane/d'Iberville
☎*523-0088*

Pendant qu'en Europe on évite de consommer de la viande de bœuf, l'Amérique du Nord ne se sent nullement touchée et les établissements où le bovidé est roi connaissent toujours autant de succès. Le menu du Dickie Brennan's propose de généreux steaks servis avec des pommes de terre sautées à l'ail ou lyonnaise, ou avec une patate douce cuite au four et nappée d'un beurre aux noix de pacane. Entre autres choix : les huîtres frites et farcies aux trois émulsions, le poisson du jour meunière et le canard rôti. Comme desserts, un affriolant pouding au pain *banana Foster* ainsi qu'une tarte aux pacanes sur fond croûté au chocolat sont offerts. Le tout dans une ambiance feutrée et cossue.

Red Fish Grill
$$-$$$$
tlj 11h à 15h et 17h à 23h
115 rue Bourbon,
près de la rue du Canal
☎*598-1200*

Le Red Fish Grill se spécialise dans la préparation des poissons et fruits de mer. Dans un décor coloré, fait de bric et de broc (faux murs en briques et palmiers stylisés), se regroupent en rangs serrés d'invitantes tables de bois; on y trouve aussi des banquettes et un grand comptoir à huîtres au-dessus duquel on aperçoit une impressionnante collection de bouteilles de sauce piquante. On peut y déguster, à moindres frais le midi, des huîtres sur écaille, des «po'boys» ou une salade. Au menu : crevettes rémoulade, cannellonis aux champignons sauvages ou carbonara d'huîtres, thon jaune, poissons du Golfe grillés ou filet de bœuf grillé.

Pelican Club
$$$-$$$$
tlj dès 17h30
312 pl. des Échanges/Exchange Alley
☎*523-1504*
pelicanclub.com

Le Pelican Club propose une table d'hôte à 19,50$ (on ajoute 17% de service aux groupes de huit personnes et plus) entre 17h30 et 18h. Le grand comptoir et ses tables rondes donnent un style de club privé de La Belle Époque. Au menu : petits gâteaux d'écrevisses et de crevettes; escargots et écrevisses à la duxelle de champignons, sauce tequila à l'ail et au beurre; suprême de canard fumé et rôti avec raviolis aux champignons; filet de poisson en croûte de pacanes et de noix de coco; crème brûlée à la vanille et au brandy; gâteau au fromage à l'orange et la crème aigre.

🛶 Chez Alex Patout

$$$

tous les soirs 17h30 à 22h
221 rue Royale
☎*525-7788*
patout.com

Chez Alex Patout, on sert de la cuisine typique du sud de la Louisiane, préparée avec les produits régionaux. Au menu : wontons louisianais; crevettes rémoulade; pâte aux fruits de mer et tasso fumé; canard rôti à l'étouffée, façon cadienne; cochon de lait; sauté d'écrevisses; pouding au pain; carré au chocolat chaud *(brownie)*. La salle à manger de 125 places, décorée sobrement, se veut des plus accueillantes. Il est toutefois malheureux que les groupes se rendant dans les autres salles (elles se répartissent sur trois niveaux) aient à passer derrière votre table. Le service est cependant fait avec beaucoup de gentillesse. Réservation recommandée. Stationnement disponible. Bon rapport qualité/prix.

Palace Café

$$$

lun-sam 11h30 à 14h30, tlj 17h30 à 22h, brunch avec jazz dim 10h30 à 14h30
605 rue du Canal
☎*523-1661*

Au Palace Café, où il faut réserver afin d'éviter les longues files d'attente, le service et le décor sont ceux des grands cafés parisiens. La cuisine y est autant créole que française. Au menu : crêpes aux champignons sauvages sauce au gruyère; crevettes barbecue à la bière Abita (une bonne bière locale); homard du Maine ou poisson grillé; tournedos sur croûtons avec sauté d'artichauts à la béarnaise sauce marchand de vin; pouding au pain au chocolat blanc.

🛶 The Court of Two Sisters (La Cour des Deux Sœurs)

$$$-$$$$

buffet midi 21$ pers., 25-30 soir
tlj 9h à 15h et 17h30 à 23h
613 rue Royale
☎*522-7261*
www.courtoftwosisters.com

Cette magnifique oasis au cœur du Vieux-Carré Français émerveille par sa terrasse. Elle est éclairée en soirée par des antiques torches au gaz, et des groupes de jazz viennent y jouer. Le restaurant La Cour des Deux Sœurs a une histoire fort intéressante. Il occupe un vaste bâtiment construit en 1830 dans l'un des plus historiques quadrilatères du Vieux-Carré Français, nommé sous le régime français l'allée des Gouverneurs puis Governors Row. Dans cet arrondissement ont habité cinq gouverneurs, trois juges de la Cour suprême et un président des États-Unis (Jefferson).

Les sœurs Emma et Bertha Camors, nées respectivement en 1858 et 1860, étaient issues d'une grande famille franco-créole de La Nouvelle-Orléans. Devenues plus tard d'excellentes commerçantes, les inséparables Emma et Bertha ouvrirent à cet endroit une chic boutique d'importation de parfums. Aujourd'hui, La Cour des Deux Sœurs perpétue l'héritage créole par le biais d'une gastronomie aussi soignée que délectable. Un généreux buffet est dressé tous les midis et l'on peut apprécier tous ces plats dans une cour magnifique et abondamment fleurie. La soupe de tortue au xérès, l'étouffée de langoustines et le gâteau au pain sauce chaude au whisky et aux pacanes ne sont que quelques exemples des spécialités offertes par cette éblouissante maison. Langues parlées : anglais et espagnol.

Chez Galatoire
$$$-$$$$
mar-sam 11h30 à 21h
dim midi à 21h
209 rue Bourbon
☎*525-2021*
Le «fin du fin» de la cuisine néo-orléanaise est prisé pour ses déjeuners le midi. On s'y présente sans réservation : premier arrivé, premier servi! Arrivez après 13h pour éviter la queue. Le port de la cravate est obligatoire pour le dîner.

G & E Courtyard
$$$-$$$$
ven-dim 11h à 14h30,
mar-jeu et dim 18h à 22h,
jusqu'à 23h ven-sam
1113 rue de la Levée/Decatur
☎*528-9376*
Le G & E Courtyard sert une bonne cuisine à l'italienne, mais instable du midi au soir; ici, c'est la mode des plats assaisonnés au vinaigre, un peu trop peut-être? De toute façon, cette question ne relève pas du client. Sa cour intérieure est très populaire, et il faut beaucoup de chance pour y obtenir une table. Néanmoins l'intérieur, climatisé, est coquet, et ses deux portes cochères s'ouvrent sur la rue et permettent de voir défiler des grappes incessantes de touristes bigarrés. De beaux artichauts frais sont joliment disposés sur une tablette, mais ils servent uniquement de décoration, et l'on ne les retrouvera nulle part au menu. La présentation des plats est soignée et la cuisson, réussie. Au menu : salade César aux huîtres frites; tempura de crevettes servi avec pommes pailles; jeune poulet rôti au romarin; saucisse d'agneau avec pâte aux tomates et basilic.

⛵ K-Paul's Louisiana Kitchen (K-Paul's - Cuisine de la Louisiane)

$$$-$$$$

lun-ven 11h30 à 14h30 et 17h30 à 22h, fermé sam-dim
416 rue de Chartres
☎*524-7394*
☎*596-2530 réservation*
www.kpauls.com

On doit la bonne réputation de l'établissement au célèbre cuisinier cadien Paul Prudhomme. Le restaurant s'étend sur deux niveaux, l'étage et son balcon étant retenus pour les réservations; le rez-de-chaussée a plus l'allure d'un bistro. La cuisine est à aire ouverte, et un sosie de Paul, en plus mince mais bien entouré, est aux fourneaux. Le menu est émaillé de classiques de la cuisine cadienne et créole, ainsi que de plats originaux composés à partir des primeurs et des frais produits du marché. Il faut goûter le traditionnel gombo au poulet et à la saucisse, le fameux «poisson noirci» *(blackened fish)*, une création du populaire chef Prudhomme, et la *gorgeous* tarte aux patates douces et aux pacanes servie avec crème Chantilly aromatisée au cognac et au Grand Marnier.

⛵ Louis XVI - Restaurant Français

$$$-$$$$

tlj 18h à 22h
730 rue de Bienville
☎*581-7000*

Le Louis XVI s'affiche exclusivement en français et son menu est bilingue avec prédominance dans la langue de Molière. À La Nouvelle-Orléans, où la cuisine créole s'impose sur presque tous les menus, le Louis XVI (dans l'hôtel du même nom) se distingue par sa gastronomie française authentique empreinte d'une touche savoureusement méditerranéenne. Ici ont dîné, entre autres célébrités, l'acteur Richard Burton et le chanteur Rod Stewart. Parmi les alléchantes spécialités : terrine de foie gras; crevettes au coulis de tomates, roulade d'aubergine au chèvre; ravioles d'escargot à l'anis; filet de bœuf Saint-Hubert; vivaneau rôti sauce vierge à l'huile d'olive; tarte Tatin; fondant au chocolat et croustade de banane.

Nola

$$$-$$$$

lun-jeu 11h30 à 14h, dim-jeu 18h à 22h, 24 heures sur 24 ven-sam
534 rue Saint-Louis
☎*522-6652*

Le chef Emeril Lagasse s'est taillé une place de choix avec son restaurant Emeril's dans le quartier des Entrepôts. Au Nola, il fait beaucoup parler avec ses plats d'une cuisine créole néo-orléanaise pour le moins créative et innovatrice. La façade du restaurant dévoile une suite d'arcades qui donnent un bel effet architectural au bâtiment. À l'intérieur se trouve un immense four à bois, et la cuisine, à aire ouverte, donne sur une salle à manger plutôt étroite, mais décorée avec une chaleureuse harmonie; une deuxième salle se situe à l'étage. Au menu : pizza au pesto, tomates séchées et mozzarella; saumon de l'Atlantique en croûte d'huîtres et de champignons avec confit de tomates cerises; thon jaune teriyaki et risotto de haricots noirs avec sauce citronnelle à la noix de coco et salsa de papaye pimentée; canard rôti glacé au caramel et au whisky; petit pain de maïs au babeurre, haricots verts, salade de maïs grillé.

Bistro à la Maison de Ville
$$$$
lun-sam 11h30 à 14h30, dim-jeu 18h à 22h, ven-sam 11h à 23h
réservation obligatoire
Hôtel Maison De Ville,
727 rue de Toulouse
☎528-9206
Le Bistro à la Maison de Ville, de style bistro parisien (très à la mode à La Nouvelle-Orléans), peut accueillir une quarantaine de clients dans sa salle à manger et une vingtaine

d'autres dans sa coquette cour fleurie. Excellente carte des vins; possibilité de dégustation au verre. On parle français.

Chez Broussard
$$$$
tous les soirs 17h30 à 22h, brunch et jazz le dim 10h30 à 14h
819 rue de Conti
☎581-3866
www.broussard.com
Avec son cachet très européen et sa jolie cour fleurie où l'on peut manger, voilà un resto-terrasse qu'il ne faut pas manquer de visiter : un des plus beaux d'après certains habitués, trop cher disent d'autres. On peut toujours en discuter avec un cigare au bec une fois assis au bar réservé à cet effet dont la maison fait grande promotion. Le chef Günter Preuss et sa famille sont les nouveaux propriétaires de l'établissement. D'origine allemande, Günter vit à La Nouvelle-Orléans depuis 1960, année où il fut nommé chef exécutif à l'hôtel Fairmont. Au menu : gâteau d'écrevisses et de crevettes à la mayonnaise d'échalote et aux confettis de piment; bisque de crevettes et de maïs à la patate douce; pompano Napoléon avec son feuilleté de crevettes et de pétoncles au poivre, sauce à la moutarde et aux câpres; bouillabaisse louisianaise; Paris-Brest; crêpe Broussard

fourrée au fromage à la crème avec farce aux noix et au brandy.

🛶 Chez Antoine
$$$$
environ 50$ pers.
lun-sam 11h30 à 14h et 17h30 à 21h30, fermé dim et jours fériés
713 rue Saint-Louis
☎581-4422
www.antoines.com

Ce restaurant, fort connu à l'échelle nationale et internationale, existe depuis 1840. Depuis son ouverture par le Marseillais Antoine Alciatore, c'est la cinquième génération de ses descendants qui dirige toujours l'établissement. C'est dans ce restaurant que furent créées les fameuses huîtres Rockefeller. La maison abrite plusieurs salles de réception, et certaines peuvent accueillir jusqu'à 700 personnes. Le décor plutôt rustique est agrémenté d'innombrables photos de personnalités célèbres qui ont foulé les lieux. Les plats proposés sont des classiques de la cuisine française et créole (le menu est rédigé en français) et se révèlent bien apprêtés et fort savoureux. Menu à la carte seulement et une dépense minimale de 11$ est exigé. Au menu, entièrement rédigé en français : huîtres Rockefeller; crevettes à la marinière; filet de truite aux écrevisses cardinal; poulet bonne-femme; cerises ju-

bilée, pêche Melba. Le service est très stylé.

🛶 Chez Arnaud
$$$$
environ 50$ pers., vin, service et taxes en sus
déjeuner lun-ven 11h30 à 14h30, dîner dim-jeu 18h à 22h, ven-sam 18h à 22h30, brunch avec jazz dim 10h à 14h30, fermé sam midi réservation recommandée, stationnement au 912 de la rue d'Iberville
813 rue de Bienville
☎523-5433
www.arnauds.com

Fondé par Arnaud Cazenave en 1918, aujourd'hui propriété des Casbarian. Les Cazenave aimaient fêter le Mardi gras. De 1937 à 1968, Irma Cazenave ne manquait aucune réjouissance et confectionnait ses éblouissants costumes ainsi que ceux de son mari. Elle fut reine du Carnaval à plusieurs reprises. À l'étage, un musée expose la fabuleuse collection de dame Cazenave. Le golfe du Mexique est riche en poissons, crustacés et fruits de mer, et l'on apprête ces frais produits de multiples façons : crevettes Arnaud, rillettes de tortue, huîtres Suzette, mousse d'écrevisses Bourgeois, court-bouillon de fruits de mer, casserole de crevettes à l'aubergine, pompano en croûte, alligator en sauce piquante, cuisses de grenouille à la provençale. Au chapitre des viandes : cailles au vin rouge, poulet braisé Rochambeau, carré d'agneau diablo, etc. Fromages, salades, desserts classiques et café brûlot de Chez Arnaud complètent l'éblouissante carte. Le service, impeccable, est assuré par des garçons parlant français.

Chez Arnaud, la préparation du café brûlot est vraiment spectaculaire. Le garçon le prépare à la table. Dans un caquelon placé sur un réchaud, il fait revenir des bâtons de cannelle dans du sucre roux avec l'écorce d'orange pelée, puis il y ajoute du café. Le ruban d'agrume est ensuite retiré pour être placé en spirale au-dessus du caquelon. Sur ce zeste suspendu au-dessus du récipient, le garçon verse alors de fines liqueurs et eaux-de-vie qui sont aussitôt flambées. Le café ainsi aromatisé de liqueurs est ensuite versé dans des verres au contour givré de sucre. Le café brûlot de Chez Arnaud est à ce point réputé que de riches Américains n'hésitent pas à faire venir le maître d'hôtel du restaurant par avion, afin de se faire préparer dans leur cossue demeure, histoire d'épater leurs invités, le fameux élixir de la rue Bourbon. Il y a un spectacle de jazz tous les jours chez Arnaud dans la salle Richelieu, qui donne sur la grouillante rue Bourbon.

Dans cet espace où l'ambiance se veut moins crispée que dans les chics salles du restaurant, le veston n'est pas obligatoire.

Chez Brennan
$$$$
environ 40$ pers., incluant vin, service et taxes
tlj brunch 8h à 14h30, mar-ven déjeuner 11h30 à 14h30 et dîner 18h à 22h
réservation obligatoire
417 rue Royale
☎525-9711

Depuis notre dernière visite, les choses se sont améliorées pour le mieux dans cette maison. Le menu est le même, certes, mais les mets sont plus légers qu'autrefois. Que les gigantesques pâtisseries n'aient pas changé, on ne s'en plaindra pas; après tout, la gourmandise mérite bien certains petits écarts diététiques! Si les prix de ce restaurant demeurent un peu élevés cela ne devrait pas empêcher les indécis de s'y attabler et de s'offrir une «petite folie de voyage» puisque l'endroit, la cour intérieure autant que les salles à manger cossues, sont un éden vraiment splendide. Brennan est réputé pour ses petits déjeuners et le chef Michael Roussel n'a pas son pareil pour préparer les œufs avec des garnitures alléchantes et souvent accompagnés d'une sauce hollandaise vraiment exquise. Les œufs ont ici comme appellations : œufs Benoît, Bayou-Lafourche, Sardou, Rue Saint-Charles, Hussarde, Hélène, La Nouvelle-Orléans, etc. On précède ces délices d'une merveilleuse soupe à l'oignon créole ou d'un potage aux huîtres à la façon de Brennan. Parmi les desserts réussis de Chez Brennan, il faut absolument goûter le gargantuesque gâteau «Suicidaire au chocolat», recommandé aux «chocooliques», ainsi que les réputées bananes Foster, sautées au beurre dans le sucre brun, parfumées à la cannelle, flambées à la liqueur de banane et au rhum, puis servies avec une glace à la vanille.

Peristyle
$$$$
mar-jeu 18h à 22h, ven 11h30 à 14h et 18h à 23h, sam 18h à 23h
1041 rue Dumaine
☎593-9535
La cuisine d'inspiration française de la talentueuse chef Anne Kearny a conservé une touche bien néo-orléanaise, telle cette crème de champignons aux arômes de sous-bois bien relevée de poivre et de piment. La salade au crabe et au raifort est servie sur un lit de bet-

teraves rôties avec des oignons rouges marinés. Le filet de *puppy drum*, un poisson du golfe du Mexique proposé grillé, a une cuisson réussie et se présente sur un nid de riz glutineux avec des tomates et des épinards relevés d'une cuillerée de pesto; une sauce aux crevettes et au safran entoure cette adorable préparation. Parmi les fabuleux desserts, il y a un pouding au citron; l'entremets est déposé sur un fond de génoise et se pare de zestes de citron confits et d'une confiture de cassis. Bons vins américains et français. Le service est plutôt froid. Une clientèle de tout âge, aisée et bien mise, fréquente cette salle à manger qui se donne des allures de bistro malgré l'austérité des lieux; beaucoup y viennent par curiosité.

Quartier des Affaires et quartier des Entrepôts

Pour la localisation des établissements de ce circuit voir p 227.

Apple Seed Shoppe
$
lun-ven le midi
336 rue Camp,
entre Gravier et Poydras
☎529-3442
L'Apple Seed Shoppe propose sans décorum des

soupes, des sandwichs et des salades santé ainsi que du yogourt sans sucre.

Red Bike Bakery & Café
$
lun-ven 11h à 15h, mar-jeu 18h à 21h30, jusqu'à 23h ven-sam
746 rue des Tchoupitoulas
☎529-2553

En plus de ses pains maison, le Red Bike Bakery & Café sert des soupes telles que le gombo à la dinde et à la saucisse, des sandwichs et quelques plats cuisinés : fettucine aux champignons, poisson au sésame, poitrine de canard aux noisettes, escalopes de veau piccara.

Chez Uglesich
$-$$
lun-ven 9h30 à 16h
1238 rue Baronne
☎523-8571

Les petits endroits inconnus des touristes – le quartier étant peu recommandable – réservent souvent de belles surprises. Dans ce café au sol recouvert de béton et aux allures de vieille épicerie de quartier, s'empilent entre les tables de gros sacs d'oignons et de pommes de terre. Au comptoir, le midi, on vient y chercher un po'boy aux crevettes ou aux huîtres. Dans la salle s'attable une clientèle hétéroclite de bureaucrates, d'ouvriers et d'étudiants venus déguster un gombo épaulé de roux brun, une piquante bisque d'écrevisses, des huîtres du golfe du Mexique servies fraîches dans leur écaille ou un sandwich au crabe mou. Entre deux commandes, la sympathique Karin pèle et tronçonne les pommes de terre, car ici la maison propose les meilleures frites en ville. Aucune carte de crédit acceptée.

Café Bon Ton
$-$$
tlj 11h à 14h et 17h à 21h30
401 rue Magazine,
au coin de Natchez
☎524-3386

Depuis 1953, les Pierce y préparent des plats issus du répertoire culinaire familial : vivaneau «Bon Ton», étouffée d'écrevisses, crevettes et huîtres à toutes les sauces, ainsi qu'un fameux pouding au pain. On y parle français.

Mother's
$-$$
lun-sam 5h à 22h, dim 7h à 22h
401 rue de Poydras
☎523-9656

Le restaurant Mother's se situe non loin du Riverwalk. On y fait une cuisine traditionnelle de La Nouvelle-Orléans. Mother's se veut le meilleur restaurant du monde pour le jambon fumé. La maison propose un vaste choix de «po'boys» au jambon évidemment, mais également au rôti de bœuf, aux écrevisses, aux huîtres et au poulet. Le petit déjeu-

Restaurants

ner traditionnel américain est servi en tout temps. Le service y est semblable à celui d'une cafétéria.

Praline Connection N° 2
$-$$
tlj 11h à 22h
901 et 907 rue Peters Sud,
entre Saint-Joseph et Diamond Nord
☎*523-3973*

Forts de leur succès dans le Faubourg Marigny, les propriétaires, Curtis Moore et Cecil Kaigler, ont aménagé le Praline Connection N° 2 à l'intérieur un vaste espace sis dans un quartier sans âme et que l'on tente de réhabiliter. En plus du restaurant, une scène reçoit des orchestres de jazz, de rhythm-and-blues ou des groupes gospel (Voir «Sorties» p 300). La salle en noir et blanc, un peu la marque de commerce de l'établissement, est entourée d'un décor de façades de maisons créoles. La cuisine est la même que celle de la rue Frenchmen, mais moins goûteuse, soit une cuisine familiale costaude et riche en friture. Au menu : tête fromagée, crabe mou pané et frit; poivrons farcis de saucisse et de crevettes; pain de viande; côte de porc (immense et archicuite ce midi-là) barbecue, sauce piquante; poulet frit, sauce brune. Tout est bien relevé de piment; il y a aussi les fritures d'alligator... Ne refusez pas le pouding au pain sauce pralines. Pour

un service en français, demandez Jean Michel, un Martiniquais qui a adopté La Nouvelle-Orléans.

Bistro Allégro
$$
tlj 11h à 19h
1100 rue de Poydras, local 101
☎*582-2350*

Au Bistro Allégro, le décor est de style Art déco. En plein centre-ville, les gens d'affaires s'y entassent à l'heure du déjeuner. Ici, la cuisine créole subit des influences italiennes, et la symbiose – dit-on – est tout à fait harmonieuse. Stationnement gratuit. Langues parlées : français, espagnol et italien.

Chez Mulate
$$
tlj 11h à 23h, lun-ven buffet
cadien le midi
201 rue Julia
☎*522-1492*
www.mulates.com

L'établissement se situe dans le quartier des Entrepôts, en face du Centre des congrès. C'est un endroit fort prisé des touristes. La cuisine n'est malheureusement plus ce qu'elle était, mais chez Mulate la musique se veut authentique et les spectacles sont ceux de vrais musiciens et chanteurs cadiens de Lafayette, d'Abbéville, de Saint-Martinville, d'Eunice ou de la Nouvelle-Ibérie. L'ambiance est du tonnerre. Réservation recommandée. On y parle français.

Bistro La Gauloise
$$-$$$
petit déjeuner 5-15, déjeuner 10-20$ et dîner 15-30
tlj 6h30 à 22h
hôtel Le Méridien,
614 rue du Canal
☎527-6712

Le Bistro La Gauloise, le fameux bistro de l'hôtel Méridien, donne sur la fébrile rue du Canal, face au Vieux-Carré Français; l'ambiance y est chaleureuse et décontractée. Plats à la carte, menu du jour et buffet sont proposés au goût de chacun. Au menu : gombo aux écrevisses; agneau «Vétiver» (en feuille de chou); pennine aux fruits de mer à l'huile d'olive et au basilic; côte de veau grillée relevée à l'estragon et accompagnée de gnocchis aux épinards; gâteau au fromage à la créole. Le dimanche, son brunch avec orchestre de jazz est réputé *(10h30 à 14h30, service de stationnement au 609 rue de la Commune/Common).*

Emeril's
$$$-$$$$
déjeuner 10-15 pers., dîner 15-20
lun-ven 11h30 à 14h, lun-sam 18h à 22h
réservation obligatoire
800 rue des Tchoupitoulas
☎528-9393

Aménagé dans un ancien entrepôt, le restaurant fait actuellement un malheur, et l'on y vient de toutes les régions des États-Unis. Des groupes de gens bien mis se rassemblent autour de grandes tables ou au comptoir faisant face à la cuisine à air ouverte; jeans, blousons et autres tenues non conventionnelles sont prohibés. Genre nouvelle cuisine créole ou américaine. Le service est chaleureux, et la plupart des serveurs sont d'origine latino-américaine. Les vrais gourmets trouveront leur cuisine tape-à-l'œil décevante. Au menu : crevettes barbecue sur biscuits au romarin; veau de lait pané avec jambon de Parme et fromage fontina servi avec polenta au poivron rouge et raviolis de patate douce beurre à l'échalote rôtie et au xérès; vivaneau en croûte d'andouille, marinade de légumes aux noix de pacane rôties. Langues parlées : espagnol, français et allemand.

Mike Ditka's
$$$-$$$$
tlj 7 à 10h, lun-ven 11h30 à 14h, dim-jeu 17h30 à 22h, jusqu'à 23h ven-sam
600 av. Saint-Charles
☎569-8989

Le restaurant occupe le rez-de-chaussée de l'hôtel Lafayette et porte le nom de son propriétaire, l'ex-entraîneur des Saints (club de football américain de La Nouvelle-Orléans). Ce der-

Restaurants

nier, ayant séjourné un long moment à Chicago (capitale incontestée des viandes de boucherie), a ouvert cet établissement se spécialisant dans les grillades de côtes de bœuf, de porc ou de veau. Le chef Christian Karcher y prépare également une cuisine néo-orléanaise recherchée. Les belles boiseries et moulures ont été mises en évidence, ce qui donne au restaurant une allure de club privé sélect. Des photos de grands joueurs-vedettes de football ornent les murs de la salle à manger. Au menu : petit gâteau de crabe sauce moutarde; côte de porc et croustilles de pommes au jus d'ail rôti et au poivre vert; côte de bœuf grillée et champignons. Au bar, une sélection des meilleurs cigares, scotchs, portos et cognacs est proposée aux amateurs.

Grill Room
$$$$
midi et soir, brunch le dim
300 rue Gravier
☎*522-1992*
Le Grill Room de l'hôtel Windsor Court est considéré par la critique comme l'une des meilleures salles à manger de La Nouvelle-Orléans. Il faut donc s'attendre à une addition assez élevée. Mais, prestige oblige, au restaurant du splendide Windsor Court, l'audacieux chef français René Bajeux ne lésine pas sur la qualité et la fraî-

cheur des produits. L'ambiance y est des plus chaleureuses et l'éblouissante décoration des lieux se veut des plus recherchées. Au menu : saumon fumé maison; terrine de foie gras, brioche abricot et pacanes et sauce épicée Cumberland; homard du Maine rôti sur une julienne de légumes, riz miso et sauce aux haricots noirs et au gingembre; carré d'agneau en croûte de sésame au jus de cumin grillé et mousseline de pommes de terre au *wasabi*.

Uptown

Pour la localisation des établissements, voir carte p 235

Bluebird Cafe
$
lun-ven 7h à 15h, sam-dim 8h à 15h
3625 rue Prytania, entre les rue Foucher et Antoine
☎*895-7166*
Le meilleur petit déjeuner en ville quant au prix, à la qualité et à la quantité. Le Bluebird Cafe est de toutes les conversations, aussi faut-il y arriver tôt (surtout la fin de semaine) sous peine d'attendre en ligne qu'une table se libère. Les petits déjeuners sont résolument américains et l'on y sert les fameux *grits* et biscuits (genre de muffins salés à pâte sablée) avec des

Imposante demeure de la Cité-Jardin ornée de magnifiques balcons
en fer forgé. - *Roch Nadeau*

Matin lumineux sur la place de la cathédrale Saint-Louis-Roi-de-France.
- *Roch Nadeau*

Dans la Cité-Jardin, on retrouve la ravissante maison Johnson (1870), qui servait originellement d'hôtel particulier à un riche planteur de canne à sucre. Dans les années trente, elle changea de vocation pour devenir une école de jeunes filles.
- *Roch Nadeau*

œufs au miroir, brouillés au tamarin et au fromage, en omelette ou à la coque, le tout accompagné de haricots noirs et de pain de blé entier grillé. Enfin, il y a ces épaisses crêpes américaines *(pancakes)*, des muffins au son et du yogourt aux fruits frais. Le midi, outre le petit déjeuner que l'on peut encore commander à cette heure, la maison propose de généreux hamburgers, des *grilled cheese* (fromage fondant entre deux tranches de pain grillées) et des plats un plus élaborés, dont une savoureuse tomate farcie à la salade de poulet que l'on accompagne de frites. La maison n'accepte aucune carte de crédit.

Cafétéria Piccadilly
$ $$
tlj 11h à 20h30
3000 av. Carrollton Sud
☎482-0775
☎482-0776 *plats pour emporter*
Il existe plusieurs cafétérias Piccadilly en Louisiane. Ici sont proposés quotidiennement de nombreux plats du jour, et chacun y trouve son compte. Aucune carte de crédit acceptée.

Jamila's Café
$-$$
mar-ven 11h à 14h, mar-jeu et dim 17h30 à 21h30, jusqu'à 22h30 ven-sam
7808 rue Maple
☎866-4366
Ce restaurant de quartier sans décor mise davantage

sur les bons mets de la Tunisie pour charmer ses convives. Au menu : brick à l'œuf mollet et au thon; merguez grillées; bisque d'écrevisses à la courgette et à l'épinard; *chorba* ou soupe aux lentilles; brochettes de poulet ou d'agneau ainsi que les traditionnels couscous à l'agneau, au poisson, aux légumes ou royal. Le poisson du jour grillé se sert avec une tomate à l'ail rôtie, une sauce au piment et des légumes sautés. Le vendredi, il y a un guitariste et, le samedi, la maison reçoit une danseuse du ventre.

Maple Street Cafe
$-$$
lun-jeu 11h à 22h, jusqu'à 23h ven-sam, dim 17h à 22h
7623 rue Maple
☎314-9003
Dans le Riverbend, après le parc Audubon, la rue Maple vaut bien un détour puisqu'on y trouve quelques restaurants qui ont bonne réputation. Le Maple Street Cafe est installé dans une maison de style *shotgun* typique du quartier. Un petit bar occupe l'arrière de la salle à manger qui se veut d'apparence plutôt modeste. Les tables sont drapées de belles nappes blanches. La cuisine s'y veut méditerranéenne, voire italo-libano-américaine. Au menu : purée d'aubergines ou de pois chiches; gâteau d'aubergine sauce au crabe;

Restaurants

salade au poulet grillé; riga-
tonis à l'ail rôti, tomate,
basilic, beurre et parmesan;
fettucine aux poivrons et
aux écrevisses; blanc de
poulet grillé et champi-
gnons sauce à la tomate
séchée; filet mignon Portobello; poisson grillé sur lit
d'épinards et sauce aux
herbes.

Café Volage
$-$$$
brunch le dim 12,95$
tlj 11h à 15h et 16h à 22h
720 rue de Dublin,
une rue de Carrollton
☎*861-4227*

Après avoir voyagé autour
du monde, Félix Gallerani
s'est enfin fixé à La
Nouvelle-Orléans. Depuis
quelques années, le chaleu-
reux patron est l'âme du
Café Volage. Le maître des
lieux a construit une jolie
terrasse à l'arrière de la
petite maison *shotgun* ins-
crite au registre des monu-
ments historiques. L'endroit
est quelque peu désuet et
aurait sûrement besoin d'un
grand nettoyage. Un petit
menu propose des spéciali-
tés italiennes, françaises et
créoles. Au menu : soupe à
l'oignon ou gombo; fettu-
cine aux fruits de mer à la
crème et au vin; escalope
de veau marsala; steak frites
(les frites sont maison);
mousse au chocolat ou
crème brûlée. Le patron,
confortablement assis
comme un prince à une
table qui lui tient lieu de

trône, accueille la clientèle
avec un énorme havane au
coin du bec!

Figaro's Pizzeria
$$
*lun-mar 11h30 à 22h30, jus-
qu'à 23h30 ven-sam, midi à
22h dim*
7900 rue Maple, deux rues de l'avenue
Saint-Charles, juste après le parc
Audubon
☎*866-0100*

Des pizzas et des pâtes, une
terrasse sous les arbres,
voilà ce que propose Figaro's Pizzeria. On y fait la
pizza que l'on dit de type
napolitaine nappée de
beurre à l'ail et de fromage
mozzarella, avec les garnitures de votre choix : crevettes, saumon fumé, épinards,
fromage feta, etc. On trouve
la traditionnelle pizza américaine garnie de sauce tomate, pepperoni, poivron
vert, oignon, champignons,
ainsi que quelques plats de
pâtes. Au dessert : le New
York Cheesecake, la tarte
au *fudge* et *brownie*, ainsi
qu'une tarte au beurre
d'arachide.

Café Jacques Imo's
$$
*déjeuner lun-ven, dîner
lun-sam, brunch dim*
8324 rue Oak, angle rue Dante
☎*861-0886*

On est attiré par l'extra-
vagance de sa décoration
quelque peu hétéroclite.
Une immense peinture mu-
rale, dont le relief s'étend
jusque sur la terrasse ar-

rière, rappelle un marécage idyllique du sud de la Louisiane. Les nappes fleuries qui drapent les tables contribuent au charme inusité de l'endroit. Le chef prépare ici une cuisine personnalisée, empreinte des diversités culinaires du riche répertoire néo-orléanais : créole, cadienne ou *soul* (afro-américaine). Au menu : gombo à la créole; foie de poulet sur pain grillé; poulet frit; côtes de porc; huîtres frites sauce à l'ail; et un gâteau original : le *Red Velvet Cake*.

Straya
$$
dim-jeu 11h à minuit, jusqu'à 2h ven-sam
2001 av. Saint-Charles
☎*593-9955*
451/ boul. des Vétérans,
Métairie
☎*887-8873*
S'attabler au Straya donne l'impression de manger dans une discothèque. Tables noires à fond étoilé et canapés criards sont disposés autour d'un vaste espace parsemé de bananiers aux dorures hollywoodiennes. Dans cet univers galaxique, l'étoile thématique imprègne tous les accessoires; on propose aux goûts actuels toutes les cuisines à la mode : la créole, l'eurasienne, la cadienne et la californienne, auxquelles s'ajoute un peu d'italien et de japonais. Les assiettes sont gigantesques. Quel-

ques spécialités : rouleau californien aux algues noris; filet de truite en croûte d'amandes; poulet rôti; crêpe tiramisu; pouding au pain au chocolat blanc; pizza aux pommes avec crème à l'amaretto. L'accueil est très gentil et le service, aussi étincelant que le reste. Bons vins californiens au verre.

La Crêpe Nanou
$$-$$$
tlj 18h à 22h, jusqu'à 23h ven-sam
1410 rue Robert,
entre Magazine et Saint-Charles
☎*899-2670*
La très populaire crêperie-bistro La Crêpe Nanou présente son menu en français (on y trouve les classiques escargots de Bourgogne). Des spécialités : poisson grillé entier; moules à la marinière; soupe à l'oignon; soupe à la grecque au poulet et au riz; gigot d'agneau et escalope de veau. Bien sûr, il y a des crêpes : au crabe et aux épinards; à la ratatouille; à l'oignon et au fromage; aux écrevisses; à la bourguignonne (au bœuf) et une quinzaine d'autres crêpes desserts.

Chez Kelsey
$$-$$$
*mar-ven 11h30 à 14h,
ven-sam 17h30 à 22h*
3923 rue Magazine
☎*897-6722*
Chez Kelsey a une chaude ambiance de café français et

loge dans un quartier fort sympathique où de gentilles boutiques se succèdent. La cuisine créative de Randy Barlow s'inspire autant de la tradition cadienne et créole que des autres gastronomies universelles. Explorer son menu équivaut à une tournée gourmande de la planète, comme en témoignent ces plats dégustés : crème de cœurs d'artichauts et de champignons; gombo au poulet et à l'andouille; tomates et fromage *provolone* sur laitue et oignon rouge, vinaigrette moutardée; tartelette aux huîtres, au brie et aux herbes; beignets d'écrevisses, sauce à la moutarde de Meaux et au miel; poitrine de canard fumée et farcie; crabe mou farci aux fruits de mer sauce au vert; gâteau aux noix et au chocolat; tarte au citron.

Kyoto
$$-$$$
midi lun-ven 11h30 à 14h30, sam midi à 15h30, soir lun-jeu 17h à 22h, jusqu'à 22h30 ven-sam
4920 rue Prytania
☎**891-3644**
Le Kyoto est le plus populaire pour les *sushis* actuellement; ce qui compte, c'est la fraîcheur des produits. En plus des rouleaux, on y prépare des crevettes *tempura*, la soupe *miso* ou aux nouilles, aux crevettes et aux légumes, ainsi que le

poulet ou le bœuf *teriyaki* et les *sashimis*.

Martinique Bistro
$$-$$$
table d'hôte 23,50$
tlj 17h30 à 21h30
5908 rue Magazine
☎**891-8495**
Le sympathique Hubert Sandot du restaurant Martinique Bistro vous en mettra plein les oreilles; il cause, et en français : un vrai charme. Il cuisine aussi quelques classiques du répertoire français et improvise dans des gammes italiennes, antillaises, indiennes ou selon les arrivages. Au menu : soupe de poireaux et de carottes; aubergine au fromage de chèvre; endives aux noix, aux pommes et au fromage bleu; moules vapeur au vin blanc et aux herbes; crevettes sautées aux mangues séchées et au cari; gigot d'agneau braisé à la provençale. Ce chaleureux petit resto demeure un endroit à visiter à La Nouvelle-Orléans.

Pascal Manale
$$-$$$
déjeuner environ 10$ pers., dîner 15-20
lun-ven 11h30 à 22h, sam 16h à 22h, dim 16h à 21h
1838 av. Napoléon
☎**895-4877**
Le Pascal Manale est un classique réputé pour ses crevettes grillées, ses fruits de mer, son comptoir à

crustacés (huîtres en écaille).

Dick and Jenny
$$-$$$
4501 rue des Tchoupitoulas, angle Jena
☎894-9880

Richard Benz, ex-chef au réputé Upperline, et son épouse sont propriétaires de ce restaurant. Même la gentille JoAnn Clevenger, propriétaire de l'Upperline, n'hésite pas à recommander le restaurant à ses bons clients. Trop peu d'informations circulent en ce moment pour pouvoir en dresser un bilan objectif et attribuer une cote à ce nouvel établissement. Mais on peut sans crainte se fier à l'expérience du chef qui a tant contribué à la belle réputation du restaurant Upperline. Le chef Richard Benz propose en sa demeure une cusisine néo-orléanaise créative qu'on peut imaginer dans la même lignée que l'Upperline, puisqu'il a lui-même réalisé la composition du menu de son ancienne patronne, JoAnn Clevenger.

Brigtsen's
$$$$
mar-sam 17h30 à 22h
723 rue Dante, angle Leake
☎861-7610

Un des grands favoris des Néo-Orléanais demeure le Brigtsen's, confortablement installé dans un joli cottage du quartier résidentiel Riverbend. Son chef Frank Brigtsen prépare une cuisine d'inspiration cadienne et créole innovatrice qui fait les délices des gourmets; mieux vaut réserver. Au menu : salade de tomates aux croûtons et au fromage bleu à la vinaigrette d'avocat; gombo au lapin et à la saucisse; gratin d'huîtres «Bienville»; fleurs de courgettes farcies au ricotta, aux écrevisses et aux champignons, parfumé à l'huile de basilic; poisson grillé et croustillant de crabe au parmesan, mousseline au citron; thon noirci, sauce au maïs fumé; sauté de veau et d'écrevisses aux champignons, sauce au parmesan; pouding au pain et bananes, sauce au rhum; tarte aux pacanes, sauce au caramel; sabayon de champagne aux petits fruits avec un soupçon de crème fraîche.

Upperline
$$$-$$$$
mer-dim 17h30 à 21h30, brunch dim 11h30 à 14h (13,50$ à 22,50$)
1413 rue Upperline, près de la rue Prytania
☎891-9822
www.upperline.com

Au restaurant Upperline, JoAnn Clevenger, la propriétaire, n'est pas avare de son temps ni de paroles; elle aime partager, et c'est dans cet esprit de générosité et avec enthousiasme qu'elle nous convie à sa

Restaurants

table. La maison a une éblouissance quasi solaire et se pare de toiles de Martin LaBorde (voir p 313). À l'extérieur, un petit jardin fleuri ceinture la maison, et ces bosquets floraux se retrouvent en beaux bouquets sur chacune des tables. La cuisine du chef Kenneth S. Smith se veut tout en saveur. Celui-ci propose deux gombos : l'un aux fruits de mer et à l'okra, l'autre, plus corsé, au canard et à l'andouille, au bon goût de roux pimenté. Parmi les bons hors-d'œuvre de la maison, il faut goûter la tomate verte frite aux crevettes rémoulade et le ris de veau poêlé sur une croustillante polenta de maïs, sur nid de champignons, avec sauce demiglace. Des plats : poisson du Golfe grillé avec salade niçoise chaude, tapenade et beurre citronné au basilic; agneau braisé au vin, risotto au safran et *gremolata*; canard croustillant au porto et à l'ail. Des desserts : tarte Tatin avec sorbet aux pommes; gâteau truffé au chocolat.

🦐 Commander's Palace
$$$$
Veste et réservation obligatoire; lun-ven 11h30 à 13h30 et 18h à 22h, brunch sam 11h30 à 12h30 et dim 10h30 à 13h30
1403 av. Washington
☎899-8221
Ce vaste restaurant abrite une dizaine de salles à

manger et est situé juste en face du cimetière Lafayette, au cœur de la florissante Cité-Jardin. La devise de cette splendide maison victorienne pourrait être : «*Ici, on est mieux qu'en face!*» Depuis son ouverture en 1880, le Commander's Palace ne reçoit que des éloges des critiques et chroniqueurs gastronomiques du monde entier, unanimes à proclamer l'excellence de sa cuisine créole néo-orléanaise. La grande salle à manger de l'étage supérieur donne sur un îlot de verdure au centre duquel trône un gigantesque chêne vert plusieurs fois centenaire, l'un des plus vieux répertoriés dans le sud des États-Unis.

Le service s'exécute ici de façon impeccable et irréprochable par des serveurs et serveuses expérimentés qui connaissent toutes les exigences professionnelles de leur métier. On y déguste des plats créoles et quelques classiques d'une cuisine américaine au goût du jour que la maison prépare divinement. Chaque assiette est magnifiquement présentée. Parmi les spécialités inscrites sur le menu que l'on renouvelle au gré des saisons ou selon les arrivages : sauté de crevettes au ris de veau; huîtres du Golfe grillées à l'huile d'olive vierge et au parmesan; côtes de veau Tchoupitoulas grillées aux champi-

L'épicurienne et gastronome
JoAnn Clevenger

La généreuse et épicurienne JoAnn Clevenger, la propriétaire de l'incontournable restaurant Upperline, distribue à ses clients une liste de ses restaurants préférés : **Uglesich** pour leur gombo aux crevettes et les huîtres barbecues; les huîtres à la bordelaise de **Mandich** (*$-$$; 3200 avenue Saint-Claude, à l'est près de la rue Louisia*, ☎947-9553); la crème glacée maison de **Gabrielle**; les desserts du **Windsor Court** (*$$$$; 300 rue Gravier, dans le quartier des affaires*, ☎522-1992); les plats végétariens de **Bayona**; la cuisine créole et *soul* du **Praline Connection**; les «spéciaux» ou les «extras» du **Peristyle**; le gombo au comptoir de restauration rapide du **magasin Krauss** (*1201 rue du Canal*), celui du **Gumbo Shop** (*$-$$; 630 rue Saint-Pierre, Vieux-Carré Français*, ☎525-1486), d'**Alex Patout**

et de **Dooky Chase**; le crabe de **Galatoire**; les ris de veau de **Clancy** (*$$-$$$; 6100 rue de l'Annonciation-Annunciation, Uptown, au sud de la rue Magazine*, ☎895-1111); les gâteaux au crabe de **Gautreau** (*$$$$; 1728 rue Soniat, Uptown*, ☎899-7397); le poisson de **Brigtsen**; pâtes à la crème de *tasso* de **K-Paul's**; le pouding au pain soufflé du **Commender's Palace**; l'agneau de **La Provence** (*25020 Highway 190, Lacombe, sur la rive nord du lac Pontchartrain*, ☎626-7662); le gâteau d'écrevisses d'**Emeril's**. JoAnn participe à toutes les manifestations gourmandes et ajoute à sa liste le festival de l'ail et les dîners thématiques (Jane Austen, Monet, Thomas Jefferson, le Festin de Babette, etc.) qu'elle organise lors de ses somptueux brunchs au restaurant **Upperline**.

gnons sauvages; cailles rôties et quenelle d'écrevisse sauce au porto; enfin, pour couronner le repas, soufflé de pouding au pain (une pure merveille!). On garde toujours un souvenir ému d'une soirée passée au Commander's Palace.

Mid-City

Pour la localisation des établissements, voir carte p 242

🐾 Café Degas
$-$$$
déjeuner et dîner 5-10
tlj 10h30 à 14h30 et 17h30 à 22h30, brunch sam-dim
3127 av. de l'Esplanade
☎945-5635
Ce petit coin sympathique, sur l'élégante avenue de l'Esplanade, porte le nom du célèbre peintre, graveur et sculpteur français Edgar Degas, dont les frères, qui signaient encore de Gas, avaient tenté de faire fortune ici. Idéal pour les petits budgets car les prix y sont fort honnêtes. Spécialités : salade de crevettes et de couscous avec vinaigrette à la moutarde; truite fumée et mayonnaise à l'ail; ris de veau à la grenobloise; diverses omelettes; carré d'agneau; steak de surlonge à l'échalote; tarte *keylime*, tarte au chocolat et au beurre d'arachide. Tous ici parlent français. Bon rapport qualité/prix.

Lola's
$-$$
tlj 18h à 22h
3312 av. de l'Esplanade, face à Gabrielle's
☎488-6946
Certains restaurants ne payent pas de mine, et c'est vraiment dans cette catégorie qu'entre Lola's. Dans cet endroit vieillot et sans décor, où s'alignent quelques rangées de tables, on propose tout de même un grand choix de spécialités : soupe à l'ail; calmars grillés; paella au bœuf, végétarienne ou à la valencienne; thon grillé; linguine aux épinards; *caldereta* (ragoût d'agneau aux tomates, au vin et aux piments); crème caramel et nougat glacé. Arrivez tôt les places sont restreintes.

Mandina's
$-$$
lun-jeu 11h à 22h30, jusqu'à 23h ven-sam, dim midi à 21h
3800 rue du Canal
☎482-9179
Au restaurant, ou plutôt au casse-croûte Mandina's, s'entasse une clientèle locale pour déguster sa populaire soupe à la tortue, son riz aux haricot rouges, son assiette d'huîtres ou de crabe mou frits, son po'boy aux huîtres, ses crevettes et son poisson-chat *(catfish)* frits, le tout accompagné de frites. Le menu propose également des plats du jour, une cuisine familiale créolo-américaino-italienne (truite

amandine, chou et *corned beef*, poitrine de dinde à la sauce aux huîtres et aux patates douces, des crevettes créoles sur riz aux pois verts). Situé dans un quartier résidentiel de la classe moyenne, non loin du parc de la Ville. S'y attabler relève presque d'une expérience gustative. Pas de carte de crédit.

Mona's
$-$$
tlj midi et soir
3901 rue Bank, angle Carrollton (la rue Common devient Bank après la rue Prieur)
☎482-7743
La cuisine du Proche-Orient est à l'honneur : très bon *boummos* (purée de pois chiches), brochettes de bœuf ou de poulet, etc. Mona a une épicerie où l'on peut se procurer des pitas frais du jour et divers produits et denrées alimentaires qui, pour La Nouvelle-Orléans, sont exotiques.

Whole Foods Market
$-$$
tlj 8h30 à 21h30
3135 av. de l'Esplanade, à la jonction des rue Mystery et Ponce de Leon
☎943-1626
Ce marché propose des plats chauds à emporter, des soupes ainsi que de bons sandwichs et des salades santé. Quelques tables à l'extérieur délimitent le casse-croûte de l'épicerie, qui offre aussi toutes les gammes de pains ainsi

qu'un bon choix de viandes et de fruits de mer.

Dooky Chase
$-$$$
buffet 19,95$, menu du jour 8,25$, soir 25$
2301 av. d'Orléans
☎821-2244
Le restaurant Dooky Chase est situé dans Mid-City, un arrondissement défavorisé, et jouit d'une réputation légendaire. Leah Chase, le chef, est une célébrité locale. Le restaurant expose de très belles œuvres d'artistes afro-américains. La maison se spécialise dans la cuisine traditionnelle de La Nouvelle-Orléans que l'on présente sous forme de buffet le midi. Parmi les spécialités : gombo, poisson au court-bouillon, crevettes «Clemenceau», crabe farci, poulet créole ou poulet frit, pouding au pain nappé de sauce pralines. On recommande de s'y rendre en taxi.

Venezia
$$
lun-ven 11h à 15h, lun-jeu 15h à 22h, jusqu'à 23h ven, sam-dim 17h à 23h
134 N. Carrollton Ave.
☎488-7991
Le restaurant italien Venezia a ouvert ses portes en 1957. Un peu en dehors des circuits touristiques et inconnu de la plupart des visiteurs, il s'avère un des meilleurs en son genre. Quant aux Néo-Orléanais amateurs de cui-

Restaurants

sine italienne, ils connaissent bien ce restaurant familial et n'hésitent aucunement à patienter au bar
durant de longues minutes,
le temps qu'une table se
libère. Depuis qu'il existe,
le Venezia ne semble pas
avoir changé de décor. Sa
salle à manger conserve son
cachet des années cin-
quante et ses plats reflètent
les goûts d'une même
époque, c'est-à-dire d'une
cuisine italienne traditionnelle et généreuse. Les pizzas à pâte moyennement
mince et au fondant mozzarella (les meilleures pizzas
en ville!) reçoivent des garnitures au choix : saucisse,
pepperoni, cœurs d'arti-
chaut, ail, oignons, champignons, poivrons verts, tomates, etc. Des spécialités
dévoilent une influence
créole : à l'aubergine Vatican *(Eggplant Vatican),*
s'ajoutent du crabe et des
écrevisses lequel crustacé
entre aussi dans la sauce
d'une pâte à la crème, aux
oignons verts, champignons
et herbes. Le spaghetti aux
boulettes est un autre plat
copieux; les deux boulettes
de viande, bien assaison-
nées, qui composent ce
plat, ont la taille d'une
grosse tomate; alors, soyez
raisonnable du côté des
entrées! Beaucoup de gens
passent leur commande sur
place, pour ensuite apporter
leurs victuailles à la maison.

Gabrielle's
$$-$$$
table d'hôte le midi à 16,95$
ven 11h30 à 14h, mar-sam
17h30 à 22h
3201 av. de l'Esplanade
☎948-6233

Ce restaurant se démarque
des autres établissements et
attire, avec sa cuisine moderne, une nombreuse
clientèle d'amateurs. Em-
prunter la magnifique
avenue de l'Esplanade pour
s'y rendre est un véritable
enchantement. Au menu :
filet de lapin enrobé de
prosciùtto en sauce sucrée-
salée à la moutarde; *enchila-
da* d'écrevisses au fromage;
ribeye de bœuf noirci au
bacon croustillant et à
l'étouffée de *shitake* sauce
au poivron rouge grillé et
au raifort; vivaneau grillé
avec ail rôti et crabe meu-
nière; côtelette de porc
glacée à la Root Beer, aux
poires et aux oignons cara-
mélisés; pouding aux pom-
mes renversé, sauce à la
vanille; crème glacée maison.

Christian's
$$-$$$$
mar-ven 11h30 à 14h,
mar-sam 17h30 à 22h
réservation recommandée
3835 rue D'Iberville
☎482-4924

Christian Ansel et Henry
Bergeron ne pouvaient
trouver plus noble demeure
que ce vieux temple luthé-
rien construit en 1914 pour
relocaliser leur restaurant –

jusque-là à Métairie. Le chaleureux endroit a conservé les verres teintés ainsi que les boiseries d'époque, et propose une délicieuse cuisine créole et française. Plats dégustés : huîtres «Roland» à l'ail et aux champignons; gombo aux okras; soupe à l'oignon et aux croûtons au parmesan; espadon aux artichauts et aux champignons sautés au beurre noir; cheveux d'ange aux crevettes, écrevisses et fonds d'artichauts, sauce tomatée à la crème et au beurre; profiteroles au chocolat. Une bonne tenue vestimentaire est exigée. Le service se fait avec beaucoup de chaleur. Attention, votre voisin de table peut être le fils du patron qui épie avec intérêt vos commentaires! Bon rapport qualité/prix.

Lakeside

L'**Acme Oyster House** *($-$$; tlj 11h à 22h; 7306 Lakeside Dr., ☎282-9200)* offre un cadre plus récent que son commerce jumeau du Vieux-Carré Français (voir p 252), même si son décor se veut rustique et rappelle le charme des vieux bâtiments de certains villages de pêcheurs. Car, il n'y a pas si longtemps, Bucktown était un paisible hameau. De ce havre, il ne reste plus que le nom du quartier et le restaurant **Sid-Mar's** *($$;*

mar-dim déjeuner et dîner; 1824 av. Orpheum, ☎831-9541). Des générations de Néo-Orléanais s'y sont entassés devant des montagnes de crevettes ou de crabes bouillis ou frits. Aujourd'hui encore, la tradition perdure dans ce même décor d'une autre époque et dans un site privilégié qui fait face au beau lac Pontchartrain. Au menu : soupe aux huîtres; gombo de fruits de mer; crevettes, crabe ou écrevisses bouillis; «po'boy» au rôti de bœuf, aux huîtres ou aux crevettes; fruits de mer et poissons frits; pouding au pain.

La banlieue

Chalmette

Rocky and Carlo's
$-$$
tlj jusque tard
Saint-Bernard Hwy. O.
☎279-8323
Si par hasard à Chalmette la faim vous tenaille, la sympathique et économique cafétéria Rocky and Carlo's saura sûrement calmer votre appétit. La maison prépare une cuisine familiale et propose au menu macaroni gratiné, steak à l'hambourgeoise sauce à l'oignon, haricots blancs au porc. Rien de luxueux mais très fréquenté le midi. Pas de carte de crédit.

Restaurants

| **Métairie** | **Gretna** |

Bistro De Ville
$$-$$$
mar-sam 17h à 21h
2037 chemin de Métairie, sortie 229-Bonnabel de l'autoroute I-10, direction sud
☎*837-6900*

Ce petit resto de 70 places aux allures de bistro parisien portait jusqu'à tout récemment le nom de Chez Daniel. Le chef Daniel Bonnot, depuis 26 ans à La Nouvelle-Orléans, a vendu l'établissement à son assistante-cuisinière. On y fait toujours une cuisine française qui s'imprègne de saveurs créoles voire méditerranéennes. Un mur de la pièce représente une scène de dîner champêtre inspirée des impressionnistes français. Le restaurant est situé à Métairie, à une quinzaine de minutes du centre-ville de La Nouvelle-Orléans. Ses spécialités : huîtres Bayou et escargots à la provençale; thon au poivre; poulet rôti; canard à l'orange; veau Marengo; steak tartare.

Kim Son
$-$$
lun-sam 11h à 15h et 17h à 22h
349 av. Whitney,
première sortie de la West Bank Expressway après le pont, garder la droite, deuxième feu à gauche, derrière l'Oakwood Shopping Center
☎*366-2489*

Du centre-ville, on s'y rend en moins d'une demi-heure, en franchissant le pont qui relie La Nouvelle-Orléans et Gretna (Greater New Orleans Bridge). Le Kim Son, un délicieux restaurant de cuisine vietnamienne et chinoise, vaut le détour. Si vous êtes amateur de ces gastronomies, c'est sans contredit l'une des meilleures tables asiatiques de toute la région métropolitaine de La Nouvelle-Orléans. On y fait de bons rouleaux printaniers qu'on rehausse de coriandre quand il n'y a pas de menthe fraîche. La soupe aux fruits de mer ainsi que celle aux légumes et au soja s'avèrent goûteuses, les languettes de poulet sautées à la citronnelle et au brocoli se révèlent savoureuses, et les nouilles à la singapourienne sont judicieusement relevées de cari. Ici on parle vietnamien, chinois et anglais. Bon rapport qualité/prix.

Sorties

C'est à La Nouvelle-Orléans qu'est né le jazz un peu avant la Première Guerre mondiale; sous forme de blues, de ragtime ou de vieilles chansons créoles, ou encore de lancinants spirituals, il en fait toujours battre le cœur.

Pour le plus grand plaisir des amateurs, la **rue Bourbon**, dans le **Vieux-Carré Français**, est une noctambule aguerrie qui leur offre sans relâche sa musique aux accords explosifs ou nostalgiques.

Pour en connaître davantage sur la musique ainsi que les différents concerts et spectacles qui ont lieu durant de votre séjour à La Nouvelle-Orléans, procurez-vous le magazine *OffBeat* *(421 rue Frenchmen, bureau 200, La Nouvelle-Orléans, ☎944-4300, www.offbeat. com)*. Vous y trouverez des entretiens et des articles sur la musique ainsi que sur les musiciens qui ont autant marqué La Nouvelle-Orléans que la Louisiane. On y trouve également un répertoire complet sur les boîtes de nuit, bars et restaurants, ainsi que l'horaire des spectacles et autres activités culturelles.

Le *Gambit Weekly (3923 rue de Bienville, ☎486-5900,*

www.bestofneworleans.com), en plus de diffuser les horaires des principaux spectacles de musique en ville, traite des sujets d'actualité et des arts en général, du théâtre, du cinéma ainsi que de restauration. Un cahier design et de décoration est inséré dans ce tabloïd.

Bars et discothèques

Le Vieux-Carré Français et le Faubourg Marigny

Chez Arnaud
tlj 18h30 à minuit
813 rue de Bienville
☎**528-9900**
Le restaurant vient d'ouvrir la **Salle Richelieu**; un orchestre de jazz s'y produit et occupe tout un coin de fenêtre sur la grouillante et très présente rue Bourbon.

French Market Restaurant & Bar (Bar-Restaurant du Marché Français)
tlj
1001 rue de la Levée/Decatur
☎**581-9855**
Ce cabaret se spécialise dans le blues et le jazz des dernières décennies.

Café Brasil
2100 rue de Chartres,
Faubourg Marigny
☎**949-0851**
Le Café Brasil est considéré comme l'un des meilleurs endroits de la ville pour danser au son de la musique reggae, latino-américaine, jazz et afro-caribéenne. Julia Roberts y a déjà été vue.

Can Can Café
340 rue Bourbon,
Vieux-Carré Français
☎**553-2372**
Au Can Can Café du Royal Sonesta Hotel, le Silver Leaf Jazz Band joue le traditionnel Dixieland du mardi au dimanche.

Cat's Meow
701 rue Bourbon,
Vieux-Carré Français
☎**523-2788**
Les amateurs de karaoké peuvent s'enregistrer sur vidéo tout en interprétant leurs chansons préférées au Cat's Meow.

Checkpoint Charlie
entrée libre
501 av. de l'Esplanade,
Faubourg Marigny
☎**947-0979**
Au Checkpoint Charlie, on croque un Charlie Burger en écoutant de la *live music* qui va du blues à la *death-metal*.

Club 544
544 rue Bourbon,
Vieux-Carré Français
☎566-0529
Le Club 544 présente différentes vedettes de jazz traditionnel chaque soir.

Famous Door
tlj
339-341 rue Bourbon
☎522-7626
En activité depuis 1934, le Famous Door est l'un des plus vieux bars de la rue Bourbon. On y écoute du jazz l'après-midi et en soirée, et l'on y danse au son du rhythm-and-blues.

Hard Rock Cafe
418 rue Peters Nord,
Vieux-Carré Français
☎529-5617
Toutes les grandes villes du monde ont leur Hard Rock Cafe. À La Nouvelle-Orléans, le piano de Fats Domino surplombe le bar en forme de guitare, et l'on peut même y voir les souliers d'Elton John.

House of Blues
225 rue de la Levée/Decatur,
Vieux-Carré Français
☎529-2624
La House of Blues est du tout dernier cri autant pour sa musique que pour sa table. Les artistes invités alternent chaque semaine. Il y a brunch avec gospel le dimanche.

Margaritaville Café at Story Ville
tlj 14h à minuit
1104 rue de la Levée/Decatur,
Vieux-Carré Français
☎592-2560
Le Jimmy Buffet's du Margaritaville Café at Story Ville met en vedette chaque semaine des musiciens se produisant en solo ou différents groupes locaux. On y sert aussi quelques plats typiques.

Maxwell's Toulouse Cabaret
615 rue de Toulouse,
Vieux-Carré Français
☎523-4207
Le Maxwell's Toulouse Cabaret est réputé pour la qualité de ses programmes artistiques. Ici, le style Nouvelle-Orléans est à son meilleur. Harry Connick, le père du célèbre chanteur du même nom, y chante deux soirs par semaine, histoire de délaisser ses fonctions de procureur judiciaire *(district attorney)* de La Nouvelle-Orléans.

Palm Court Jazz Café
19h à 23h,
brunch dim midi à 15h
1204 rue de la Levée/Decatur,
Vieux-Carré Français
Le Palm Court Jazz Café offre sept jours par semaine du jazz de grand calibre. Danny Barker, considéré comme l'un des meilleurs banjoïstes du monde, s'y produit régulièrement. La collection de disques rares ou même introuvables qu'on peut y écouter est

tout à fait exceptionnelle. Les places au bar se font rares et les tables ne sont réservées que pour les repas seulement. La cuisine qu'on y sert est des plus honnêtes, avec spécialités créoles traditionnelles, mais ce qui importe ici c'est de sentir l'ambiance néo-orléanaise.

Pat O'Brien's

718 rue Saint-Pierre,
Vieux-Carré Français
☎525-4823

Chez Pat O'Brien's propose son célèbre cocktail «ouragan» (*hurricane*), servi dans des verres soufflés, pendant que des artistes divertissent le public de 20h à 4h du matin.

Preservation Hall

tlj
dès 20h
726 rue Saint-Pierre,
Vieux-Carré Français
☎522-2841

Le Preservation Hall demeure l'endroit par excellence pour le jazz traditionnel. Chaque soir, un groupe différent s'y produit, rassemblant les grands maîtres pour d'inoubliables jam-sessions. Ici, ni nourriture ni boissons, seulement du jazz.

Rhythms

227 rue Bourbon,
Vieux-Carré Français
☎523-3800

Le Rhythms donne l'occasion d'écouter et de danser au rythme des blues enivrants dans une cour d'époque agrémentée d'une gazouillante fontaine et de beaux balcons en fer forgé.

Snug Harbor

tlj 21h et 23h
626 rue Frenchmen,
Faubourg Marigny
☎949-0696

Le Snug Harbor présente deux séances chaque soir, de jazz contemporain et de rhythm-and-blues. On peut y manger un steak ou un hamburger.

Storyville District

dim-jeu 18h30 et 22h30,
ven-sam 18h, 21h, 21h30 et
minuit et demi
125 rue Bourbon
☎410-1000

Le vaste vaste complexe englobe trois salles et deux scènes. Il y a musique avec le *Storyville jazz jam* tous les soirs. La fin de semaine, des orchestres de renom sont invités.

Tipitina's

tlj
233 rue Peter Nord
☎566-7062

Cette boîte est l'une des plus populaires du quartier Uptown avec son pendant, tout aussi couru, dans le Vieux-Carré Français. Ici, on peut entendre du rhythm-and-blues, du blues et du jazz interprétés par de talentueux artistes locaux et, le samedi, du *zarico*.

Quartier des Affaires et quartier des Entrepôts

Vous pouvez assister à des spectacles de jazz tradition-nel sur les bateaux qui sillonnent le Mississippi : le **Natchez** *(tlj, 11h30, 14h30 et 19h, réservations; quai de la rue Toulouse,* ☎*586-8777)* et le **Créole Queen** *(19h, réservations; quai de la rue du Canal,* ☎*524-0814).*

Fairmount Court
ven-dim 21h à 1h
123 rue Baronne, entre les rues du Canal et Common
☎*529-7111*
Dans une atmosphère à la fois solennelle et feutrée, le Fairmont Court de l'hôtel Fairmont invite un orchestre de jazz classique.

Hôtel Fairmount
21h à 1h
123 rue Baronne,
Vieux-Carré Français
☎*529-7111*
L'Hôtel Fairmount compte trois différents bars, chacun avec sa propre musique : le **Fairmount Court**, le **Sazerac Bar**, un peu plus chic, le **Bailey's**, pour les fins de soirée.

Le Chat Noir - Cabaret
tous les soirs, piano-bar, ven-dim spectacles et concerts; le prix d'entrée varie selon les artistes invités
715 av. Saint-Charles, Uptown, face à la cathédrale Saint-Patrick
☎*581-5812*
Le Chat Noir s'est inspiré autant des grands cabarets parisiens du XIXe siècle que des prestigieux clubs de nuit new-yorkais. Dans un décor chaleureux et tamisé, la vaste boîte se veut l'un des plus beaux endroits où passer une soirée agréable à La Nouvelle-Orléans. Le coin piano-bar s'ouvre sur l'avenue Saint-Charles, tan-dis que la salle arrière reçoit des orchestres du jeudi au samedi. Tous les artistes qui s'y succèdent sont aussi talentueux les uns que les autres. Au Chat Noir, on ne risque jamais d'être déçu du concert ou du spectacle auquel on assiste. Les réser-vations sont nécessaires.

Chez Mulate
201 rue Julia,
par la rue Peters Sud
☎*522-1492*
Dans cet établissement dou-blé d'un restaurant propo-sant une cuisine cadienne (voir p 268), des groupes de musiciens et chanteurs provenant des quatre coins de l'Acadie louisianaise donnent des spectacles tous les soirs.

Sorties

La virée du capitaine

Dans l'ambiance communicative des cafés de La Nouvelle-Orléans, on fait aisément connaissance avec des personnages hauts en couleur. C'est ainsi qu'un certain soir, au bar de l'hôtel Richelieu dans le Vieux-Carré Français, nous fûmes abordés par le capitaine Roger C. Johnson, qui, ayant appris que nous étions Québécois (il a un pied-à-terre au port de Québec), nous invita pour une tournée de ses coins favoris. Le capitaine, qui sillonne le Vieux-Carré depuis plus de 30 ans, connaît on ne peut mieux les endroits divertissants qui risquent fort d'échapper au touriste moyen. Voici l'itinéraire qu'il propose, de préférence à ne pas faire en une seule fois.

Dans les bars...

On commence par le **Blacksmith Shop** *(941 rue Bourbon, Vieux-Carré Français,* ☎ *523-0066),* presque le plus ancien bar des États-Unis et le seul à avoir échappé aux divers incendies qui ont ravagé la ville. Clientèle d'habitués; le soir, il y a parfois un pianiste.

Chez **Molly on the Market** *(1107 rue de la Levée/ Decatur, Vieux-Carré Français)* à côté de Co-ops, c'est Jim Monaghan qui vous accueille. Le jeudi est la soirée des médias. De 22h à minuit, tous les gars de la presse et de la télé s'y retrouvent avec à chaque fois un barman invité. Ce dernier sera aussi bien le maire de la ville, le gouverneur de l'État, un membre du Congrès ou toute autre personnalité faisant la une des journaux à ce moment-là.

Le **Chart House** *(811 rue de Chartres, à l'angle des rues de Chartres et de Bienville, Vieux-Carré Français)* plaît au capitaine à cause des bons cocktails qu'on y sert à bon prix.

Pour un petit arrêt «bar-buffet», il recommande le **Lord V. J.'S Bar** *(à l'angle des rues de Bienville et de la Levée/Decatur, Vieux-Carré Français).* Le lundi soir, la clientèle régulière se régale de son pain de maïs et de ses haricots rouges.

Le **Johnny Whites** *(718 rue Bourbon, Vieux-Carré Français)* et le **Johnny Whites Sports Bar** *(à l'angle des rues de Toulouse et Bourbon, Vieux-Carré Français)* sont tous deux ouverts sans interruption. Ils ont leur clientèle de fidèles; au Sports Bar, on peut assister à la retransmission télévisée de grands événements sportifs.

Au **Bar 711** *(711 rue Bourbon, Vieux-Carré Français)*, le barman des petites heures, «Freak», a de belles rouflaquettes et beaucoup d'esprit, et sait tout ce qui se passe en ville.

La **Maison Napoléon** *(500 rue de Chartres, angle Saint-Louis, Vieux-Carré Français,* ☎524-9752). «Un des meilleurs bars du monde.» Bonne musique de fond, bonne cuisine, bon service. Pas de jukebox. L'endroit a été construit pour accueillir Napoléon, mort sans avoir pu en profiter. Dites «bonjour» au gérant, Ray Fox, de la part du capitaine. Au fait, M. Fox. est un aspirant écrivain.

Au **Giovanni's - The Sequel** *(625 rue Saint-Philippe, Vieux-Carré Français)*, on peut s'attendre à de l'imprévu. Ici, c'est à Johnny (Giovanni) que l'on dit «bonjour» de la part du capitaine. Le mercredi et le dimanche, entre 21h et 3h, on peut y déguster un bon steak et faire ainsi le plein de protéines au cours d'une soirée bien arrosée.

Le bar **Richelieu**, au restaurant **Arnaud** *(813 rue de Bienville, Vieux-Carré Français)*, est parmi ceux qu'on préfère pour prendre un verre tranquille dans l'après-midi.

Pour d'autres arrêts «solide-liquide»...

The Abbey *(1123 rue de la Levée/Decatur, Vieux-Carré Français)*. Le samedi après-midi après 15h, on déguste pour 5$ du poulet frit en regardant un match à la télé. À l'Abbey, les Néo-Orléanais de toutes classes se mélangent. Le bar est ouvert sans interruption. Si c'est Laura qui sert, n'hésitez pas à lui commander l'un de ses remarquables «Bloody Mary», et dites-lui aussi «bonjour» de la part du capitaine. La nuit, à partir de 2h, c'est le «gros Dave» qui travaille, une mine de renseignements sur la vie locale.

Sorties

Le gentil petit bar de l'hôtel **Provincial** *(1024 rue de Chartres, Vieux-Carré Français)* compte seulement cinq tabourets et six tables; l'endroit est calme et la clientèle régulière en apprécie les bons cocktails. Le capitaine n'est pas du genre à recommander les restaurants d'hôtel, mais il fait exception pour celui du Provincial, qui s'appelle **Le Honfleur**, où, dès 17h tous les jours, on propose selon lui une cuisine parfaite.

Quand le capitaine passe à table, voici quelques-uns des endroits où l'on peut le trouver...

Chez **Andrew Jaeger's** *(622 rue de Conti Vieux-Carré Français, ☎522-4964)*, les crabes sont cuits à la commande et tous les fruits de mer offrent une remarquable fraîcheur.

Le **Bayona** *(430 rue Dauphine, Vieux-Carré Français, ☎525-4455)* appartient à Susan Spicer, également aux fourneaux. C'est excellent, cher et chic. Prix plus abordables au déjeuner. L'endroit a beaucoup de charme. Voir aussi «Restaurants» p 255.

Le **Bella Luna** *(914 rue Peters Nord, Vieux-Carré Français, ☎529-1583)* n'est pas à la portée de toutes les bourses, mais on y a une vue merveilleuse sur le fleuve. Voir aussi «Restaurants» p 255.

Au **Coops** *(1100 rue de la Levée-Decatur, Vieux-Carré Français)*, le meilleur gombo en ville et le meilleur «po'-boy» aux crevettes sont servis sur du pain français. Ne vous laissez pas déranger par le décor : l'important c'est ce qu'il y a dans votre assiette.

Le **Greco's** *(1000 rue Peters Nord, Vieux-Carré Français, ☎523-7418)* est, de l'avis du capitaine, aussi bon que décontracté.

À la **Maison de la Vieille Absinthe** *(240 rue Bourbon, Vieux-Carré Français)*, le soir c'est Tony Moran qui vous accueille. M. Moran prépare d'excellentes pâtes proposées à des prix fort raisonnables. La maison est ouverte de 9h à 4h tous les jours.

Howlin' Wolf

828 rue Peters Sud,
Vieux-Carré Français
☎523-2551
Ce bar a été aménagé dans
un ancien entrepôt de
grains et de coton. S'y donnent en spectacle de bons
groupes de rock contempo-
rain.

Hilton

2 rue de Poydras,
près du Vieux-Carré Français
☎523-4374
C'est au troisième étage de
l'hôtel Hilton que se trouve
la boîte du célèbre jazzman
Pete Fountain.

Jazz Méridien

hôtel Le Méridien,
614 rue du Canal
☎525-6500
Au Jazz Méridien, on écoute
un pianiste de jazz les soirs
en semaine, alors que les
fins de semaine sont ani-
mées par un groupe de
Dixieland.

Vic's Kangaroo Café

tlj
636 rue des Tchoupitoulas
☎524-4329
On y vibre au son du blues
ou du jazz et l'on y boit de
la bière ou du vin austra-
lien. L'endroit est très populaire auprès des Néo-Orléanais.

Uptown

Bayou Bar

dès 18h30
2031 av. Saint-Charles
☎524-0581

Le Bayou Bar de l'Hôtel
Pontchartrain est un sympathique endroit. Des gens
d'affaires et des résidants du
quartier s'y donnent rendez-
vous.

Carrollton Station

8140 rue Willow
☎865-9190
La Carrollton Station est un
petit bar tranquille qui sait
néanmoins attirer de fort
talentueux chanteurs et
musiciens, auteurs et inter-
prètes de folk ou de jazz.

Jimmy's Music Club

8200 rue Willow
☎861-8200
Le Jimmy's Music Club
présente indifféremment
tous les styles de musique
(rock contemporain, reggae,
rap, etc.)

Maple Leaf Bar

5$
dim, mar-jeu dès 22h,
ven-sam dès 22h30
8316 rue Oak
☎866-9359
Le cabaret est toujours à la
mode. Il n'y a plus de
récital de poésie le di-
manche, mais il y a toujours
de bons spectacles de
blues, de rock néo-orléanais

Sorties

et de zarico tous les soirs à l'exception du lundi.

Michaul's Live Cajun Music Restaurant

840 av. Saint Charles

☎522-5517

Au Michaul's Live Cajun Music Restaurant, vous aurez la chance de suivre gratuitement un cours de danse de musique cadienne, pour ensuite évoluer sur l'immense piste de danse. Un incontournable pour la musique cadienne et le zarico. On peut y manger.

Tipitina's

501 av. Napoléon

☎895-8477

Le Tipitina's, qui a vu naître les Neville Brothers et le Professor Longhair, présente chaque jour les meilleurs artistes locaux et régionaux de rock, de funk néo-orléanais, de gospel, de zarico, de rhythm-and-blues, de jazz, de musique cadienne et de reggae.

Victoria Lounge

3811 av. Saint-Charles

☎899-9308

Le Victoria Lounge de l'Hôtel Columns accueille des professionnels de tous âges dans une ambiance feutrée.

Mid-City

Mid-City Lanes Rock'n'Bowl

4133 rue Carrollton Sud

☎482-3133

Le Mid-City Lanes Rock'n'Bowl, où, entre deux parties de quilles, on peut danser au son d'un orchestre et déguster une étouffée de crevettes ou d'écrevisses, constitue un attrait local depuis sa création en 1941. On y propose le meilleur zarico en ville. Le jeudi soir, s'y produisent plusieurs formations dont les excellents Nathan and the Zydico Cha Chas, célèbre groupe créole de Lafayette.

La vie gay

Après avoir fait le plein de jazz, de blues, de zarico et de gospel, voire de spectacles, de concerts, de circuits touristiques et de bons restaurants, sans doute aimeriez-vous planifier d'autres sorties hors du commun. Surtout si votre âme d'oiseau de nuit vous pousse à vouloir vivre l'ambiance électrisante des folles nuits de La Nouvelle-Orléans. Peu importe que vous soyez hétérosexuel(le), bisexuel(le), lesbienne ou gay, la préférence ou l'orientation sexuelle de chacun n'a aucune espèce d'importance pour participer à la vie

nocturne de la communauté gay néo-orléanaise, l'une des plus animées des États-Unis. Alors, pourquoi manqueriez-vous cette occasion unique?

À chacun sa boîte de nuit ou son bar préféré

Chaque établissement gay de La Nouvelle-Orléans reçoit sa clientèle spécifique. Dans certains endroits, c'est l'hédonisme et le culte du corps bien musclé qui prime. Ailleurs, les Afro-Américains aiment à se retrouver dans des boîtes et des bars animés par leurs artistes. D'autres boîtes accueillent une jeunesse fringante et endiablée à peine libérée de son acné juvénile, alors que d'autres lieux plus feutrés et moins bruyants, fréquentés par une faune «poivre et sel» plus mature et ô combien plus assagie, facilitent le tête-à-tête. Même les velus «nounours» *(Teddy bears)*, les amateurs de cuir, les sado-masochistes, les tatoués, les transsexuel(le)s et les travestis ont également leurs endroits bien à eux ou à elles.

Les nuits «gaies» du Vieux-Carré Français

Dès le coucher du soleil, les bars et boîtes gays des rues Dauphine, Sainte-Anne, Bourbon, Royale, de Chartres, Saint-Philippe, Saint-Louis, de Bourgogne (Burgundy), de la Levée (Decatur), Louisa, du Rempart Nord ainsi que ceux de l'avenue des Champs-Élysées (Elysian Fields) s'emplissent à craquer. Verre à la main, dans un coude à coude qui démontre les prouesses d'un équilibriste pour sauver le précieux et écumant houblon, des grappes humaines envahissent alors toutes ces artères. On s'arrête ici pour zyeuter la faune particulière d'un établissement, là pour refaire le plein, ailleurs pour trouver l'âme sœur, le compagnon ou la compagne d'un soir ou pour faire quelques pas de danse.

La foule qui se presse dans la rue Bourbon (le soir, l'artère névralgique devient alors piétonnière jusqu'aux petites heures du matin) donne au Vieux-Carré Français un air de kermesse. Dans une fébrilité et une cohue indescriptible, qui n'est pas sans rappeler un jour de Mardi gras, des fêtards perchés sur les terrasses supérieures lancent au-dessus de la foule

Sorties

La Nouvelle-Orléans, ville ouverte et permissive

Depuis qu'elle existe, La Nouvelle-Orléans a toujours eu la réputation d'une ville ouverte et permissive. Quand les Américains prennent possession de la Louisiane, c'est avec stupeur qu'ils découvrent que les Créoles de la cité coloniale française pratiquent des mœurs qui sont à l'opposé des visions messianiques et puritaines qui animent la conscience des colons établis dans les États de la Nouvelle-Angleterre, au nord-est de la jeune république. Déjà en 1727, les autorités coloniales françaises n'avaient-elles pas demandées aux ursulines, en plus d'éduquer les jeunes filles et de soigner les malades, de prendre aussi en charge les *«filles de mauvaise vie»*, histoire de libérer les rues et venelles du Vieux-Carré de *«ces gens-là»*. Grand dieu! la voilà jointe à l'Union, *«La Nouvelle-Orléans décadente, perverse et infernale»* tant décriée par les puristes et leurs alliés

détracteurs, qu'ils fussent religieux ou ultra-conservateurs.

Pour beaucoup d'autres, à l'esprit plus ouvert, La Nouvelle-Orléans demeure incontestablement – depuis ses débuts – *«la cité permissive de tous les plaisirs, des passions sensuelles et charnelles sans retenues, une ville effrontée, insolente qui s'affiche sans complexe»*. C'est un peu cette vision qui s'offre encore aujourd'hui à la vue du visiteur ayant un esprit plutôt libéral, pour ne pas dire aventurier. Une vision toujours présente que personne ne peut ignorer ou écarter de la réalité. Si l'on a préféré taire ou omettre le volet homosexuel des pages d'histoire de La Nouvelle-Orléans, ce n'était pas tant qu'à l'époque coloniale la prostitution féminine fut un moindre crime, mais sans aucun doute parce que les peines infligées en pareil cas – autant sous le régime français qu'espagnol – n'encourageaient pas leurs commettants à se faire voir ou connaître au grand jour. Enfin, dans ces sociétés archaïques où le vol était parfois passible de la peine de mort, on peut imaginer le sort qui pouvait être réservé à celles et à ceux qui s'adonnaient à des pratiques dites «*déviantes*».

Tennesse Williams et le Café Lafitte

Même si, durant de longues années, la vie gay se voulut plus discrète à La Nouvelle-Orléans, le phénomène n'est pas récent. Le Café Lafitte in Exile demeure l'un des plus vieux du genre aux États-Unis, et Tennessee Williams, qui évoque l'endroit dans plusieurs de ses œuvres, y a fait des apparitions remarquées. Les boîtes de nuit et les bars gays de La Nouvelle-Orléans sont d'abord fréquentés par une clientèle locale, mais aussi de façon continue par des visiteurs venus de toutes les régions des États-Unis, voire de partout à travers le monde, La Nouvelle-Orléans étant l'une des destinations touristiques des plus prisées par la communauté gay internationale.

bigarrée qui déambule tout en bas des colliers de perles multicolores. Telle une procession, tous couples confondus et en rangs serrés, les grappes se font et se défont... On entre dans un bar pour étancher sa soif une autre fois, d'autres en sortent et vont voir ailleurs ce qui se passe. La nuit gay débute à peine dans le Vieux-Carré de La Nouvelle-Orléans, dans ses faubourgs et dans sa banlieue...

Tôt le matin, les équipes de travailleurs municipaux s'activeront à ramasser les reliquats de la veille. Et, quand le citadin ira vaquer à ses occupations quotidiennes, que les grappes de touristes se remettront à nouveau à arpenter les trottoirs, les rues de l'historique Vieux-Carré Français seront redevenues d'une propreté exemplaire.

Depuis quelques années, le phénomène des boîtes de

nuit et bars gays déborde le seul périmètre du Vieux-Carré Français, où se concentraient jusqu'ici les activités de la communauté homosexuelle. Il s'ouvre désormais des boîtes et des bars gays dans la plupart des quartiers de la ville et ailleurs dans la région néo-orléanaise. Beaucoup de ces boîtes de nuit et bars sont ouverts 24 heures sur 24, et rappelons (une particularité de La Nouvelle-Orléans) qu'il est autorisé de boire son verre *go cup* ou *cruising cristal* dans la rue en autant qu'il soit de matière plastique ou en carton.

Les favoris de la communauté gay

À La Nouvelle-Orléans, la plupart des endroits fréquentés par la communauté gay sont situés dans l'arrondissement du Vieux-Carré Français et facilement repérables.

Bourbon Pub
801 rue Bourbon,
Vieux-Carré Français
☎529-2107
Le plus populaire des troquets, le Bourbon Pub, est ouvert 24 heures sur 24.

Café Lafitte in Exile – The Corral
901 rue Bourbon,
Vieux-Carré Français
☎522-8397
Le Café Lafitte in Exile, l'un des plus anciens et des plus populaires rendez-vous, est ouvert sans interruption. C'est un disque-jockey qui fait le choix de la musique. Le bar principal se trouve au rez-de-chaussée. À l'étage supérieur se trouvent une salle de billard ainsi qu'un beau balcon en fer forgé duquel on a une superbe vue sur la rue Bourbon. C'est là l'endroit idéal pour assister au défilé du Mardi gras et jeter sur la foule les traditionnels colliers de perles.

Lucille's Golden Lantern (La Lanterne d'Or de Lucille)
24 heures sur 24
1239 rue Royale,
Vieux-Carré Français
☎529-2860
Cet établissement fort ancien a quant à lui le style «bar du coin». D'ici, le dimanche précédant la fête du Travail (Labor Day), s'ébranle un joyeux défilé n'ayant rien d'autre pour thème que *«La décadente Louisiane du Sud»*... Ce défilé haut en couleur connaît un énorme succès, même s'il semble – dans cette ville majoritairement catholique – que l'événement n'ait reçu aucune bénédiction apostolique ou papale.

The Good Friends Bar - The Queens Head Pub (Bar des Bons Amis)

24 heures sur 24
740 rue Dauphine,
Vieux-Carré Français
☎566-7191

Le bar a tout le charme du Vieux-Carré et offre une ambiance calme qui favorise la conversation. Il y a parfois des moments de grande effervescence au Bar des Bons Amis, où certaines occasions sont autant de prétextes à fêter et à célébrer dans l'allégresse le Nouvel An, Mardi gras, le dimanche de Pâques, le jour de l'Indépendance, etc. La maison est à l'origine du fameux défilé canin du Mardi gras. Le balcon d'en haut permet d'avoir une vue imprenable sur la foule qui défile chaque nuit dans cette partie fort animée de la rue. Chacun ici est d'une grande gentillesse et l'on raconte que c'est le meilleur endroit où se lier d'amitié avec les gens de La Nouvelle-Orléans.

Rawhide

740 rue de Bourgogne Burgundy,
Vieux-Carré Français
☎525-8106

Le Rawhide fait jouer la meilleure musique en ville, et s'y presse une clientèle adorant particulièrement se vêtir de cuir.

Oz - The Land Of Dance

tlj 15h à minuit
800 rue Bourbon,
Vieux-Carré Français
☎593-9491

Cet établissement a toujours été l'un des bars favoris de la communauté gay, non seulement néo-orléanaise, mais aussi des connaisseurs américains qui l'ont classé parmi les 50 meilleures boîtes de nuit des États-Unis. L'ambiance ici est pour le moins déchaînée. Son emplacement, à l'angle des rues Bourbon et Sainte-Anne, se trouve au cœur de l'activité nocturne du Vieux-Carré Français et des festivités du Mardi gras. La foule ici s'amuse ferme et n'hésite pas à lancer – du haut du magnifique balcon en fer forgé – des colliers de perles multicolores, à hurler des chansons grivoises, à se pavaner en tenues hétéroclites voire suggestives, alors que d'autres préfèrent un dénuement vestimentaire quasi total... C'est sans doute tout cela qui donne à La Nouvelle-Orléans sa réputation d'être l'un des endroits les plus chauds *(hot)* de la planète. Bref, l'Oz - The Land of Dance demeure un incontournable pour qui recherche le défoulement absolu.

Sorties

Wolfendales
tlj 14h à 4h
834 rue du Rempart Nord, Vieux-
Carré Français
☎*596-2236*

Au Wolfendales se rencon-
trent les Afros-Américains.
La piste de danse surélevée
domine une salle où se
presse une foule compacte
et surexcitée. La magnifique
cour intérieure du Wolfendales mérite d'être admirée.
Il y a de bons spectacles
d'artistes afro-américains et
créoles tous les jeudis et
dimanches soirs à 23h30.

Faubourg Marigny

Le Faubourg Marigny, qui
avoisine la partie est du
Vieux-Carré Français, dé-
bute de l'autre côté de la
chic avenue de l'Esplanade;
c'est cette dernière belle
artère qui délimite les deux

Consommer dans la rue

La Ville autorisant la
consommation dans la
rue, en autant que les
contenants soient plasti-
fiés ou en carton, per-
sonne ne se prive de
trimbaler publiquement
sa bière pression et de
trinquer avec qui veut
bien lever son verre.

quartiers voisins de La
Nouvelle-Orléans. Un
conseil d'ami : si vous êtes
seul(e), prenez un taxi pour
l'aller et le retour!

Another Corner
24 heures sur 24
2601 rue Royale
☎*945-7006*

L'Another Corner a la particularité d'offrir à son ai-
mable clientèle des buffets
gratuits. Une heureuse as-
tuce qui, évidemment, a
pour effet de garder son
monde sur place et à les
faire consommer davantage.
L'endroit est surtout fréquenté par les résidants du
Faubourg Marigny.

Big Daddy's
2513 rue Royale
☎*948-6288*

Les dimanches après-midi
au Big Daddy's sont des
plus animés et les gens du
quartier s'y donnent volontiers rendez-vous pour y
prendre un verre et discuter
des derniers potins de
l'heure.

Lorenzo's Pizzeria & Bar
tlj
800 rue de France,
angle Dauphine
☎*947-0000*

Au Lorenzo on vient
prendre un verre au bar en
compagnie d'habitués, ou
bien on s'attable dans la
salle à manger pour y dé-
guster les savoureux calzo-
nes, pizzas et salades du

joyeux et volubile patron Mike Murray.

Mint
tlj 11h à 4h
940 av. des Champs-Élysées/Elysian Fields
☎944-4888

Le Mint offre une atmosphère qui vaut le déplacement. Les soirs de karaoké, il y règne une ambiance du tonnerre et chacun s'amuse sans retenue.

Phenix... Eagle's Nest
941 av. des Champs-Élysées/Elysian Fields
☎945-9264

Le Phenix... Eagle's Nest loge dans deux bâtiments historiques. C'est l'un des plus anciens bars à accueillir les amateurs de vêtements de cuir et leurs admirateurs. La maison possède une cour intérieure où l'on peut se restaurer de poulet barbecue à l'américaine tout en prenant un verre. En haut, il y a de la musique et des projections de vidéos. La drague ici se fait ouvertement et la discrétion ne semble pas de mise.

Gospel

Pour écouter le meilleur gospel en ville, il faut se rendre aux deux églises baptistes qui suivent :

Greater Saint Stephen Gospel
entrée libre : un don à l'église est apprécié
dim à 9h et 16h
5600 boul. Read
La Nouvelle-Orléans Est, sortie 244 de l'autoroute 1-10
☎244-6800

Cette moderne église baptiste de construction récente peut accueillir plusieurs centaines de fidèles. Les dimanches, la communauté afro-créole de La Nouvelle-Orléans (on vient aussi de partout en Louisiane et des États voisins) s'y rend en grand nombre et en famille. Tout le monde est alors endimanché de la tête aux pieds et la tenue vestimentaire des enfants est impeccable.

Il règne beaucoup de fébrilité dans ce temple et la ferveur qui s'en dégage incite les fidèles à participer à cette communion spirituelle hors du commun. Les chants religieux, interprétés par l'une des meilleures chorales de gospel du sud des États-Unis et repris par la foule, se succèdent en cadence et avec infiniment d'émotion. Voilà un incontournable endroit où se recueillir à La Nouvelle-Orléans et apprécier un grand gospel. Un chemisier et un pantalon, voire une robe, sont de rigueur afin de respecter ce haut lieu de culte.

Sorties

Greater Saint-Stephen
Entrée libre : un don à l'église est apprécié
dim 8h et midi, 19h les 2ᵉ et 4ᵉ dim du mois
2308 rue Liberté Sud/S. Libery St., Mid-City, sept pâtés de maisons au nord de l'avenue Saint-Charles, accès par la rue Philip
☎822-6800

Les cérémonies religieuses s'y déroulent avec un enthousiasme respectueux et les chants de la chorale gospel sont parfois retransmis en direct sur les ondes de certaines stations radiophoniques néo-orléanaises *(lun-ven à 9h15 sur WYLD 940AM et à 10h45 sur KKNO 1750AM)*. L'églises est assidûment fréquentée par les fidèles afro-américains des quartiers limitrophes.

Praline Connection II Gospels and Blues Hall
19,95$
dim 11h et 14h
901-907 rue Peters Sud, quartier des Entrepôts
☎523-3973

Le restaurant Praline Connection II Gospels and Blues Hall offre des spectacles de gospel à l'occasion de ses brunchs du dimanche.

Activités culturelles et festivals

Cinéma

Il se trouve plusieurs salles de cinéma à La Nouvelle-Orléans. Mentionnons toutefois les salles de la **Place du Canal** *(333 rue du Canal,* ☎581-5400*)*, situées à proximité du Vieux-Carré Français. Le **Prytania** *(5339 rue Prytania,* ☎895-4513*)* présente surtout des films de répertoire. Un cinéma **IMAX** *(1 rue du Canal,* ☎581-4629*)* a été aménagé à quelques pas de l'Aquarium des Amériques. Enfin, le **Movie Pitchers** *(3941 av. de Bienville,* ☎488-8881*)* présente principalement des films étrangers.

Films réalisés à La Nouvelle-Orléans disponibles sur bande vidéo

La Petite (Pretty Baby), tourné par Louis Malle en 1978, et mettant en vedette Susan Sarandon et Brooks Shields, se déroule à l'Hôtel Columns. Plusieurs des scènes extérieures ont été tournées dans la Cité-Jardin (Garden District).

Panique dans la rue *(Panic in the streets)*, 1950. Un film d'atmosphère tourné en partie dans le port de La Nouvelle-Orléans.

JFK (Oliver Stone), 1991. Dans ce film, le procureur de La Nouvelle-Orléans est insatisfait des explications officielles entourant l'assassinat du président John F. Kennedy.

Entretien avec un vampire *(Interview with a vampire)*, 1994. Dans ce film tiré d'un roman d'Anne Rice, Tom Cruise se promène dans le Vieux-Carré Français, au cimetière de Lafayette et à la plantation d'Oak Alley.

Le flic de mon cœur *(Big Easy)*, 1986. Un beau petit polar qui se déroule, sous fond de musique zarico, près du lac Pontchartrain et à la Piazza d'Italia.

L'Affaire Pellican *(The Pellican Brief)*, 1993. Julia Roberts tente de régler cette ténébreuse affaire à la faculté de droit de l'université Tulane.

Danse et opéra

La **New Orleans Ballet Association** (☎522-0996) est la seule troupe de danse professionnelle de La Nouvelle-Orléans. La troupe se produit au Theater of the Performing Arts. Au même

théâtre, la **New Orleans Opera Association** (☎529-2278) présente des opéras.

Théâtre

Saenger Performing Arts Center
143 rue du Rampart Nord,
Vieux-Carré Français
☎525-1052
Ce superbe théâtre rénové présente des spectacles de Broadway, des concerts, de la musique gospel et plus.

Petit Théâtre du Vieux-Carré
616 rue Saint-Pierre,
Vieux-Carré Français
☎522-2081
Le Petit Théâtre du Vieux-Carré est la plus vieille troupe de théâtre des État-Unis toujours en activité. C'est dans ce théâtre qu'a lieu annuellement, au mois de mars, le réputé Festival Tennessee Williams.

Théâtre Marigny
616 rue Frenchmen,
Faubourg Marigny
près de la rue de Chartres
☎944-2653
Le Théâtre Marigny a la réputation d'être à l'avant-garde dans le choix de ses pièces.

Contemporary Arts Center
900 rue du Camp,
près de la rue Julia
☎528-3800
Le Contemporary Arts Center présente des pièces expérimentales.

Sorties

Southern Repertory Theater
Place du Canal, 333 rue du Canal, 3e étage
☎861-8163
Le Southern Repertory Theater propose des créations régionales et ainsi que des œuvres classiques.

Casinos

Bien que la légalisation des casinos ait été établie en 1993, leur présence continue d'être controversée dans la population. Il y a actuellement quatre casinos ouverts 24 heures sur 24 et sept jours sur sept dans la région métropolitaine de La Nouvelle-Orléans; la plupart sont aménagés dans des bateaux. Si théoriquement la loi les oblige à quitter le quai pour permettre les jeux, il semble que, dans la pratique, il en soit bien autrement!

Harrah's New Orleans Casino (Casino Harrah de La Nouvelle-Orléans)
près du fleuve entre les rues du Canal et de Poydras
☎533-6000
www.harrahsneworleans.com
Pour les amateurs de jeux de hasard, ce casino offre 10 000 m² d'espace réparti dans cinq salles; en tout, 2 900 machines à sous et 125 tables de jeux. Sur place se trouvent deux restaurants dont un dresse un impressionnant buffet pouvant nourrir 250 convi-

ves. On y trouve aussi une éblouissante salle de bal (Mansion Ballroom) de 1 000 m² où il y a de bons spectacles de jazz.

Bally's Casino New Orleans
1 boul. Stars and Stripes, South Shore Harbor
☎248-3200
Sur le lac Pontchartrain, près de l'aéroport Lakefront, le Bally's Casino New Orleans propose lui aussi un grand choix de machines à sous et des tables pour les jeux de dés, le mini-baccarat, la roulette, le blackjack, etc.

Treasure Chest
5050 boul. Williams Kenneg
☎298-0711
www.treasurechest.com
Situé à Kenner, sur le lac Pontchartrain, le Treasure Chest est une réplique d'un bateau à aubes du XIXᵉ siècle. On vient d'y investir 5 millions de dollars pour l'aménagement intérieur.

Boomtown Belle Casino
4132 rte Peters, Harvey
☎366-7711
www.boomtowncasino.com
Enfin sur la rive droite du Mississippi, ancré au quai du canal Harvey, le Boomtown Belle Casino, un bateau de 75 m, rassemble sur trois ponts 850 loteries vidéo et 50 tables de jeux, ainsi qu'une salle de danse, un bar et un café.

Calendrier des événements annuels à La Nouvelle-Orléans

Janvier

Classique de Football Sugar Bowl *(1er janvier; Superdôme, 1500 Sugar Bowl Dr., ☎525-8573)*. Le Sugar Bowl est le match final qui oppose les deux meilleures équipes de football de collèges américains. C'est aussi pour célébrer cette rencontre qu'un défilé haut en couleur est présenté dans les rues de la ville.

Début de la saison du Mardi gras *(à partir du 6 janvier)*.

Black Arts et Martin Luther King Jr. Festival *(mi-janvier; université Tulane, bureau des Affaires multiculturelles, ☎596-2697)*. Semaine de la Paix.

Février

Festival de la Famille Zulu *(veille du Mardi gras, 10h à 17h; parc Woldenberg, ☎822-1559)*. Autres festivités reliées aux célébrations du Mardi gras.

Le Lundi gras de la place d'Espagne *(Riverwalk, ☎522-1555)* célèbre la veille du Mardi gras par des feux d'artifice et un bal masqué (seul le masque est requis).

Le Jour du Mardi gras *(☎566-5068 ou 525-6427)*. Festivités et défilés à travers les rues de la ville et du Vieux-Carré Français. Voir p 112 pour les dates des Mardi Gras des prochaines années.

Mars

Défilé de la Saint-Patrick *(mi-mars; Vieux-Carré Français, ☎525-5169)*. Comme dans plusieurs grandes villes américaines, la fête nationale des Irlandais est célébrée avec éclat dans le Vieux-Carré Français de La Nouvelle-Orléans.

Défilé de la Saint-Patrick dans le quartier de l'Irish Channel *(mi-mars; ☎565-7080)* Autre quartier, autre rassemblement d'Irlandais, autre fête!

Festival de l'héritage noir *(mi-mars; Jardin zoologique Audubon, ☎861-2537)*. Cette activité souligne pendant deux jours la contribution de la communauté noire à la culture, à la musique, aux arts et à la gastronomie.

Saint Joseph Day Festivities *(mi-mars; Tabernacle de Saint-Joseph, Piazza d'Italia, angle des rues de Poydras et des Tchoupitoulas, ☎891-1904)*. Le jour de la fête du saint patron des travailleurs est également célébré avec éclat.

Sorties

Le Mardi gras à La Nouvelle-Orléans

Le Mardi gras s'inscrit dans l'histoire louisianaise dès le 3 mars 1699. En effet, cette année-là, l'explorateur montréalais Pierre Le Moyne, sieur d'Iberville, nomme «Bayou Mardi-Gras» une localité sise à quelques lieues de la future Nouvelle-Orléans. Sous le régime français, dès 1740, des bals masqués ont lieu à La Nouvelle-Orléans, puis, sous la tutelle des gouverneurs espagnols, ils sont frappés d'interdit. La prohibition est maintenue lorsque la ville devient américaine en 1803. Cependant, la population créole fait fi de cet interdit et renoue avec la tradition des bals masqués en 1823.

Quatre ans plus tard, le premier défilé du Mardi gras se met en branle, et la tradition se poursuit depuis annuellement. L'un des éléments les plus spectaculaires et inattendus du défilé est «Le Mardi gras Indien». Des Noirs se pavanent alors par clans dans des costumes de plumes et de verroterie scintillante faits main. Resurgissent ainsi les Tchoupitoulas, les Pocahontas et autres figures bigarrées des traditions amérindiennes, voire africaines avec les très populaires Zoulous.

Le défilé du Mardi gras est assorti de quelques règlements auxquels il est sage de se conformer. On utilise des gobelets en plastique pour boire : verre et métal sont interdits. On ne lance pas de guirlandes du haut des balcons. On prend soin de se garer ailleurs que sur le parcours des défilés. Les restrictions au stationnement sont plus nombreuses encore que d'habitude pendant la fête. Vérifiez deux fois plutôt qu'une pour éviter une contravention de 100$ ou, pis encore, un coûteux remorquage à la fourrière municipale *(400 avenue Clairborne, ☎826-1900)*. Il est conseillé de s'habiller et de se chausser confortablement, ainsi que de laisser les objets de valeur en sécurité au lieu de les garder sur soi. Des *port-o-lets*, vespasiennes modernes, sont disposées un peu partout.

Le Mardi gras est une période de festivités précédant la période de jeûne que fut pendant longtemps le carême. Le Mardi gras comme tel tombe 46 jours avant Pâques.

En Louisiane, les ordonnances de la paroisse en déclarent la saison officiellement ouverte 12 jours avant le Mardi gras même. Près de 70 défilés se déroulent dans les quatre paroisses d'Orléans, de Jefferson, de Saint-Bernard et de Saint-Tammany pendant cette période.

Depuis 1872, les couleurs du Mardi gras sont le violet, qui évoque la justice, l'or, qui symbolise le pouvoir, et le vert, qui symbolise la foi.

Chaque *krewe* choisit chaque année un thème différent que ses chars allégoriques et ses masques illustreront. Les *krewes* tiendraient leur nom de l'anglais *crew*, sans doute une «hispanophonétisation» du mot. Il signifie, en effet, tout simplement «équipe» et désigne un club à but non lucratif, souvent associé à des activités de bienfaisance dont le but principal est de contribuer à la préparation et au financement des chars devant le représenter pendant le Mardi gras. L'ancêtre de cette noble institution, le *krewe* de Comus, vit le jour à La Nouvelle-Orléans en 1857. En cet honneur, c'est lui qui assume le défilé de clôture du Mardi gras.

Le *krewe* défile avec, à sa tête, un capitaine à cheval ou en décapotable. Il est suivi de ses officiers, puis du roi et de la reine, accompagnés parfois de quelques ducs et toujours de jeunes filles avec, derrière eux, le char allégorique sur lequel les membres costumés ont pris place. Défileront ensuite des groupes de musique, des troupes de danse, des clowns, des amuseurs publics, etc. Au total, on évalue le nombre de participants à plus de 3 000.

Le choix du roi et de la reine varie d'un *krewe* à l'autre. Pour certains, c'est par tirage au sort; mais peu importe le procédé la plupart exige une «royauté» pour régner. Le roi du Carnaval est choisi par le conseil de l'École de Design, le commanditaire du défilé.

Arrivez tôt, car «les places sont chères», c'est-à-dire que l'espace est compté, et soyez prudent quand doublons et colliers commencent à tomber des chars, car on se bouscule pour les attraper. Songez aussi à vous ravitailler en eau et en sandwichs, car il est aussi difficile de percer la foule que de trouver une table libre dans un restaurant.

L'avenue Saint-Charles, entre l'avenue Napoléon et le Lee Circle, se transforme ce jour-là en une vaste aire de pique-nique pour toute la famille. La foule est plus remuante vers la rue du Canal et dans le Vieux-Carré Français.

Les Néo-Orléanais préfèrent, pour leur part, assister au Mardi gras de Métairie, dont les défilés commencent à rivaliser avec ceux de leur ville.

Le **Lundi gras**, addition récente, se déroule la veille à la place d'Espagne, adjacente au Riverwalk *(rue de Poydras)*. C'est ici que, vers 17h, arrive Rex, le roi du Mardi gras. Bal masqué, feux d'artifice et concert composent le programme de cette première soirée.

Le Mardi gras est toujours plus amusant quand on se déguise. Il y a même un concours de costumes uniquement pour les visiteurs. Pour y participer, on s'informe au Mardi gras **Maskathon** *(☎527-0123)*. On trouvera un bon choix de masques au Marché Français.

Le jour du Mardi gras, surveillez le passage des orchestres dits *marching clubs*. Le groupe traditionnel des Jefferson City Buzzards et le Half-Fast Walking Club du jazzman Pete Fountain sont les plus connus. Le défilé commence le matin à 8h30 avec l'arrivée des Zoulous, et à 10h survient l'événement le plus spectaculaire de la journée, l'arrivée de Rex, le roi du Carnaval, suivi de 200 chars allégoriques.

Pendant le Mardi gras, la société de transports en commun, la **RTA** *(☎560-2700)*, offre une passe valable un jour *(3$)*.

Mardi gras dans la communauté gay

Le concours de costumes dans cette partie du défilé, près du bar Rawhide, angle de Bourgogne (Burgundy) et Sainte-Anne, est l'un des plus populaires spectacles du Mardi gras. Il commence à midi. Deux conseils : arrivez tôt et laissez les enfants à la maison!

Crescent City Classic *(3ᵉ fin de semaine de mars;* ☎*861-8686).* Marathon de 10 000 m entre le square Jackson et le parc Audubon.

Festival littéraire Tennessee Williams *(dernière fin de semaine de mars; Service des conférences de l'Université de La Nouvelle-Orléans,* ☎*286-6680 ou 581-1144),* autour de l'œuvre du célèbre écrivain et dramaturge, né Thomas Lanier, auteur entre autres de *Un tramway nommé Désir* et de *Soudain l'été dernier.* Pendant trois jours se succèdent des manifestations théâtrales, récitals de poésie et autres activités culturelles se déroulant dans la ville que l'écrivain a tant aimée et où il écrivit ses premières pièces dont *la Ménagerie de verre.*

Festival de la Terre *(dernière fin de semaine de mars, 9h30 à 18h; Jardin zoologique Audubon,* ☎*861-2537).* Même le «réveil de la nature» s'inscrit au calendrier des fêtes néo-orléanaises!

Avril

Au **Festival du Vieux-Carré Français** *(*☎*522-5730),* une douzaine d'orchestres se produisent sur autant de scènes. Dégustations, feux d'artifice, etc.

Festival du printemps (Spring Festival) *(*☎*581-1367).* Pendant cinq jours, on est convié à visiter sites et maisons historiques, plantations, etc. Le festival débute par un défilé de voitures à cheval.

Le **Festival du jazz et de l'héritage** (Jazz and Heritage Festival) *(dernière fin de semaine d'avril; hippodrome New Orleans Fair Grounds,* ☎*522-4786)* est l'une des célébrations les plus courues du monde. Pendant 10 jours, plus de 4 000 artistes, musiciens, chefs cuisiniers et artisans partagent leur art avec plus de 250 000 visiteurs.

Festival de l'écrevisse de la Louisiane *(Pont-Breaux,* ☎*318-332-6655).* Pendant deux jours, on est invité à des dégustations de mets de toutes sortes, à des concerts et des expositions d'artisanat.

Uptown Free Street Festival *(1ʳᵉ fin de semaine d'avril; New Orleans Jazz & Heritage Foundation,* ☎*522-4786).* Une grande fête consacrée à la musique et à laquelle participent des foules en délire.

Mai

Festival de la communauté hellénique (Greek Festival) *(dernière fin de semaine de*

Sorties

mai; *Centre culturel grec, 1200 boul. Robert E. Lee, ☎282-0259)*. Cet événement présente des danses folkloriques grecques, de la musique et des expositions d'art.

Juin

Festival Reggae (Reggae Riddums Festival) *(2ᵉ fin de semaine de juin; Cité-Jardin – City Park, ☎367-1313)*. Ce festival réunit des spécialistes de reggae et de calypso du monde entier.

Carnaval latin (Carnival Latino) *(dernière fin de semaine de juin; angle Mississippi River Front et du Canal, ☎522-9927)*. Pendant ces quatre jours de festivités, on peut écouter des orchestres et des groupes folkloriques d'Amérique latine, d'Espagne et du Portugal.

Great French Quarter Tomato Festival *(1ʳᵉ fin de semaine de juin; Marché Français, ☎522-2621)*. On y présente quantité de manifestations populaires ayant pour thème la tomate, juin étant en Louisiane la saison du fameux fruit rouge.

Zydeco Bay-Ou *(3ᵉ fin de semaine de juin; Crown Point, ☎689-2663)*. S'y déroulent de nombreux spectacles avec des artistes, chanteurs et musiciens de zarico.

Juillet

Fête nationale américaine (jour de l'Indépendance) *(Riverfront, ☎528-9994)*. Il y a célébration du 4 Juillet, fête nationale des États-Unis d'Amérique, par diverses activités et manifestations qui attirent toujours une foule bigarrée et joyeuse.

Wine and Food Experience *(fin juillet; Ernest N. Morial Convention Center, 900 boul. Convention, ☎529-9463)*. Dégustations de vins et d'une variété de mets sont également proposées dans le Vieux-Carré Français. Quelque 40 restaurants participent à cet événement.

Août

Festival international de l'héritage africain *(fin août et début sept; ☎949-5600 ou 949-5610)*. Festivités consacrant l'art afro-américain sous toutes ses formes et disciplines.

Octobre

Festival des marécages (Swamp Festival) *(Parc zoologique Audubon et parc Woldenberg, ☎861-2537)*. Pendant deux fins de semaine, l'accès est gratuit au Parc zoologique, où l'on peut également s'offrir de la cuisine cadienne et admirer à loisir la faune particulière des marécages.

Festival du film et de la vidéo
(3$ à 6$; 365 rue du Canal,
☎*523-3818)*. Une semaine
pendant laquelle sont projetés films, vidéos et produc-
tions diverses provenant de
tous les coins du monde. Le
festival se déroule dans les
salles de cinéma de la Place
du Canal.

Festa D'Italia *(☎891-1904)*.
Une fête comme savent si
bien faire les Italiens!

Festival de Gombo *(début octobre; Bridge City, Westwego,*
☎*436-4712)*. Il y a du gombo, de la musique et... du
gombo!

Gay Pride Weekend *(mi-oct;*
☎*800-345-1187)*. Fin de
semaine très animée pour la
communauté gay. Parade,
danse et spectacles se tiennent au Washington Square.

Halloween *(31 octobre;*
☎*566-5055)*. Partout dans la
ville, des fêtes costumées
sont organisées, mais la
plus populaire est certes
celle du Vieux-Carré Français. Un défilé a également
lieu.

Boo At The Zoo *(10$; 29 au 31
octobre; Jardin zoologique
Audubon, 6500 rue Maga-
zine,* ☎*871-2537)*. On profite
de la fête de l'Halloween
pour organiser des activités
spéciales au zoo. Les profits
de ces journées sont versés
aux hôpitaux pour enfants
de la ville.

Octoberfest *(tout le mois)*.
Dans une vingtaine d'éta-
blissements de la ville, on
sert de la bière et des mets
allemands. Au Deutches
Haus *(☎522-8014)*, on danse
la polka.

Novembre

**Festival du Cochon de Lait à
Luling** *(1ʳᵉ fin de semaine de
novembre; sur la rive ouest du
fleuve, rte US 90, Luling)*. Lors
de ce festival, on fête le
petit cochon de toutes les
façons, et, clou de ces festivités, on le déguste grillé ou
à toutes les sauces!

Célébration sous les chênes
(Celebration in the Oaks)
*(en soirée, fin nov à début jan;
parc de la Ville)* Les arbres
du parc sont décorés de
centaines de milliers de
lumières. Cet éblouissant
spectacle est agrémenté de
musique.

Décembre

Noël créole (Creole Christ-
mas) *(☎522-5730)*. À cette
occasion, on est invité à se
joindre à des chœurs de
chants de Noël sur la place
d'Armes (Jackson Square), à
des excursions à la lueur
des bougies, à des feux de
joie et à des réveillons.

**Veille du jour de l'An à la place
d'Armes** *(Jackson Square,*
☎*566-5046)*. Les Néo-Orléanais et les nombreux visi-

Sorties

teurs s'y rassemblent pour faire leurs adieux à l'année qui se termine et pour célébrer les premières minutes du jour de l'An.

Festival de l'Orange et Foire Paroissiale des Plaquemines *(1ʳᵉ fin de semaine de dé-* *cembre; Port Sulphur,* ☎*656-7752).* Cuisine, musique, concours de préparation du poisson-chat, concours d'appel de canards, «fais do-do» (bal traditionnel cadien).

Achats

Plus de 1 000 marchands de La Nouvelle-Orléans participent au programme de remboursement de la taxe de vente.

Il suffit de présenter passeport et billet d'avion au moment des achats pour obtenir le formulaire à remettre au **Centre de remboursement des achats hors taxes de Louisiane** de l'aéroport international de La Nouvelle-Orléans (Moisant). Les montants inférieurs à 500$ sont remboursés en espèces, tandis que, pour ceux dépassant cette somme, on expédie un chèque par la poste à la résidence du visiteur.

Les quartiers

À La Nouvelle-Orléans, chaque quartier a sa spécialité. Le Vieux-Carré Français, essentiellement touristique, rassemble de nombreux commerces allant de la galerie la plus élégante aux simples comptoirs de souvenirs. Plus loin

Uptown, un quartier résidentiel, est reconnu pour sa rue des antiquaires, la rue Magazine; s'y trouvent aussi réunis plusieurs restaurants, des marchés d'alimentation et quelques cafés. Dans le quartier Riverbend, aux environs de la rue Carrollton et de l'avenue Saint-Charles, on trouve aussi quelques bons restaurants, des boîtes de jazz et des boutiques de vêtements.

Centres commerciaux

Le principal point d'intérêt pour les amateurs de lèche-vitrine est le **Canal Place Fashion Mall**, qui regroupe plus de 60 magasins et cafés. Bien sûr, le **JAX** ou **Jackson Brewery** constitue aussi un endroit de choix pour les consommateurs.

Le tout récent **Centre commercial de La Nouvelle-Orléans** (New Orleans Centre), adjacent au Superdôme et à l'hôtel Hyatt, propose ses boutiques raffinées sur trois étages sous un dôme de verre.

Le long du Mississippi, sur le site de l'Exposition universelle tenue en 1984, le **Riverwalk**, un marché regroupant 140 magasins, boutiques et restaurants, permet de faire ses courses tout en jouissant d'une vue unique sur le fleuve.

Galeries et antiquités

Le long de la **rue Royale** sont concentrées une quarantaine (plus de 60 dans le Vieux-Carré Français) de boutiques et de galeries spécialisées dans la vente d'œuvres d'art et d'antiquités de toutes sortes. Peintures, joaillerie, meubles, verres, porcelaines, bronzes, etc., qu'ils soient décoratifs ou de collection, vrais ou faux, il y en a pour tous les goûts sans pour autant être à la portée de toutes les bourses. Inutile de tous les nommer : la meilleure méthode est de marcher dans la rue et de profiter de l'ambiance qui y règne.

Au même titre que la rue Royale, la **rue Julia**, dans le quartier des Entrepôts (Warehouse District), est reconnue pour ses nombreuses galeries. Elles sont regroupées près du Musée d'art contemporain.

A Gallery for Fine Photography
322 rue Royale
☎**568-1313**
On vend ici des affiches de photographes américains et internationaux.

Boutique Française d'antiquités (French Antique Shop)
225 rue Royale
☎524-9861

La Boutique Française d'antiquités se spécialise dans les objets des XVIIIe et XIXe siècles : luminaires, marbres, porcelaines, bronzes.

Dixon & Dixon
237 rue Royale
☎524-0282 ou 800-848-5148

On peut trouver chez Dixon & Dixon des collections exceptionnelles de tableaux, de tapis orientaux, de porcelaines européennes ou orientale et des bijoux anciens.

Galerie La Belle
309 rue de Chartres
☎529-5538

La Galerie La Belle abrite l'une des plus importantes collections d'œuvres afro-américaines aux États-Unis.

Galerie Martin LaBorde
509 rue Royale
☎587-7111

La Galerie Martin LaBorde expose les peintures de l'artiste. Des tableaux richement colorés, une influence mexicaine, par exemple ceux qui représentent un petit personnage flottant librement dans l'air. On voit quelques-uns de ses tableaux au chaleureux restaurant **Upperline** (voir p 275).

M.S. Rau Antiques
lun-sam 9h à 17h15
630 rue Royale
☎523-5660
☎*800-544-9440 en Amérique du Nord*

Cet antiquaire est reconnu par les amateurs comme le meilleur de La Nouvelle-Orléans. Cette maison existe depuis 1912 et porte le nom de son fondateur, Max Rau, dont les fils et petits-fils lui succédèrent tour à tour. L'éblouissante boutique d'antiquités, presque un musée, qui a une superficie de 180 m^2 (2 000 pi^2), recèle d'infinis trésors. Les collections mises en vente sont réparties dans plusieurs salles thématiques : peintures et sculptures, porcelaines et poteries, mobiliers, bronzes, antiquités décoratives et objets d'art, orfèvreries, accessoires chirurgicaux de différentes époques, collection de cannes bourgeoises, bijoux et pierres précieuses, vieux livres, horloges, phonographes, etc. Il y a même une «chambre secrète» pour les acheteurs sérieux. Ces clients sont alors enfermés dans ces lieux placés sous la haute surveillance des caméras; on revient gentiment vous sortir de là quand la visite est terminée. À défaut d'acheter une pièce, on peut toujours rêver. Les beaux objets se vendent ici à compter de quelques dizaines de dollars et peuvent totaliser plusieurs centaines de milliers de dollars. Ainsi, on y a vu les chaînes du célèbre magicien Harry Houdini, en vente à seulement 12 000$, et, offert à 38 500$, un authentique «siège d'amour» du XVIIIᵉ siècle, époque où les aristocrates français ne se préoccupaient pas encore de voir leurs ébats perturber par une possible intrusion dans leurs salons d'une horde de ce bon peuple révolutionnaire. La devise de la maison : *«125% garantie!»* La célèbre boutique d'antiquités à son site Internet : http://www.ruantiques.com

La **rue Magazine** offre aux amateurs d'objets anciens la possibilité d'assouvir leur passion. Sur près de 10 km, boutiques, arcades et galeries proposent meubles, porcelaines, pièces en étain, verreries et autres objets anciens.

Antiques-Magazine
2028 rue Magazine
☎*522-2043*
La boutique Antiques-Magazine propose toute une gamme d'objets allant de l'époque victorienne jusqu'aux années vingt, la belle période de l'Art déco : verreries, lampes, meubles, pièces d'argenterie et objets insolites.

Ventes aux enchères

Les maisons de vente aux enchères ont une grande popularité à La Nouvelle-Orléans. Meubles, œuvres d'art, tapis ou objets de collection provenant de successions ou de particuliers se vendent aux meilleurs preneurs. On les achète souvent à plus bas prix que chez un antiquaire, mais vous devrez miser plus fort qu'eux. Enfin, les aubaines ne courent pas les rues et il faut une bonne connaissance du milieu et de ce genre de vente avant de s'y aventurer. Au moins deux maisons se partagent le marché ; téléphonez à l'avance pour connaître l'horaire des expositions et de la mise en vente des pièces.

New Orleans Auction Saint-Charles Gallery Inc.
1330 av. Saint-Charles, Cité-Jardin
☎*586-8733*

New Orleans Auction Galleries
801 rue Magazine,
quartier des Entrepôts
☎*566-1849*

Librairies

La passionnante histoire francophone de la Louisiane et de La Nouvelle-Orléans a été façonnée en grande partie par le dynamisme de ses communautés françaises, créoles, afro-américaines et cadiennes.

La Librairie d'Arcadie
714 rue d'Orléans,
Vieux-Carré Français
☎ 523-4138

À La Librairie d'Arcadie, le sympathique et érudit libraire Russel Desmond, passionné d'histoire et de littérature, propose les meilleurs ouvrages «pour l'étude de la Louisiane française et francophone» dont ceux de Barry Ancelet *(Contes bilingues cadiens et créole)*, de Jeanne Castille *(Moi, Jeanne Castille de la Louisiane)* et de Maurice Denuzière *(Je te nomme Louisiane)*, ainsi que celui de la révérende mère Saint-Augustin de Tranchepain *(Relation du voyage des premières Ursulines à La Nouvelle-Orléans et leur établissement en cette ville)*, publié en 1859.

Book Star
414 rue Peters N.,
Vieux-Carré Français
☎ 523-6411

Le Book Star possède un grand choix de livres dont un rayon complet sur l'histoire, la culture et la cuisine en Louisiane et à La Nouvelle-Orléans.

Aunt Sally's Praline Shop
810 rue de la Levée/Decatur,
Vieux-Carré Français
☎ 524-3373 ou 524-5107

L'Aunt Sally's Praline Shop demeure l'endroit par excellence pour dénicher un livre de recettes du terroir louisianais et de La Nouvelle-Orléans.

Livres de recettes de cuisine louisianaise

L'importance de la gastronomie louisianaise est telle que vous aimerez sans doute rapporter quelques ouvrages consacrés aux cuisines cadienne, créole, sudiste ou afro-américaine. Voici donc quelques suggestions :

Creole Gumbo and All That Jazz : cuisine de La Nouvelle-Orléans.

River Road Recipes I : 2 millions d'exemplaires vendus depuis 1959.

La Bonne Cuisine : cuisine créole de La Nouvelle-Orléans.

The Little New Orleans Cookbook : cuisine de La Nouvelle-Orléans.

La Bouche Créole I : recettes créoles authentiques.

Commander's Palace Cookbook : recettes d'un haut lieu de la gastronomie néo-orléanaise.

Recipes & Reminisces of New Orleans I : ouvrage rédigé

Achats

par les ursulines de La
Nouvelle-Orléans.

The Best of New Orleans :
merveilleux petit ouvrage,
abondamment illustré de
jolies photos en couleurs, et
regroupant les meilleures
recettes créoles et cadiennes de La Nouvelle-Orléans
et de la Louisiane, dont
quelques-unes du chef Paul
Prudhomme et des grands
restaurants tels que Chez
Antoine.

Musique

Tower Records – Video
tlj 9h à minuit
Jackson Brewery,
408- 410 rue Peters N.,
à l'angle de la Levée/Decatur
☎*529-4411*
Excellente sélection de disques de musique locale.

Record Ron's
tlj 11h à 19h
239 rue de Chartres
☎*522-2239*
1129 rue de la Levée/Decatur
☎*524-9444*
Une des plus grandes sélections sur vinyle de pop,
R & B, jazz, soul, Dixieland,
rock, blues, gospel, cadien,
etc. Cartes de crédit acceptées.

Louisiana Music Factory
tlj 10h à 19h
225 rue Peters N.,
Vieux-Carré Français
☎*523-1094*
Musique régionale, livres,
photos, vidéos, affiches, CD
neufs ou usagés d'artistes
locaux.

Alimentation, café et vins

Aunt Sally's Praline Shop
810 rue de la Levée/Decatur,
Vieux-Carré Français
Chez Aunt Sally's Praline
Shop, on peut acheter des
livres de recettes, des pots
de sauce au piment,
d'autres denrées en
conserve et des aliments
typiques de la Louisiane.
On reconnaît le commerce
à son comptoir vitré don-
nant sur la rue de la Levée,
où une employée confec-
tionne des montagnes de
doucereuses pralines.

On trouve du bon café un
peu partout à La Nouvelle-
Orléans; procurez-vous le
café **Community** :, il est torré-
fié selon la tradition.

Croissant d'Or
7h à 17h
615-617 rue des Ursulines
Vieux-Carré Français
☎*534-4663*
Au Croissant d'Or, Maurice
Delechelle, un pâtissier
français, prépare de délicieux croissants au beurre

(ils sont immenses), des pains au chocolat, des danoises et d'autres pâtisseries. Il y a aussi des quiches et un petit menu du jour le midi (soupe, sandwich et salade). L'établissement possède une jolie cour intérieure, mais il y fait très chaud par les jours de grande humidité. Heureusement le café est climatisé!

Vietnamese Farmer's Market
sam matin
13344 autoroute Chef Menteur, rte nationale US 90/Chef Menteur Hwy., US 90, à la sortie est de la ville; de Chef Menteur, tournez par le boul. Alcée-Fortier et roulez jusqu'à l'intersection avec l'allée Peltier, La Nouvelle-Orléans Est
☎*254-9646*
Ce marché est l'un des plus intéressants pour les fines herbes aromatiques fraîches, les sauces et les épices asiatiques de toutes sortes et, en quantité, les fruits et légumes exotiques de La Nouvelle-Orléans. Il faut y aller tôt le matin. Si l'appétit vous tenaille, vous pouvez même manger sur place puisque Le Village de l'Est (voir encadré) recèle de nombreux restaurants vietnamiens, chacun offrant leurs spécialités respectives.

Marché Français
rue de la Levée/Decatur, Vieux-Carré Français
On ne peut visiter La Nouvelle-Orléans sans s'arrêter à l'historique Marché Français. On y trouve

quelques primeurs locales ou des autres États, comme des oranges du Texas, des pêches de la Géorgie et du raisin de la Californie pour ne nommer que celles-ci. Les tresses d'ail sont très populaires ainsi que les petits pots de sauce au piment.

Tout sur les fruits de mer

The Louisiana Seafood Exchange *(sur rendez-vous, lun-sam 7h à 15h; 428 Jefferson Highway, Kenner,* ☎*834-9393).* Grossiste, grande variété de fruits de mer frais. Restaurant de style La Nouvelle-Orléans, «po'boys», repas chauds, fruits de mer bouillis ou au court-bouillon (pour emporter).

Martin Wine Cellar
3827 rue Baronne, deux rues au nord de l'avenue Saint-Charles, Uptown
☎*899-7411*
Pas facile de trouver des fromages à La Nouvelle-Orléans. Martin Wine Cellar importe du stilton, du chèvre, du brie et du parmesan. On y trouve aussi

Le Village de l'Est : le quartier vietnamien de La Nouvelle-Orléans

Dans la partie industrielle de La Nouvelle-Orléans Est (New Orleans East), où les cheminées des usines pétrochimiques crachent leurs fumées blanchâtres, se trouve le Village de l'Est, dont le panneau rédigé en français est placé bien en vue à l'entrée du quartier. Une importante communauté vietnamienne y vit dans une quasi-autarcie. Ses paisibles habitants, surtout de religion catholique, conservent jalousement leurs traditions culturelles et gastronomiques.

Dans le Village de l'Est, aucun terrain vague, aucun espace vacant n'est laissé en friche. Le Vietnamien aime à conserver ses origines paysannes et rares sont ceux qui n'entretiennent pas leur coin de potager nourricier. Partout, même dans sa cour, on travaille la terre. À défaut d'un terrain

approprié, ces jardiniers-citadins occupent les deux rives du bayou qui coule en plein cœur du bourg. Leurs îlots de verdure se composent de plantes aromatiques, de racines telles que le tarot et l'igname, ainsi que de nombreux autres légumes tropicaux.

Il est étonnant que si peu de Néo-Orléanais connaissent le grouillant marché vietnamien du Village de l'Est, à proximité de l'ancien Faubourg de Montluzin, qui se situe à l'angle de l'allée Peltier et du boulevard Alcée-Fortier; on y accède par l'autoroute Chef Menteur (Chef Menteur Highway). Même si ce quartier n'apparaît dans aucun circuit touristique, il faut s'y rendre au moins un jour de marché, lequel se tient chaque samedi matin. Les marchands et producteurs agricoles installent alors leurs étals devant et dans l'enceinte de la cour intérieure d'un bâtiment commercial ainsi que sous un préau annexe qui protège autant des chauds rayons du soleil que des intempéries. Là encore se trouvent quelques autres boutiques et épiceries asiatiques.

Une grande fébrilité anime alors les lieux. Marchands et marchandes de toutes sortes – les femmes portent leur tunique traditionnelle et se coiffent de leur chapeau de palmes tressées en forme de cône qui les protège du soleil – tiennent leurs étals en plein air ou dans les échoppes attenantes. Outre les fruits et légumes, ce marché propose aussi des canards et des crabes vivants, des crevettes fraîches du golfe du Méxique, du poisson séché de même que tous les condiments nécessaires à la préparation de mets vietnamiens.

l'une des plus grandes sélections de vins à La Nouvelle-Orléans ainsi qu'un comptoir à sandwichs et de plats à emporter.

Praline Connection
542 rue Frenchmen,
Faubourg Marigny
Le restaurant Praline Connection vend, à sa boutique de cadeaux, des produits de La Nouvelle-Orléans dont les pralines traditionnelles et des pralines au chocolat ou à la noix de coco.

Progress Grocery
912 rue de la Levée/Decatur,
Vieux-Carré Français
☎525-6627
Plus connue pour ses *muffalettas*, la Progress Grocery propose un peu d'épicerie, des cigarettes et a un kiosque à revues et journaux.

Saint-Roch Seafood Market
2381 av. Saint-Claude,
à l'est du Vieux-Carré Français, angle Saint-Roch
☎943-5778 ou 943-6666
On peut acheter ici tous les produits de la pêche de la Louisiane dont le crabe

Achats

mou (en saison), les crevettes, les écrevisses, les huîtres, les poissons, etc.

Vieux-Carré Wine and Spirits
422 rue de Chartres,
Vieux-Carré Français
☎568-9463
Le commerce est tenu par
un Italien qui a fait ses premières armes dans la restauration néo-orléanaise. On y
trouve un très grand choix
de bons vins de tous les
pays ainsi qu'une grande
variété de bières.

Whole Foods Market
tlj 8h30 à 21h30
3135 av. de l'Esplanade, à la jonction
des rue Mystery et Ponce de Leon
☎943-1626
Ce marché propose des
plats chaud à emporter, des
soupes ainsi que de bons
sandwichs et des salades
santé. Quelques tables extérieures annoncent l'épicerie
qui offre aussi pains, viandes et fruits de mer.

🌴 La Boulangerie
tlj 6h à 19h, jusqu'à 13h dim
4526 rue Magazine
☎269-3777
Sa façade d'un bleu royal
éclatant met en valeur ce
beau bâtiment ancien du
quartier Uptown. Les pro-
priétaires, Bruno et Domi-
nique Rizzo, proposent à la
clientèle toutes les gammes
de pains français, dont un
fameux au levain, ainsi que
des croissants, des viennoi-

series et d'autres pâtisseries;
la tartelette aux raisins et
aux noix est exquise.

Dans le quartier résidentiel
Uptown, il y a plusieurs commerces dont un marché
d'alimentation **Zara's** *(4838
rue Prytania),* une
boulangerie-pâtisserie
McKenzie's *(4926 rue Prytania),* un marchand de vins,
The Wine Seller *(5000 rue
Prytania),* des torréfacteurs
de café dans la **rue Magazine**
et la rue Maple, **PJ's Coffee
and Tea** *(7624 rue Maple,
☎866-7031)* et des cigares à
la **Dos Jefes Uptown Cigar Shop**
*(5700 rue Magazine et 5535
rue Tchoupitoulas).*

Photographie

Un peu partout en ville, des
boutiques et magasins
d'accessoires photographi-
ques ont un service de développement et tirage. Ils
sont regroupés dans la rue
du Canal, près des rues de
la Levée (Decatur), de Chartres et Royale, ainsi qu'en
face, de l'autre côté de la
rue du Canal. Les profes-
sionnels trouveront des
pellicules spécialisées au
Liberty Camera Center *(337
rue de Carondelet, une rue au
nord de l'avenue Saint-Charles, entre les rues Gravier et
Union, ☎523-6252).*

French Quarter Camera

809 rue de la Levée/Decatur,
Vieux-Carré Français

☎ 529-2974

On y développe vos photos
en une heure. En ces lieux,
il y a toujours un vendeur
pour vanter les mérites de
tel ou tel gadget ou acces-
soire plus ou moins utile.
Mais le photographe professionnel ou amateur trouve
ici ce dont il a besoin, soit
des appareils photo et toutes les pellicules nécessaires
à ses prises de vues.

Mardi gras

On peut se replonger dans
l'atmosphère de cette fête
tout au long de l'année en
visitant le **Musée de l'État de
la Louisiane** (voir p 129) *(751
rue de Chartres, ☎ 568-6968)*,
avec sa collection perma-
nente de costumes, de
chars allégoriques anciens,
de documents et d'ac-
cessoires (cartons
d'invitation, décorations)
datant du XIXᵉ siècle.

Il est également possible de
voir de plus près et de ma-
nipuler à sa guise costumes,
masques et autres atours en
visitant les boutiques spécialisées suivantes.

Accent Annex

633 rue Toulouse

☎ 592-9886

L'Accent Annex est un grossiste en objets et décorations de toutes sortes.

Barth Bros Artists-Designers-Decorators

4346 Poche Court O.

☎ 254-1794

Barth Bros Artists-
Designers-Decorators est
une entreprise qui a fait des
fêtes du Mardi gras une
forme d'art en soi et qui se
spécialise dans la conception et la construction de
chars allégoriques élaborés.
Ses travaux sont exposés au
Musée de l'histoire américaine de Washington.

Blaine Kern's Mardi Gras World

233 rue Newton,
pointe d'Alger

☎ 362-8211

Blaine Kern's Mardi Gras
World fabrique des chars
allégoriques et propose tous
les accessoires du Mardi
gras.

Jefferson Variety Store

239 av. Iris
Métairie

☎ 834-5222

Costumes et «jetons», jouets
du Mardi gras.

Costume Headquarters

240 av. Iris

☎ 488-9523 ou 488-6959

Location de costumes de
toutes sortes, de perruques,
de masques, etc.

Le Garage Antiques and Clothing

1234 rue de la Levée/Decatur,
Vieux-Carré Français

☎ 522-6639

Le Garage Antiques and
Clothing se spécialise dans

Achats

la vente d'accessoires et d'apparats du Mardi gras; on y trouve une belle collection de costumes et de masques anciens. Le propriétaire, Marcus Fraser, est au fait de la moindre nouveauté.

Neighborhood Art Gallery
contactez Sandra Berry
2131 rue Soniat
☎*891-5537*
La coopérative des artistes afro-américains de La Nouvelle-Orléans y expose quantité de leurs œuvres.

Galeries Bergen
dim-jeu 9h à 21h,
ven-sam 9h à 22h
730 rue Royale
☎*523-7882 ou 800-621-6179*
La plus grande sélection d'affiches du Mardi gras, anciennes ou modernes. Elles peuvent être expédiées partout dans le monde.

Little Shop of Fantasies
523 rue Dumaine
Vieux-Carré Français
☎*529-4243*
Cette boutique est au nombre de celles présentant les plus éclatants masques du Mardi gras.

Marché aux Puces du Marché Français
tlj
à l'angle des rues Saint-Pierre et de la Levée/Decatur
☎*596-3420 ou 596-3424*
On trouve de tout, masques du Mardi gras compris, dans ce marché vieux de plus de deux siècles.

Rumors
513 et 319 rue Royale,
Vieux-Carré Français
☎*525-0292 ou 523-0011*
Le Rumors est un des endroits préférés pour l'achat d'un masque du Mardi gras. On y trouve une très grande variété de boucles d'oreilles, des très classiques aux plus excentriques.

Fleuriste

Scheinuk Le fleuriste
2600 av. Saint-Charles
à l'angle de l'avenue de Washington
☎*895-3944 ou 800-535-2020*
Ici les clients sont servis en peu de temps. On y propose un joli choix de fleurs coupées, et les bouquets, à prix raisonnables, sont arrangés avec goût.

Lexique

PRÉSENTATIONS

Salut!	*Hi!*
Comment ça va?	*How are you?*
Ça va bien	*I'm fine*
Bonjour (la journée)	*Hello*
Bonsoir	*Good evening/night*
Bonjour, au revoir, à la prochaine	*Goodbye, See you later*
Oui	*Yes*
Non	*No*
S'il vous plaît	*Please*
Merci	*Thank you*
De rien, bienvenue	*You're welcome*
Excusez-moi	*Excuse me*
Je suis touriste	*I am a tourist.*
Je suis Américain(e)	*I am American*
Je suis Canadien(ne)	*I am Canadian*
Je suis Britannique	*I am British*
Je suis Allemand(e)	*I am German*
Je suis Italien(ne)	*I am Italian*
Je suis Belge	*I am Belgian*
Je suis Français(e)	*I am French*
Je suis Suisse	*I am Swiss*
Je suis désolé(e), je ne parle pas anglais	*I am sorry, I don't speak English*
Parlez-vous français?	*Do you speak French?*
Plus lentement, s'il vous plaît	*Slower, please.*
Comment vous appelez-vous?	*What is your name?*
Je m'appelle...	*My name is...*
époux(se)	*spouse*
frère, sœur	*brother, sister*
ami(e)	*friend*
garçon	*son, boy*
fille	*daughter, girl*
père	*father*
mère	*mother*
célibataire	*single*
marié(e)	*married*

divorcé(e)	*divorced*
veuf(ve)	*widower/widow*

DIRECTION

Est-ce qu'il y a un bureau de tourisme près d'ici?	*Is there a tourist office near here?*
Il n'y a pas de..., nous n'avons pas de...	*There is no..., we have no...*
Où est le/la ...?	*Where is...?*
tout droit	*straight ahead*
à droite	*to the right*
à gauche	*to the left*
à côté de	*beside*
près de	*near*
ici	*here*
là, là-bas	*there, over there*
à l'intérieur	*into, inside*
à l'extérieur	*outside*
loin de	*far from*
entre	*between*
devant	*in front of*
derrière	*behind*

POUR S'Y RETROUVER SANS MAL

aéroport	*airport*
à l'heure	*on time*
en retard	*late*
annulé	*cancelled*
l'avion	*plane*
la voiture	*car*
le train	*train*
le bateau	*boat*
la bicyclette, le vélo	*bicycle*
l'autobus	*bus*
la gare	*train station*
un arrêt d'autobus	*bus stop*
L'arrêt, s'il vous plaît	*The bus stop, please*
rue	*street*
avenue	*avenue*
route, chemin	*road*
autoroute	*highway*

rang	*rural route*
sentier	*path, trail*
coin	*corner*
quartier	*neighbourhood*
place	*square*
bureau de tourisme	*tourist office*
pont	*bridge*
immeuble	*building*
sécuritaire	*safe*
rapide	*fast*
bagages	*baggage*
horaire	*schedule*
aller simple	*one way ticket*
aller-retour	*return ticket*
arrivée	*arrival*
retour	*return*
départ	*departure*
nord	*north*
sud	*south*
est	*east*
ouest	*west*

LA VOITURE

à louer	*for rent*
un arrêt	*a stop*
autoroute	*highway*
attention	*danger, be careful*
défense de doubler	*no passing*
stationnement interdit	*no parking*
impasse	*no exit*
arrêtez!	*stop!*
stationnement	*parking*
piétons	*pedestrians*
essence	*gas*
ralentir	*slow down*
feu de circulation	*traffic light*
station-service	*service station*
limite de vitesse	*speed limit*

L'ARGENT

banque	*bank*
caisse populaire	*credit union*
change	*exchange*
argent	*money*
Je n'ai pas d'argent	*I don't have any money*

carte de crédit	*credit card*
chèques de voyage	*traveller's cheques*
l'addition, s'il vous plaît	*The bill please*
reçu	*receipt*

L'HÉBERGEMENT

auberge	*inn*
auberge de jeunesse	*youth hostel*
chambre d'hôte, logement chez l'habitant	*bed and breakfast*
eau chaude	*hot water*
climatisation	*air conditioning*
logement, hébergement	*accommodation*
ascenseur	*elevator*
toilettes, salle de bain	*bathroom*
lit	*bed*
déjeuner	*breakfast*
gérant, propriétaire	*manager, owner*
chambre	*bedroom*
piscine	*pool*
étage	*floor (first, second...)*
rez-de-chaussée	*main floor*
haute saison	*high season*
basse saison	*off season*
ventilateur	*fan*

LE MAGASIN

ouvert(e)	*open*
fermé(e)	*closed*
C'est combien?	*How much is this?*
Je voudrais...	*I would like...*
J'ai besoin de...	*I need...*
un magasin	*a store*
un magasin à rayons	*a department store*
le marché	*the market*
vendeur(se)	*salesperson*
le/la client(e)	*the customer*
acheter	*to buy*
vendre	*to sell*
un t-shirt	*T-shirt*
une jupe	*skirt*
une chemise	*shirt*
un jeans	*jeans*

un pantalon	*pants*
un blouson	*jacket*
une blouse	*blouse*
des souliers	*shoes*
des sandales	*sandals*
un chapeau	*hat*
des lunettes	*eyeglasses*
un sac	*handbag*
cadeaux	*gifts*
artisanat local	*local crafts*
crèmes solaires	*sunscreen*
cosmétiques et parfums	*cosmetics and perfumes*
appareil photo	*camera*
pellicule	*film*
disques, cassettes	*records, cassettes*
journaux	*newspapers*
revues, magazines	*magazines*
piles	*batteries*
montres	*watches*
bijouterie	*jewellery*
or	*gold*
argent	*silver*
pierres précieuses	*precious stones*
tissu	*fabric*
laine	*wool*
coton	*cotton*
cuir	*leather*

DIVERS

nouveau	*new*
vieux	*old*
cher, dispendieux	*expensive*
pas cher	*inexpensive*
joli	*pretty*
beau	*beautiful*
laid(e)	*ugly*
grand(e)	*big, tall*
petit(e)	*small, short*
court(e)	*short*
bas(se)	*low*
large	*wide*
étroit(e)	*narrow*
foncé	*dark*
clair	*light*

gros(se)	*fat*
mince	*slim, skinny*
peu	*a little*
beaucoup	*a lot*
quelque chose	*something*
rien	*nothing*
bon	*good*
mauvais	*bad*
plus	*more*
moins	*less*
ne pas toucher	*do not touch*
vite	*quickly*
lentement	*slowly*
grand	*big*
petit	*small*
chaud	*hot*
froid	*cold*
Je suis malade	*I am ill*
pharmacie	*pharmacy, drugstore*
J'ai faim	*I am hungry*
J'ai soif	*I am thirsty*
Qu'est-ce que c'est?	*What is this?*
Où?	*Where?*

LA TEMPÉRATURE

pluie	*rain*
nuages	*clouds*
soleil	*sun*
Il fait chaud	*It is hot out*
Il fait froid	*It is cold out*

LE TEMPS

Quand?	*When?*
Quelle heure est-il?	*What time is it?*
minute	*minute*
heure	*hour*
jour	*day*
semaine	*week*
mois	*month*
année	*year*
hier	*yesterday*
aujourd'hui	*today*
demain	*tomorrow*
le matin	*morning*

l'après-midi	*afternoon*
le soir	*evening*
la nuit	*night*
maintenant	*now*
jamais	*never*
dimanche	*Sunday*
lundi	*Monday*
mardi	*Tuesday*
mercredi	*Wednesday*
jeudi	*Thursday*
vendredi	*Friday*
samedi	*Saturday*
janvier	*January*
février	*February*
mars	*March*
avril	*April*
mai	*May*
juin	*June*
juillet	*July*
août	*August*
septembre	*September*
octobre	*October*
novembre	*November*
décembre	*December*

LES COMMUNICATIONS

bureau de poste	*post office*
par avion	*air mail*
timbres	*stamps*
enveloppe	*envelope*
bottin téléphonique	*telephone book*
appel outre-mer, interurbain	*long distance call*
appel à frais virés (PCV)	*collect call*
télécopieur, fax	*fax*
télégramme	*telegram*
tarif	*rate*
composer l'indicatif régional	*dial the area code*
attendre la tonalité	*wait for the tone*

LES ACTIVITÉS

la baignade	*swimming*
plage	*beach*

la plongée sous-marine	*scuba diving*
la plongée-tuba	*snorkelling*
la pêche	*fishing*
navigation de plaisance	*sailing, pleasure-boating*
la planche à voile	*windsurfing*
faire du vélo	*bicycling*
vélo tout-terrain (VTT)	*mountain bike*
équitation	*horseback riding*
la randonnée pédestre	*hiking*
se promener	*to walk around*
musée	*museum, gallery*
centre culturel	*cultural centre*
cinéma	*cinema*

TOURISME

fleuve, rivière	*river*
chutes	*waterfalls*
belvédère	*lookout point*
colline	*hill*
jardin	*garden*
réserve faunique	*wildlife reserve*
péninsule, presqu'île	*peninsula*
côte sud/nord	*south/north shore*
hôtel de ville	*town or city hall*
palais de justice	*court house*
église	*church*
maison	*house*
manoir	*manor*
pont	*bridge*
porte	*door, archway, gate*
douane	*customs house*
marché	*market*
canal	*canal*
chenal	*channel*
voie maritime	*seaway*
cimetière	*cemetery*
moulin	*mill*
moulin à vent	*windmill*
école secondaire	*high school*
phare	*lighthouse*
grange	*barn*
chute(s)	*waterfall(s)*
batture	*sandbank*
faubourg	*neighbourhood, region*

LES NOMBRES

1	*one*
2	*two*
3	*three*
4	*four*
5	*five*
6	*six*
7	*seven*
8	*eight*
9	*nine*
10	*ten*
11	*eleven*
12	*twelve*
13	*thirteen*
14	*fourteen*
15	*fifteen*
16	*sixteen*
17	*seveteen*
18	*eighteen*
19	*nineteen*
20	*twenty*
21	*twenty-one*
22	*twenty-two*
23	*twenty-three*
24	*twenty-four*
25	*twenty-five*
26	*twenty-six*
27	*twenty-seven*
28	*twenty-eight*
29	*twenty-nine*
30	*thirty*
31	*thirty-one*
32	*thiry-two*
40	*fourty*
50	*fifty*
60	*sixty*
70	*seventy*
80	*eighty*
90	*ninety*
100	*one hundred*
200	*two hundred*
500	*five hundred*
1 000	*one thousand*
10 000	*ten thousand*
1 000 000	*one million*

Index

Index

Surfez
sur le plaisir
de mieux
voyager

_____
_____
_____
_____
_____
_____
_____
_____
_____
_____
_____
_____
_____
_____
_____
_____
_____
_____
_____
_____
_____
_____
_____
_____
_____

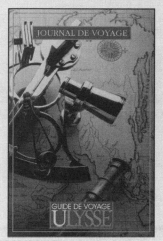

Bon de commande Ulysse

Guides de voyage

☐	Abitibi-Témiscamingue et Grand Nord	22,95 $	135 FF
☐	Acapulco	14,95 $	89 FF
☐	Arizona et Grand Canyon	24,95 $	145 FF
☐	Bahamas	24,95 $	129 FF
☐	Belize	16,95 $	99 FF
☐	Boston	17,95 $	99 FF
☐	Calgary	16,95 $	99 FF
☐	Californie	29,95 $	129 FF
☐	Canada	29,95 $	129 FF
☐	Cancún et la Riviera Maya	19,95 $	99 FF
☐	Cape Cod – Nantucket	16,95 $	99 FF
☐	Carthagène (Colombie)	12,95 $	70 FF
☐	Charlevoix – Saguenay – Lac-Saint-Jean	22,95 $	135 FF
☐	Chicago	19,95 $	99 FF
☐	Chili	27,95 $	129 FF
☐	Colombie	29,95 $	145 FF
☐	Costa Rica	27,95 $	145 FF
☐	Côte-Nord – Duplessis – Manicouagan	22,95 $	135 FF
☐	Cuba	24,95 $	129 FF
☐	Cuisine régionale au Québec	16,95 $	99 FF
☐	Disney World	19,95 $	135 FF
☐	El Salvador	22,95 $	145 FF
☐	Équateur – Îles Galápagos	24,95 $	129 FF
☐	Floride	29,95 $	129 FF
☐	Gaspésie – Bas-Saint-Laurent – Îles-de-la-Madeleine	22,95 $	99 FF
☐	Gîtes du Passant au Québec	14,95 $	89 FF
☐	Guadeloupe	24,95 $	99 FF
☐	Guatemala	24,95 $	129 FF
☐	Hawaii	29,95 $	129 FF
☐	Honduras	24,95 $	145 FF
☐	Hôtels et bonnes tables au Québec	17,95 $	89 FF
☐	Huatulco et Puerto Escondido	17,95 $	89 FF
☐	Jamaïque	24,95 $	129 FF
☐	La Havane	16,95 $	79 FF
☐	La Nouvelle-Orléans	17,95 $	99 FF
☐	Las Vegas	17,95 $	89 FF
☐	Lisbonne	18,95 $	79 FF
☐	Louisiane	29,95 $	139 FF

Guides de voyage

☐ Los Cabos et La Paz	14,95 $	89 FF
☐ Martinique	24,95 $	99 FF
☐ Miami	18,95 $	99 FF
☐ Montréal	19,95 $	117 FF
☐ Montréal pour enfants	19,95 $	117 FF
☐ New York	19,95 $	99 FF
☐ Nicaragua	24,95 $	129 FF
☐ Nouvelle-Angleterre	29,95 $	145 FF
☐ Ontario	27,95 $	129 FF
☐ Ottawa	16,95 $	99 FF
☐ Ouest canadien	29,95 $	129 FF
☐ Ouest des États-Unis	29,95 $	129 FF
☐ Panamá	24,95 $	139 FF
☐ Pérou	27,95 $	129 FF
☐ Plages du Maine	12,95 $	70 FF
☐ Porto	17,95 $	79 FF
☐ Portugal	24,95 $	129 FF
☐ Provence – Côte d'Azur	29,95 $	119 FF
☐ Provinces atlantiques du Canada	24,95 $	129 FF
☐ Puerto Plata – Sosua	14,95 $	69 FF
☐ Puerto Rico	24,95 $	139 FF
☐ Puerto Vallarta	14,95 $	99 FF
☐ Le Québec	29,95 $	129 FF
☐ République dominicaine	24,95 $	129 FF
☐ Saint-Martin – Saint-Barthélemy	16,95 $	89 FF
☐ San Francisco	17,95 $	99 FF
☐ Seattle	17,95 $	99 FF
☐ Toronto	18,95 $	99 FF
☐ Tunisie	27,95 $	129 FF
☐ Vancouver	17,95 $	89 FF
☐ Venezuela	29,95 $	129 FF
☐ Ville de Québec	17,95 $	89 FF
☐ Washington, D.C.	18,95 $	117 FF

Espaces verts

☐ Cyclotourisme au Québec	22,95 $	99 FF
☐ Cyclotourisme en France	22,95 $	79 FF
☐ Motoneige au Québec	22,95 $	99 FF
☐ Le Québec cyclable	19,95 $	99 FF
☐ Le Québec en patins à roues alignées	19,95 $	99 FF
☐ Randonnée pédestre Montréal et environs	19,95 $	117 FF

Espaces verts (suite)

☐	Randonnée pédestre Nord-Est des États-Unis	22,95 $	129 FF
☐	Ski de fond au Québec	22,95 $	110 FF
☐	Randonnée pédestre au Québec	22,95 $	129 FF

Guides de conversation

☐	L'Anglais pour mieux voyager en Amérique	9,95 $	43 FF
☐	L'Espagnol pour mieux voyager en Amérique latine	9,95 $	43 FF
☐	Le Québécois pour mieux voyager	9,95 $	43 FF
☐	French for better travel	9,95 $	43 FF

Journaux de voyage Ulysse

☐	Journal de voyage Ulysse (spirale)	11,95 $	49 FF
☐	Journal de voyage Ulysse (format de poche) bleu - rouge - jaune - vert - sextant	9,95 $	44 FF

Budget●zone

☐	Amérique centrale	14,95 $	69 FF
☐	Ouest canadien	14,95 $	69 FF
☐	Le Québec	14,95 $	69 FF
☐	Stagiaires Sans Frontières	14,95 $	89 FF

Titres	Qté	Prix	Total
Nom :		Total partiel	
		Port	4$/16FF
Adresse :		Total partiel	
		Au Canada TPS 7%	
		Total	
Tél :	Fax :		
Courriel :			
Paiement : ☐ Chèque ☐ Visa ☐ MasterCard			

Guides de voyage Ulysse
4176, rue Saint-Denis, Montréal (Québec) H2W 2M5
☎(514) 843-9447
sans frais ☎1-877-542-7247
Fax : (514) 843-9448
info@ulysse.ca

En Europe:
Les Guides de voyage Ulysse, SARL
BP 159
75523 Paris Cedex 11
☎01.43.38.89.50
Fax : 01.43.38.89.52
voyage@ulysse.ca

Consultez notre site : www.guidesulysse.com